Prix du
des lecte

Ce roman fait part
Prix du Meilleur Polar
des lecteurs de POINTS !

Le Prix du Meilleur Polar des lecteurs de Points, ce sont :
- 9 romans policiers et thrillers choisis avec amour par Points,
- 60 jurés lecteurs enthousiastes et incorruptibles,
- une année de lectures, de conversations et de débats,
- un vote à bulletin secret, un suspense insoutenable…
Et un seul lauréat !

Qui sera le successeur d'Antonin Varenne, Pete Dexter,
Tana French, Thomas H. Cook, Karim Miské, Dror
Mishani, Sara Gran et Cédric Bannel ?

Pour tout savoir sur les livres sélectionnés, donner votre
avis sur ce livre et partager vos coups de cœur avec d'autres
passionnés, rendez-vous sur :

www.prixdumeilleurpolar.com

En partenariat avec *Page des libraires*,
30 ans de lectures partagées

Franz Bartelt est né et vit toujours dans les Ardennes. Il est l'auteur d'une quarantaine de livres, dont *Les Bottes rouges*, Grand Prix de l'Humour noir, ou *Le Jardin du bossu*, polar salué par la critique lors de sa parution. À la fois poète, nouvelliste, dramaturge, feuilletoniste, ce romancier très discret possède un style d'une rare élégance qui, allié à une imagination débordante, font de lui un écrivain précieux.

Franz Bartelt

HÔTEL DU
GRAND CERF

ROMAN

Éditions du Seuil

TEXTE INTÉGRAL

ISBN 978-2-7578-7174 4
(ISBN 9/8-2-02-136634-1, 1ʳᵉ publication)

© Éditions du Seuil, 2017

À la mémoire
d'Alain Bertrand

DERNIER ÉTÉ DU XXᵉ SIÈCLE

Dimanche après-midi
Lundi

Paris. Dimanche après-midi.

Aujourd'hui, le nom de Rosa Gulingen ne dit plus rien à personne. Il y a une quarantaine d'années, il fut pourtant celui d'une des stars les plus célèbres du cinéma. Elle composait avec Armand Grétry, lui aussi bien oublié maintenant, un de ces couples que la foule fait mythe ou légende.

C'était une Allemande. Elle avait commencé sa carrière en France vers la fin des années trente, avant de tourner trois ou quatre films aux États-Unis. Auréolée de gloire hollywoodienne, elle était revenue s'installer à Paris, quelques mois après la Libération. On ne se souvient plus qu'elle trouva la mort dans une bourgade de l'Ardenne, sur la frontière franco-belge, où elle préparait le tournage d'un nouveau film : *Le Village oublié*. On l'avait découverte noyée dans sa baignoire. Armand Grétry, son partenaire à l'écran et son compagnon dans la vie, avait un moment été inquiété par la police. Puis, très vite, mis hors de cause.

« On n'a jamais retrouvé le coupable, dit Charles Raviotini en introduisant une cassette dans le magnéto-scope.

– Il n'y avait peut-être pas de coupable, murmura Nicolas Tèque. Puisque la police a conclu à une mort accidentelle.

– Peut-être. Je t'ai réuni quelques journaux de l'époque. L'enquête a conclu à un accident, c'est vrai. Rosa buvait comme un trou. Elle se serait endormie dans son bain. La police n'a pas jugé utile de chercher plus loin. Toutefois, certains journalistes ont écrit qu'il subsistait un doute. Je m'en tiens au doute. C'est ce qui fait rêver. »

Sur l'écran apparaissaient de brèves images muettes de Rosa et d'Armand.

« Ce sont des bouts de scènes, des essais, des choses sans grand intérêt artistique, expliquait Charles Raviotini. Mais tout a été filmé pendant la semaine précédant la mort de Rosa.

– Où tu as trouvé ça ? demanda Nicolas Tèque, d'une voix maussade.

– Dans une poubelle, je crois.

– Tu crois ?

– C'était il y a trois ou quatre ans, au moins. Il y avait des travaux dans l'immeuble que j'habitais à ce moment-là, rue La Fontaine. Les caves avaient été vidées. Sur le trottoir, parmi les détritus et les gravats, j'ai aperçu une caisse contenant des bobines de films. Je l'ai chargée dans le coffre de la voiture. Un réflexe. Parce que ça me faisait de la peine de voir partir des films à la benne. J'ai mis ça dans un coin de mon bureau et je n'y ai plus pensé. L'autre jour, je suis retombé dessus. Comme je n'avais rien de mieux à faire, j'ai visionné quelques-unes de ces bobines. Il y en avait pour tous les goûts. Des publicités. Un documentaire sur Lisbonne. Des bandes-annonces. Et ça. Je l'ai fait reporter sur cassette. Pour toi. Regarde bien. »

Nicolas Tèque bâillait. Il avait eu un samedi soir plein d'indignité, qui l'avait conduit d'un bar à une boîte de nuit, puis à un autre bar, liquidant dans divers breuvages des fatigues existentielles et quelques soucis d'argent. D'un œil gonflé et larmoyant, il voyait sur l'écran une succession d'images sans suite logique. Une entrée de bâtiment surmontée d'une enseigne en demi-cercle où on pouvait lire « Notre-Dame des Orphelins ». Un hôtel sur la façade duquel avait été peinte en lettres gothiques cette raison sociale : « Hôtel du Grand Cerf ». Une place, assez vaste, où il y avait des arbres, et sur le pavé de laquelle circulaient des groupes empotés de figurants qui cherchaient leurs marques. Quelques photos de famille, des rangs d'oignons, vagues silhouettes de paysans endimanchés, enfants graves, immobiles, sur le bord d'une fontaine, sur la toile de fond d'une église sans charme. L'intérieur de l'hôtel, un salon plutôt cossu, mais d'un style exagérément rustique, avec de lourdes poutres, une cheminée au manteau noirci, des lampes en fer forgé, des tables en bois épais. Au mur, des chromos, des vieux outils, une glace immense dont le reflet révélait un tableau où l'on apercevait des moulins. Quatre essais de scènes qui réunissaient Rosa et Armand. Un gros plan de Rosa. Puis, un plan plus large de l'actrice debout près de la cheminée de l'hôtel. C'était à peu près tout.

« Et alors ? demanda Nicolas Tèque.

– Et alors, en voyant ça, j'ai eu l'idée qu'on pourrait faire un documentaire intéressant.

– Plus personne ne la connaît, ta Rosa, mon pauvre Charles ! Et Armand, encore moins. Qui veux-tu intéresser à une histoire pareille ? Ton idée n'est pas fameuse.

– Je ne dis pas comme toi. D'abord, parce que la télévision rediffuse de temps à autre plusieurs des films de Rosa Gulingen et d'Armand Grétry.

– Jamais vu.

– Moi si.

– C'est comment ?

– Romantique, quand on aime. Grandiloquent, quand on n'aime pas. Mais ce n'est pas l'important. »

Il recula vers la fenêtre, glissa les mains dans les poches de sa veste.

« J'ai commencé à me renseigner. L'hôtel du Grand Cerf existe toujours. Il appartient toujours à la même famille. Thérèse Londroit. Fille de Léontine Londroit. Il paraît que Reugny, le village, n'a pour ainsi dire pas changé depuis le début des années soixante. On y a longtemps célébré le culte de Rosa et d'Armand.

– Qu'est-ce que tu attends de moi, Charles, exactement ?

– Rends-toi sur place. À Reugny. Retrouve les témoins de cette époque. Les lieux. Va chez les gens du pays. Je suis sûr qu'ils conservent avec fierté des photos qu'ils ont prises de Rosa et d'Armand. Consulte aussi les archives des journaux. Aussi bien en France qu'en Belgique.

– Je ne vois pas pourquoi.

– C'est toute une époque du cinéma, tu sais. Et puis, il y a cette fin curieuse. Dont on possède les images des heures qui l'ont immédiatement précédée. Rosa s'est noyée à six heures du soir, le 6 juin 1960. En examinant avec soin les bouts de films que j'ai retrouvés et en les comparant avec plusieurs articles de presse, tout m'a laissé supposer que la scène où l'on voit Rosa près de la cheminée de l'hôtel a été tournée moins d'une heure avant sa mort.

– Et puis ?

– Et puis, rien. Je voudrais savoir ce qui s'est passé pendant cette heure.

– Plus de quarante ans après, les choses ne vont pas être simples.

– C'est un bon petit boulot pour toi. Je te donne une semaine. »

Nicolas n'avait pas le choix. Il lui restait juste de quoi payer pour un mois la chambre qu'il occupait depuis deux ans. Il avait revendu sa voiture et, dans l'urgence, n'en avait pas tiré la moitié de sa valeur. Charles Raviotini le dépannait de temps à autre, avec des petits emplois de régisseur, d'accessoiriste, de photographe, n'importe quoi qui lui permettait de survivre mois après mois.

Sans excitation, le producteur fit le plan du film qu'il espérait consacrer à la mort de Rosa Gulingen. Il était de ces hommes qui savent et ne se trompent jamais. Il fourmillait d'idées bizarres, de projets irréalisables et tortueux, qu'il menait néanmoins à terme sans désemparer, avec une conviction paisible qui inspirait confiance à tout le monde.

« Je pars quand ? interrogea Nicolas Tèque.

– Demain matin. Je t'ai pris un billet de train jusqu'à Larcheville. À Larcheville, tu loueras une voiture. Il y a une agence à deux pas de la gare. La frontière n'est qu'à quelques minutes de route. Tu logeras évidemment à l'hôtel du Grand Cerf. Je t'ai préparé une carte routière de la région. De l'argent. Un petit appareil photo, un magnétophone de poche. Faxe-moi ou téléphone-moi des nouvelles une fois par jour. Je compte sur toi, mon vieux. »

Il souriait en lorgnant vers l'écran de télévision où Nicolas venait de faire un arrêt sur l'image de Rosa appuyée contre le jambage de la cheminée.

« Est-ce qu'elle a l'air d'une femme saoule ? murmura Charles.

– Elle est en pleine forme, c'est vrai. Mais ça ne veut rien dire.

– Là, il ne lui reste pas une heure à vivre.

– En une heure, elle avait le temps de vider une bouteille d'alcool.

– On peut tout imaginer, Nicolas.

– Quel âge avait-elle ?

– Quarante et un ans.

– Elle en paraît dix de moins.

– Preuve que c'était une bonne actrice. »

Reugny. Dimanche après-midi.
Hôtel du Grand Cerf.

Thérèse Londroit n'était pas d'humeur facile. Tout l'agaçait. Les clients se faisaient rares, même en pleine saison. Ce midi, elle n'avait servi qu'une demi-douzaine de couverts, principalement à des Flamands et à un couple de Bruxellois. Quelques touristes français séchaient une bière consistante dans la tiédeur du salon. Deux jeunes gens s'étaient installés dans l'ancienne grange qu'elle avait transformée en une espèce de petit musée à la gloire de Rosa Gulingen et d'Armand Grétry. Pendant des années, elle avait accumulé quantité d'objets ayant un rapport avec les deux comédiens, affiches de film, photographies, matériel publicitaire, la paire de chaussures que Rosa portait dans *Les Bandes rouges*, le collier de coquillages qu'Armand lui offrait dans *L'Archipel de l'amour*, une boîte des mêmes cigares que fumait Grétry dans la vie, une collection de portraits du couple peints par des artistes amateurs. Rosa et Armand avaient inspiré une génération entière d'artistes locaux, des Français comme des Belges. Au milieu de cet entassement de souvenirs d'une valeur minuscule, elle avait fait construire trois tonnelles, couvertes de lierre et de fleurs en matière plastique. Les couples d'amoureux y trouvaient comme un abri à leurs déclarations de saison. S'ils le voulaient, ils pouvaient aussi visionner deux ou trois films de Rosa.

De l'autre côté de la fenêtre, qui donnait sur la place de Reugny, elle vit s'arrêter le taxi de Sylvie Monsoir devant le Centre de Motivation qu'avait ouvert Richard Lépine dans ce qui, avant la guerre, avait longtemps été une maison d'accueil pour les orphelins. De la voiture, il descendit trois hommes. C'était la quatrième fournée depuis le matin. D'autres étaient venus par leurs propres moyens. Ou dans des taxis français.

Elle haussa les épaules. Les affaires de Richard Lépine ne la préoccupaient pas. Mais elle l'épiait avec une curiosité grandissante. Il n'y avait pas grand-chose à voir. Elle se demandait seulement ce que pouvaient bien venir chercher ici ces hommes en costume, raides comme des piquets, incapables d'un sourire ou d'un bonjour, et qui ne mettaient jamais les pieds à l'hôtel du Grand Cerf. Toutefois, le Centre de Motivation était réputé dans l'Europe entière. Elle avait parcouru des articles dans les journaux. Les entreprises avaient l'habitude d'organiser des stages et des séminaires à Reugny. Richard Lépine avait développé une méthode singulière, basée sur l'observation des représentations animales. Elle n'en savait pas plus. Les gens du pays ne parlaient pas beaucoup de ces choses-là, qui relevaient des secrets et des mystères dont il valait mieux se tenir éloigné. Trop d'argent. Trop de personnages puissants.

La Sylvie Monsoir faisait des manières avec les hommes. Thérèse Londroit pesta entre ses lèvres serrées. Elle n'aimait pas cette femme qui n'était pas du pays. Son mari, Freddy Monsoir, travaillait dans les transports internationaux. Un fou furieux, comme bien des hommes de ce plateau. Et qui avait vécu en patachon pendant cinq ans, le temps de revenir à Reugny le corps couvert de tatouages, les cheveux à ras, des chaînes au cou et aux poignets, avec une allure inhabituelle dans ces campagnes. Il partirait tout à l'heure, prendre un chargement dans les pays de l'Est, on ne savait où et on ne savait quoi. Vendredi soir, il s'était saoulé à l'hôtel du Grand Cerf. Il avait l'habitude de se saouler avant chaque grand voyage. De se saouler et de casser quelque chose, pour se rappeler au bon souvenir de ses concitoyens. Il était fort comme un bœuf. Et brutal. Il avait plus d'une fois arraché le robinet de la fontaine, d'un seul élan, à pleine poigne, en riant. Mieux valait être bien avec lui. Il savait ajuster le coup de poing qui brise la tête en plusieurs morceaux. Il avait été la terreur des bals et des dancings. Ce n'est pas qu'il était méchant. Non. Mais sa jalousie le gouvernait. Depuis qu'il avait ramené cette Sylvie, c'était pire. D'autant qu'il devait l'abandonner à la convoitise des hommes durant des semaines et que cela le rongeait.

« La jalousie n'a jamais empêché les cornes. Elle les fait seulement sentir mauvais », murmurait Thérèse Londroit, sans savoir qu'elle citait Xavier Forneret.

Elle reprit le chiffon qu'elle avait posé sur le rebord de la fenêtre et entreprit de dépoussiérer le dessus des tableaux accrochés au mur, espérant que ce geste domestique ferait venir des clients.

Reugny. Dimanche après-midi.
Centre de Motivation.

Le silence était de règle. Une fois franchi le seuil, les participants au stage ne s'appartenaient plus et n'appartenaient plus au monde ordinaire. Richard Lépine ne se montrait pas. Il méditait dans son bureau jusqu'au soir. Élisabeth Grandjean était chargée d'accueillir les stagiaires. C'était une longue et belle femme au visage fermé, vêtue d'un tailleur noir et d'un corsage blanc. Dans le hall, elle prenait en charge chaque stagiaire et le conduisait à sa cellule, sans un mot. Elle notait quelque chose sur un formulaire, une appréciation, un chiffre, peut-être seulement une croix dans une case. Le stage commençait en fait au premier regard qu'elle posait sur les participants. La première impression était prise en compte, en dehors de tout critère objectif.

Un panonceau intimait le silence. Sur une table, alignés par ordre alphabétique, des badges au nom des stagiaires. Chacun choisissait le sien, l'épinglait au revers de son veston. Il lui était recommandé de ne le quitter sous aucun prétexte, quelle que soit la tenue qu'il serait amené à porter pendant le temps qu'il passerait au Centre, y compris la nuit. On devait pouvoir l'identifier à tout moment. Sous la douche comme aux toilettes. Tout cela était consigné dans un livret que le stagiaire était invité à étudier avec le soin le plus méticuleux. Il y apprendrait notamment que la perte du badge entraînait une exclusion immédiate, un retour sur-le-champ à l'entreprise d'origine et un rapport défavorable. En revanche, le stagiaire qui trouvait le badge égaré était en droit de le conserver et cela lui vaudrait des points supplémentaires à l'instant de l'évaluation finale. Il était implicite que ces badges pouvaient être l'objet de détournement, de vol, et qu'il s'agissait de les défendre, comme on aurait défendu sa propre personne, son nom, sa maison, son bien le plus précieux. Ils constituaient, d'une certaine façon, quelque chose comme une prise de guerre. Les stagiaires devaient en permanence se tenir sur leurs gardes. Et prendre conscience qu'ils évoluaient dans un monde hostile, confrontés à un nombre incalculable de dangers. Là, ils ne pouvaient compter que sur eux-mêmes, sur leurs qualités d'attention et d'endurance, sur leur astuce, sur leur faculté à dominer les autres, sur leur instinct de survie.

Élisabeth Grandjean écrivit que les trois hommes qui se présentaient devant elle étaient flamands, qu'ils avaient voyagé ensemble d'Anvers à Reugny. Ce voyage en groupe leur valut un mauvais point. À ce niveau et dans ces circonstances, un cadre supérieur doit cesser d'obéir aux codes qui régissent la vie en société. Il n'a plus d'amis, plus de collègues, plus de confrères, plus d'égaux. Il est tout calcul, tout stratégie, tout ambition. Elle nota l'heure de leur arrivée et pointa leur nom sur une liste. Tous les trois travaillaient auprès de la direction de Bating Antwerpen. Un de leurs collègues était déjà dans sa cellule depuis le matin. Bon point pour lui.

Les Français de Bating Toulouse avaient aussi voyagé en groupe. Ils avaient frété un minibus Mercedes avec chauffeur en casquette. Le chauffeur constituait une complication, car il n'était pas dans les usages du Centre de loger des personnes étrangères aux stages qui s'y déroulaient. Finalement, on avait trouvé au chauffeur un lit dans le dortoir réservé au personnel. Mais pour plaider leur cas, les Français avaient dû rompre d'entrée la règle du silence. Mauvais point. Ils s'étaient expliqués dans un anglais qui essayait d'imiter l'accent new-yorkais. Mauvais point. Élisabeth Grandjean les avait écoutés sans prononcer une parole. Au bout de cinq minutes, ils étaient déstabilisés et mêlaient des bribes de français à leur anglais prétentieux. L'un d'eux se laissa déborder par l'émotion et se fâcha presque en parlant d'un « foutoir hallucinant ». Mauvais point encore.

Quant aux Français de Bating Normandie et aux Allemands de Bating Stuttgart, ils n'étaient même pas encore annoncés. Il était trois heures de l'après-midi. Il y avait du soleil. Mais au-delà du hall, le long des couloirs où s'alignaient les cellules, le Centre était dépourvu de fenêtres.

Reugny. Dimanche après-midi.

Depuis plusieurs mois, Anne-Sophie Londroit se disputait de plus en plus violemment avec sa mère, Thérèse Londroit. Au sujet de la grand-mère, Léontine Londroit, vieille et à moitié paralysée, à cause de qui on ne pouvait pas vendre l'hôtel du Grand Cerf. À vingt ans passés, Anne-Sophie aurait aimé quitter ce trou perdu au milieu des Ardennes, où l'hiver n'en finissait pas, où l'été se dévidait par petites secousses de lumière entre d'interminables étalées de nuages et d'ombre. Elle voyait le moment où sa mère, Thérèse, lui imposerait de prendre la succession à la tête de l'établissement. Déjà, elle lui avait infligé deux années dans une école hôtelière, en France, et n'avait accepté de l'en retirer qu'après que la jeune fille eut tenté de mettre fin à ses jours en se jetant sous les roues d'une voiture. Anne-Sophie s'en était sortie avec une jambe brisée qui lui avait laissé une légère claudication et trois jours de coma dont elle se plaisait à répéter, quand elle sentait monter en elle de la colère contre sa mère et sa grand-mère, qu'ils avaient été les « trois plus beaux jours de sa vie ». D'autres fois, elle disait à sa mère que c'était sa faute, à elle, mauvaise mère, si maintenant elle boitait. Et elle tirait la patte un peu plus bas, pour bien afficher sa disgrâce.

Au fond, elle ne savait pas exactement ce qu'elle voulait. Elle rêvait de quitter Reugny. Cette campagne la rendait malade. Elle aurait aimé habiter Bruxelles.

Au moins, Liège. Rencontrer des gens, sortir le soir, mener une existence normale, sans savoir vraiment ce qu'elle entendait par une « existence normale ». Elle voulait vivre comme les gens qu'on voyait à la télévision. Peut-être. Elle n'avait pas une idée précise de ces choses. Elle s'énervait. Elle était trop sensible. Elle entrait dans des colères qui la défiguraient, tenait en hurlant des propos terribles à l'encontre de sa mère et de la grand-mère Léontine. Puis regrettait ces excès et s'enfermait dans sa chambre pendant des jours.

Ce dimanche encore, sa mère l'avait obligée à servir en salle. Elle lui avait demandé cela comme une faveur, presque gentiment, en la suppliant, mais c'était un ordre déguisé en prière. La clientèle n'était pas assez nombreuse pour qu'on fasse les frais d'embaucher un extra. Il fallait se débrouiller. Thérèse aux fourneaux, Anne-Sophie au service. Et Léontine, dans son fauteuil roulant, sur la mezzanine, qui inspectait de loin son petit monde.

Sa mère lui avait reproché de ne pas mettre assez de cœur à l'ouvrage, d'être désagréable avec la clientèle.

« C'est pas mon métier, de faire le larbin, avait rétorqué Anne-Sophie.

– C'est quoi ton métier ? avait demandé Thérèse, en rogne.

– D'avoir vingt ans. »

Les disputes commençaient toujours à peu près de la même façon et pour les mêmes raisons. Se poursuivaient selon des cheminements convenus. Thérèse était fatiguée, et lasse. Elle perdait facilement patience. Elle était seule pour s'occuper de tout, de l'hôtel, du ménage, du jardin, des commissions, de la cuisine, de Léontine et aussi d'Anne-Sophie, qui lui donnait du tracas, plus qu'une mère ne peut en supporter. Elle lui épargnait les gros travaux, les tâches salissantes, n'exigeait d'elle qu'un coup de main de temps en temps, le dimanche, quand il y avait un peu de monde. Elle ne pouvait pas faire plus.

« Si, tu peux faire plus, se révoltait Anne-Sophie.

– Quoi, par exemple ?

– Vendre l'hôtel.

– Tu sais que ce n'est pas possible, tant que grand-mère est en vie. C'est son œuvre. C'est elle qui l'a voulu. Toute sa vie est entre ces murs.

– Ce n'est pas une raison pour qu'elle nous condamne à y passer la nôtre.

– Qu'est-ce qu'on ferait d'elle si on vendait ?

– Il y a des maisons pour les vieux.

– Elle en mourrait.

– Ça ne serait pas plus mal. Elle a fait son temps. »

Elle aurait préféré retenir ces dernières méchancetés. Elle n'en pensait pas un mot. Mais c'était plus fort qu'elle. Face à sa mère, elle avait besoin de se défendre ainsi, avec une cruauté radicale. Évidemment, Thérèse avait pris son air chagrin et s'était tournée vers les cuves où fumait l'eau de la vaisselle. Anne-Sophie avait jeté le torchon sur le sol et était sortie en maugréant. Elle avait enfourché son vélomoteur.

Maintenant, elle roulait, les cheveux au vent, sur la route qui serpentait vers le point de vue, dans les hauteurs de Reugny, en lisière de la forêt. Pour une fois, le temps était estival. Il faisait même presque chaud.

En bas du village, elle avait mis pied à terre pour saluer Brice Meyer, un idiot à face de lune. Ils avaient été à l'école ensemble. Elle l'avait toujours bien aimé. Parce qu'il chantait à tue-tête sans craindre le ridicule. C'était même un jeu pour beaucoup de monde, de faire chanter Brice Meyer. Il passait son temps l'oreille collée à son transistor. Il dormait avec. Il ne s'en séparait jamais. À la longue, il avait fini par connaître une quantité incroyable de chansons, dont il ne savait que les trois ou quatre premiers mots, qu'il répétait sans toujours en comprendre le sens.

Du matin au soir, et souvent aussi la nuit, il traînait dans le village et dans les alentours, parfois même assez loin dans la forêt dont il connaissait les sentes les moins visibles et les coins tranquilles où il s'endormait, sans que personne s'inquiète jamais de son absence. À part chanter de sa voix grossière et se promener inlassablement, il ne savait rien faire ni de ses dix doigts ni de sa cervelle. Bien qu'il pût restituer à la demande une infinité de couplets et de refrains, son vocabulaire courant n'excédait pas une dizaine de mots. C'était assez, de toute façon, pour ce qu'on avait à exprimer dans le pays. Il cueillait des fleurs dans les champs et les déposait sur le seuil des maisons où vivait une femme ou une fille qu'il aimait. C'était bien le seul mâle de Reugny dont les maris n'étaient pas jaloux. On racontait qu'il était amoureux de toutes les femmes, de toutes les filles, à condition qu'elles eussent une forte poitrine, des fesses confortables et un rire à la limite de l'honnêteté. C'était une déduction élémentaire, car les maigrichonnes, les sèches de corps et de caractère, les dévotes aux allures tragiques et les sévères serrées dans des vêtements sombres et sans équivoque ne bénéficiaient jamais de ses largesses florales. Anne-Sophie écrasait sur ses joues deux bons baisers sonores. Lui, qui n'en recevait jamais, bougeait dans tous les sens sa grosse tête et il souriait, aux anges, comme transporté dans un monde meilleur.

« Chanter…, bredouillait-il.

– Pas aujourd'hui », répondait Anne-Sophie.

Et elle s'éloignait, après lui avoir souri.

Tout à l'heure, en contrepartie des baisers qu'elle lui avait offerts, il ne lui avait pas proposé de chanter. Il avait montré le blanc de ses yeux, mâché une salive épaisse comme du sirop et indiquant du front la forêt au-dessus d'eux, dans la direction du point de vue, il avait dit :

« Ding, dang, dong…

– Qu'est-ce que tu dis, Brice ? avait demandé Anne-Sophie.

– Ding, dang, dong. »

Et il avait hissé ses mains ouvertes au-dessus de sa tête. Anne-Sophie crut deviner que le curé lui avait permis de sonner les cloches, à la sortie de la messe.

« Tu as sonné à l'église ? »

Il fit non, de la tête, et toujours agitant ses mains aux doigts écartés il répéta « ding, dang, dong ». Il n'avait pas l'air effrayé. Il recula d'un pas, pour mieux se montrer à la jeune fille. Il piétina le sol, se frappa sur les cuisses et sur la poitrine, éleva de nouveau ses mains au-dessus de lui. Mais Anne-Sophie ne l'écoutait plus. Elle actionnait la poignée des gaz. Le bruit du moteur couvrit le grognement lent de l'idiot. Quand elle eut parcouru quelques mètres, elle entendit derrière elle le garçon refaire le bruit des cloches, en dansant sur place.

Reugny. Point de vue de la Fourche noire.
Dimanche après-midi.

L'exercice d'hygiène favori de Jeff Rousselet, un douanier à la retraite, était de monter jusqu'au point de vue de la Fourche noire, d'où le regard domine tout Reugny, et la vaste pénéplaine, dont le moutonnement finissait, au loin, par se confondre avec le moutonnement du ciel, dans cette brume bouillonnante par laquelle s'annonçaient les pluies. Mais ce dimanche, le bleu était dégagé. La lumière repoussait l'horizon bien au-delà de la frontière, vers les premières côtes de Larcheville et de sa banlieue, à des distances donc inouïes. Il s'installait sur le banc à moitié pourri, dos à la forêt qui était comme une nuit contenue par les arbres. Les promeneurs du dimanche, cette race digestive, s'élevaient rarement jusqu'à ces altitudes. Il était tranquille.

Autrefois, il avait été question d'équiper l'endroit d'un téléphérique. C'était dans les années soixante. Alors, les autorités songeaient sérieusement à développer l'activité touristique du village. Sur le point de vue, on aurait construit un dancing, dont le téléphérique aurait favorisé l'accès. En bas, derrière la ferme des Lauwerijk, se serait érigé un de ces complexes pour vacanciers, avec piscine, terrain de mini-golf, tennis couverts et mille autres inventions d'un goût purement urbain. Dans la bande de terre qui, de l'autre côté, dévalait vers la France, il avait été envisagé d'édifier un ensemble de bungalows, au moins une centaine, dont on promettait que leur architecture étudiée et les matériaux utilisés pour leur construction les rendraient dans le paysage d'une discrétion proche de l'invisibilité.

Mais rien de tout cela n'avait pu se faire.

Excepté Léontine et Thérèse Londroit, de l'hôtel du Grand Cerf, les habitants de Reugny avaient résisté aux tentations de la fortune facile. En près d'un demi-siècle, rien n'avait changé. Vu de cette hauteur, le village apparaissait à Jeff Rousselet comme il l'avait toujours connu. Et les habitants n'avaient guère plus évolué que leurs pierres, leurs vilains pavés et leurs toits d'ardoise.

Il les haïssait. Tous. Il les haïssait en qualité de douanier. Et il les haïssait en tant que compatriote. Parce qu'il les connaissait. S'il y avait un dieu quelque part dans les nues, un de ces vrais dieux qui voient tout, il ne pouvait pas en avoir vu autant qu'en avait vu le douanier Jeff Rousselet. Il pouvait décrire l'intérieur de chaque maison, et à l'intérieur de chaque maison décrire l'intérieur de chaque tête. Il savait la moindre de leurs habitudes, la moindre de leurs idées, le fond de leurs pensées. Leur vie et les détails de leur vie.

Avec une maniaquerie d'entomologiste, il avait dressé des listes, établi des rapports, déterré des secrets. Tout cela était noté sur ces cartons qui, dans les bistrots, servent de dessous de verre aux bocks de bière. Sa collection en comptait plusieurs centaines, qu'il avait couverts de sa petite écriture ronde et douce. Il tenait la comptabilité des vices locaux, des relations qu'ils entretenaient entre eux et de leurs conséquences parfois désastreuses, du moins sur le plan de la génétique. Il avait enquêté sur les tares familiales, sur les crapuleries, les coucheries, les détournements d'argent, les crimes – car à Reugny comme partout ailleurs, le crime était la face cachée de l'innocence.

Il n'ignorait même pas où certaines personnes avaient mis en terre des nouveau-nés étouffés par leurs soins, manuellement, ou assommés à l'aube contre le coin d'un mur, puis ensevelis à la hâte, et à l'ancienne, dans le tas de fumier où leur corps infime se dissolvait en moins d'une saison. Il y avait des grabataires qui avaient servi de nourriture pour les poules ou pour les cochons. Des vieillards, bouches devenues inutiles, noyés, officiellement, par leur propre imprudence, se désolait-on, mais qu'on avait poussés à la rivière, d'une tape presque amicale dans le dos, comme un adieu. Il détenait des vérités, prouvées et recoupées, qui, autrefois, auraient pu envoyer la moitié de la population à l'échafaud et l'autre moitié au bagne. Il s'était appliqué dans cette tâche et ne cachait pas qu'il poursuivait une sorte de vengeance absolue, de scandale exhaustif.

Comme il ne craignait pas les grands mots, il soupira : « L'Apocalypse… »

Pour le moins, il possédait de quoi leur attirer des ennuis, à tous, sans exception, un par un, en les faisant crever de peur, d'abord à petit feu, ensuite à gros bouillons, avant le coup de grâce. À commencer par Léontine Londroit. À son âge, elle n'était pas loin du cimetière, mais sa fille, Thérèse, qui ne valait pas mieux, était encore assez jeune pour payer longtemps pour la mère. Et si ce n'était pas Thérèse, ce serait Anne-Sophie, une folle pour ainsi dire, qui allait de crise en crise, en menaçant de se suicider si on ne cédait pas à ses caprices. Il les haïssait en bloc, en gros, même ceux qui n'avaient pas grand-chose à se reprocher, seulement parce qu'ils étaient de Reugny et qu'il s'était chargé, lui, de cette mission impérieuse de haïr Reugny, de haïr ce pays autant qu'une haine humaine peut haïr, avec de la férocité, de la jubilation, imaginant le carnage que ce serait bientôt et les ruisseaux de sang qui couleraient aux caniveaux et iraient se mélanger aux purins dégoulinants de la ferme des Lauwerijk. C'était des pensées qui le mettaient d'humeur primesautière et le consolaient de bien des souffrances indues.

En vérité, ce n'était pas lui qui avait commencé, mais les autres. Les gens n'aiment pas les douaniers. L'homme des frontières est assez naturellement contrebandier. Il trafique gentiment, profitant des avantages qu'il trouve des deux côtés de la barrière. Il passe des choses. Avant Jeff Rousselet, il y avait déjà eu des garçons de Reugny pour s'enrôler dans ce corps d'élite qu'est l'octroi. Quand ils avaient la chance de servir dans la région, ils faisaient en sorte de fermer les yeux sur les activités nocturnes et vaguement illicites des habitants. Ils s'arrangeaient pour se rattraper sur les vrais étrangers, ceux du village d'à côté, ceux de la ville, et sur les vacanciers, proies commodes et facilement effrayées en ces contrées de haute forêt. Tout le monde y trouvait son profit. Les commerçants de Reugny n'hésitaient pas à signaler aux gabelous qu'un citoyen de Larcheville s'approvisionnait en tabac avec une régularité suspecte. Le douanier tombait sur le contrevenant une fois de temps à autre, afin de justifier sa fonction. Le mois suivant, le commerce retrouvait sa clientèle provisoirement rendue méfiante et le douanier recevait les félicitations de ses supérieurs, tout rentrait dans l'ordre.

En homme intègre, Jeff Rousselet avait voulu appliquer la loi avec une rigueur sacerdotale. Il était devenu douanier par vocation, s'estimant une mission sur la terre. Aussi loin qu'il se souvenait, il avait toujours aspiré à un monde de perfection, propre et heureux, où les bons étaient honorés et les méchants précipités dans les cachots. Il avait remarquablement étudié la loi et le règlement et entendait les mettre en œuvre dans toute leur salubre rudesse. Il ressentait dans sa chair le préjudice que les fraudeurs faisaient subir à l'État et, par conséquent, aux gens honnêtes, au nombre desquels il se comptait, et parmi les premiers. Il n'admettait pas ce sale commerce. Il voyait comme un crime qu'on pût fumer un brin de tabac sur lequel la taxe n'avait pas été loyalement acquittée. Il avait été jusqu'à verbaliser sa propre mère qui s'était rendue coupable d'avoir passé quelques bouteilles de vin français en prévision des fêtes de Noël. La pauvre femme en était devenue comme folle et il avait fallu l'interner pendant plusieurs mois. Elle ne s'était jamais remise de cette humiliation et elle était morte prématurément en rabâchant avec une ferveur déprécative les noms de saint Estèphe et de saint Émilion.

« La loi est la même pour tous… », bougonnait-il quand il lui venait de repenser à cette histoire.

Mais il n'y pensait pas souvent. Il avait d'autres soucis. Il laissa son regard suivre l'alignement naturel des toits de la rue principale. Puis il glissa de nouveau vers la ferme des Lauwerijk, puis vers le taudis Meyer, ce bûcheron couvert de dettes, qui élevait un fils abruti de naissance. Il vit un vélomoteur s'engager dans le bas de la côte qui conduisait à la Fourche noire et reconnut la fille Londroit, la boiteuse, qu'il nommait dans ses fiches « Fauche-le-Vent » ou « Rase-Pâquerettes ». Elle ne lui avait rien fait, personnellement. Elle était trop jeune pour lui avoir fait quoi que ce soit. Mais il la détestait. D'abord parce qu'elle prenait toujours la défense du fils Meyer, l'idiot à figure ronde, et qu'il ne pouvait que haïr quelqu'un qui se permettait de voler au secours d'un Meyer. Ensuite parce qu'elle était de Reugny, raison d'ailleurs suffisante.

Un moment, il essaya de concevoir un moyen de lui faire peur, quand elle déboucherait sur la platèle où il réfléchissait en laissant tomber son mépris dans le vide dominant le village. Il fut tenté de se cacher dans le buisson. Il en débucherait en criant, en s'agitant, en courant, au moment où la fille longerait la corniche. Avec un peu de chance, elle commettrait l'écart qui la ferait dégringoler de la falaise. Belle fin. Il se demandait ce qu'éprouverait Thérèse Londroit en apprenant la mort de sa fille : du chagrin ou du soulagement ? Il abandonna un instant sa rêverie autour de cette question délicieuse. Puis parce qu'il ne restait jamais longtemps sans songer à ce qu'il possédait de plus précieux, sa pensée se tourna vers l'évocation de ces cartons à bière où il avait consigné toute l'intimité sordide du village. L'heure de la vengeance totale sonnait. Il les tenait dans sa main. Il les avait prévenus. Il ricana, en imaginant qu'ils se terraient chez eux. Le ciel leur tomberait sur la tête. Avec un fracas qui alerterait les journaux, à Bruxelles et à Paris.

Le bruit du vélomoteur se rapprochait, peinant dans le dernier raidillon. Jeff Rousselet hésitait encore à se retourner pour se cacher dans la broussaille, comme il l'avait envisagé. Il était trop bien assis sous le soleil, baigné dans le bleu formidable du ciel. Il se redressa de tout son torse sur le banc pourri, en étirant légèrement les bras, comme pour remplir ses poumons d'air pur. Dans ce léger mouvement de recul, sa nuque vint s'appuyer contre quelque chose de glacé et de métallique, qu'il n'identifia pas tout de suite, et qui lui fit parcourir le corps d'un frisson d'angoisse.

Reugny. Point de vue de la Fourche noire.
Dimanche après-midi.

C'était le passage le plus difficile. La route grimpait brutalement pendant une trentaine de mètres entre les hérissements de schiste couronnés d'épicéas et de bruyères. Anne-Sophie donna deux ou trois coups de pédale, pour aider le moteur à franchir l'obstacle. Elle n'avait pas encore décidé si elle s'arrêterait un moment au point de vue, avant de redescendre de l'autre côté par le chemin forestier, praticable en cette saison, malgré les ornières. Son cœur frappait encore trop fort. De rage. D'émotion aussi, parce qu'elle regrettait un peu la dispute qui l'avait opposée à sa mère. Elle se laissait trop vite submerger par la fureur, alors qu'elle n'éprouvait aucun ressentiment, sinon cette vague anxiété qui la gagnait à la pensée qu'elle gâcherait peut-être sa vie à Reugny, dans un hôtel qui se transformait imperceptible-ment en ruines et qui finirait par s'écrouler sur ceux qui vivaient entre ses murs. Elle aurait voulu expliquer tout cela calmement à sa mère, prendre le temps de trouver les mots les plus justes, exprimer enfin vrai-ment ce qu'elle ressentait, s'attacher à la convaincre qu'il y avait sans doute mieux à faire que moisir dans cet encaissement sans avenir de l'Ardenne. Au moins, essayer de partir.

En se dressant en danseuse sur les pédales du vélo-moteur dont le moteur s'étouffait, elle se promit d'établir, le soir même, noir sur blanc, la liste de ses arguments et de ses raisons. Elle savait que Richard Lépine, le directeur du Centre de Motivation, s'était plus d'une fois proposé au rachat de l'hôtel du Grand Cerf. Un tiers des bâtiments de Reugny lui appartenaient déjà. Il possédait également le moulin, en bas du village. Et plusieurs granges au milieu des pâtures, dont on se demandait ce qu'il comptait en faire. Il payait ces biens au-dessus de leur valeur, une partie sur la table, une partie en dessous, et menait les affaires rondement, avec la discrétion requise.

Un temps, il s'était raconté qu'ayant été confron-tés à des problèmes d'argent les Lauwerijk lui avaient vendu leur ferme. Ils continuaient, toutefois, à l'exploiter comme si elle était toujours à eux. Les Lauwerijk ne parlaient jamais à personne. Ou plutôt, dans ces hautes terres de Wallonie, personne ne leur adressait la parole. On ne se lie pas avec des Flamands. Du moins, pas ouvertement. Même s'ils résident et travaillent là depuis plus d'un demi-siècle.

Elle essayait d'apprécier ce que pouvait encore valoir l'hôtel et quelle somme Richard Lépine était disposé à investir dans cette acquisition. Beaucoup, à n'en pas douter. C'était une affaire qui semblait lui tenir à cœur. Un jour, elle avait surpris une conversation entre sa mère et le directeur du Centre. Ils avaient l'air de se comprendre à demi-mot. Lépine prononçait des phrases énigmatiques à travers lesquelles Anne-Sophie avait cru percevoir l'expression d'un attachement presque amoureux à l'hôtel du Grand Cerf. Sa mère lui répondait sur le même ton. Puis il avait été question d'argent, mais à voix plus basse, et Anne-Sophie avait perdu le fil de la discussion.

Elle ne voyait plus que la trouée bleue qui éblouissait le haut de la côte. Elle donna un coup de rein plus violent et força la poignée des gaz, pour se hisser d'un saut sur le plateau. Juste à la seconde où elle franchissait ce fil de lumière, le moteur, libéré des résistances de la montée, se mit à vrombir. Elle vit une masse sombre vers laquelle elle se dirigeait. En même temps, une détonation sourde remua l'air tiède. Elle pensa à l'orage, car une averse lui mouillait le visage. Ses doigts se crispaient sur les freins. Le vélomoteur venait de percuter quelque chose. Elle bascula sur le côté et roula dans l'herbe. Dans sa chute, elle entrevit l'image d'une ombre qui se cabrait vers elle. Le moteur du vélomoteur continuait à ronronner, pour rien. Elle se releva d'un bond, étourdie, et se jeta dans le bois en courant et en appelant au secours. Derrière elle, elle entendait le bruit de branches mortes et de feuilles piétinées d'une course.

Reugny. Hôtel du Grand Cerf.
Dimanche soir.

Un groupe d'une dizaine de randonneurs menait grand train dans le salon de l'hôtel. Ils avaient marché toute la journée dans des marais et le long de la frontière franco-belge. L'air et le soleil les avaient mis en transe et en appétit. À cette heure, Thérèse Londroit n'avait pas eu la possibilité de leur préparer un repas complet, mais elle n'avait pas refusé de leur servir du pain, du beurre et de la charcuterie du terroir. Ils vidaient force pintes de bière brune en se racontant les épisodes botaniques et sportifs de leur promenade. C'était des Français de Larcheville, autrement dit des gens qui ne savent pas rentrer quand ils sont de sortie. À dix heures du soir, ils commençaient déjà à être saouls et à bafouiller des histoires belges en se pliant de rire. De la cuisine où elle s'activait mollement, Thérèse tendait l'oreille, guettant un signe, une accalmie dans le tapage, un bâillement, qui lui indiquerait qu'elle n'aurait plus à trop patienter avant de les voir prendre congé. Mais ces derniers, malgré leurs vingt-cinq kilomètres de marche et les coups de soleil qui leur cuisaient la figure, ne semblaient pas devoir connaître la moindre faiblesse. Ils s'accrochaient à leurs verres de bière comme à un breuvage de survie.

À onze heures, quand l'un d'eux eut suggéré qu'il était peut-être temps de regagner leurs pénates respectifs et rappelé qu'ils travaillaient tous le lendemain matin, un autre lui opposa ce qu'il appelait, dans une langue pâteuse, la « raison du plus soif », et d'autorité il commanda une nouvelle tournée. Thérèse s'exécuta. Elle aurait pu se réjouir, car, à la grâce d'aussi fiers buveurs, la recette de la soirée ne serait pas mauvaise. Mais l'argent ne la tourmentait pas. Les Londroit n'en avaient jamais manqué. Ce qui commençait à la tracasser, c'était qu'Anne-Sophie n'était pas rentrée. Elle ne circulait jamais une fois la nuit tombée, l'éclairage de son vélomoteur était défectueux.

Thérèse ne supposait pas qu'il eût pu lui arriver quoi que ce soit de mal, l'imaginant plutôt en train de bouder dans une allée du village, du côté du lavoir ou du moulin, en compagnie peut-être de Brice Meyer, l'idiot, qu'elle tenait en estime, et même en amitié.

En son for intérieur, elle était convaincue qu'il faudrait se décider bientôt à calmer le jeu entre elles et trouver un terrain d'entente. Toutes les deux s'épuisaient inutilement dans un débat sans objet sérieux.

Mais Anne-Sophie ne savait pas tout non plus. Il y a des vérités qui demandent à être mûries longtemps. Et d'autres qu'on ne se transmet qu'à l'heure de la mort, d'une génération à la suivante. Voire d'autres encore, qu'il est préférable d'emporter avec soi dans la terre.

Jugeant que ses clients prendraient leur temps avant de sécher la chope qu'elle venait de leur servir, elle monta à l'étage, pour mettre sa mère au lit. Léontine avait calé son fauteuil contre la rampe de la mezzanine et son regard plongeait vers la salle de l'hôtel où se trouvaient les randonneurs. Elle n'en apercevait que quelques-uns. C'était assez pour occuper son grand âge et ses vieux souvenirs.

« Ta fille n'est pas rentrée, constata-t-elle pendant que Thérèse roulait le fauteuil vers le couloir.

– Je vais te mettre au lit sans te laver, maman, annonça Thérèse. Il y a trop de monde en bas. Je ne sais pas jusqu'à quelle heure ils vont rester.

– Quand ils boivent, les Français ne regardent pas leur montre.

– À croire qu'ils ne dorment jamais…, soupira Thérèse en garant le fauteuil contre le lit.

– Ils ont déjà bu cinquante-trois bières des pères trappistes, dit la vieille en fermant les yeux, comme si elle vérifiait son compte mentalement.

– Quarante-neuf, maman.

– Ah, il y en a un qui ne boit pas…

– Il y en a deux qui ne boivent pas, maman. Mais il y en a un qui boit pour deux.

– Alors, ça fait bien quarante-neuf. Oui. Ils n'ont peut-être pas fini.

– J'espère que si.

– Il ne faut pas les chasser, Thérèse. Il faut être gentille avec eux. Pense à la recette.

– Ne t'inquiète pas, maman, la rassura-t-elle en lui ramenant les couvertures jusque sous le menton.

– En 74, je me souviens qu'une équipe de Français a bu cent trente-quatre bières des pères trappistes. C'est le record du Grand Cerf.

– Je sais.

– Cent trente-quatre, Thérèse. Cent trente-quatre bières des pères trappistes. Et ils n'étaient que douze. Dont un qui ne buvait pas. Et un qui buvait plus que les autres. Comme ce soir, pour ainsi dire. Tu vois que je me souviens de tout. Ce qui me permet de comparer. Je compare, Thérèse. Tu vois, j'ai ma tête, puisque je compare.

– C'est bien, maman. Maintenant, repose-toi. Il faut que je redescende.

– Ce que je voulais te dire, Thérèse, c'est que dans la vie c'est jamais pareil et c'est toujours pareil.

– Je sais bien, maman. »

Elle rangea le fauteuil entre l'armoire et le cabinet de toilette, jeta un coup d'œil par la fenêtre, scella les doubles-rideaux.

« Tu oublies quelque chose, Thérèse... », ricana Léontine.

Thérèse ouvrit le tiroir de la table de nuit, en tira un chapelet à grains d'ivoire, chargé de médailles pieuses, et l'enroula autour du poignet de sa mère. Il y avait longtemps que cette dernière ne priait plus, si toutefois elle avait cru un jour à Dieu ou à diable. Mais elle avait toute sa vie été poursuivie par l'idée qu'elle mourrait pendant son sommeil, et elle ne voulait pas qu'on découvre son corps sans vie autrement que bardé des saintes références et des accessoires adéquats.

« Sur mon lit de mort, je tiens à faire bonne impression. Je ne voudrais pas qu'on pense que je suis morte sans avoir fait mon devoir », expliquait-elle parfois.

Et elle ricanait en plissant le nez.

Thérèse retourna à la fenêtre, d'où le regard embrassait la nuit de Reugny jusqu'à la rue où était la ferme des Lauwerijk. Elle aperçut une silhouette se glisser hors du Centre de Motivation, par la petite porte, sur le côté du bâtiment. Elle fouilla l'obscurité pendant une demi-minute, temps qu'il aurait fallu à ce fantôme pour traverser la lueur grise du lampadaire, une simple ampoule sous un cercle de métal fixé à un poteau du téléphone. Mais dans cette tache de lumière grêlée de nuit, il n'y eut aucun mouvement, aucune apparition.

« Tu t'inquiètes pour ta fille, Thérèse, chuchota Léontine.

– Pas encore », mentit Thérèse en refermant sans bruit la porte de la chambre.

Reugny. Hôtel du Grand Cerf.
Nuit de dimanche à lundi.

Il n'y avait aucune raison de s'inquiéter encore. Minuit avait sonné à l'église, puis à la pendule de la cuisine du Grand Cerf. Les Français en étaient aux chansons à boire et à reboire. Thérèse avait téléphoné à Richard Lépine et à d'autres, du village. Et aussi aux Lauwerijk. Au cas où ils auraient vu Anne-Sophie. Le père Lauwerijk lui avait passé son fils, Jack, qui était le meilleur de la famille et sans doute le meilleur de Reugny. C'était un jeune homme qui venait d'atteindre sa trente-deuxième année et qui, depuis quinze ans, collectionnait les diplômes et les récompenses. Un sujet d'élite, disait-on. Et on ne se trompait pas. Il travaillait régulièrement au Centre de Motivation où il donnait des conférences. Au début de l'année, il avait publié une plaquette de poésie qui n'avait pas eu le retentissement qu'elle méritait.

« Je vous conseille d'appeler la police, dit-il après les politesses d'usage et les paroles de réconfort.

– C'est fait, l'informa Thérèse. Je voulais seulement savoir si vous aviez aperçu ma fille dans la journée. Et à quel moment. À quel endroit. Je vais partir à sa recherche.

– Ne vous affolez pas, madame Londroit. Elle a peut-être un problème avec son vélomoteur.

– Je ne m'affole pas. C'est seulement que je me pose des questions. Elle est bizarre, ces derniers temps. »

Le téléphone raccroché, elle demeura un long moment adossée contre le mur, à réfléchir sur la conduite à adopter. Elle ne se rendit pas compte qu'un des Français était campé devant elle.

Quand elle réalisa, elle dit seulement, très vite :

« Je vous amène la note. »

Le Français, qui ne tenait sur ses pieds que par un de ces miracles qu'on explique par l'intervention du Saint-Esprit dans les affaires humaines, agita son index devant son visage :

« On a tout entendu, madame, bredouilla-t-il. On sait que votre fille a disparu. Sachez que nous sommes à votre service.

– Je vous remercie, monsieur, mais j'ai alerté la police.

– La police belge est occupée ailleurs, madame. Tous les flics de Belgique ont été appelés en renfort dans la région de Liège. Vous ne savez pas ça ? »

Oui. Si. Bien sûr. Elle le savait. Elle ne savait pas exactement à quoi le Français faisait allusion, mais elle croyait savoir. La radio avait parlé d'une boucherie terrifiante du côté de Wavre, de Namur, loin en tout cas, dans des régions qui ne concernaient pas les gens d'ici.

« Dans la région liégeoise, madame. C'est à Liège. »

Plusieurs de ses compagnons avaient rejoint le Français. Et mêlaient désormais leur grain de sel à l'histoire. Ils avaient tous entendu quelque chose, mais pas tous la même chose.

« Des bombes, souffla l'un d'eux.

– Et des hold-up, précisa un autre.

– Un enlèvement, ajouta le troisième.

– Y a de la politique là-dessous, subodora celui qui semblait le moins ivre.

41

– Madame, reprit le premier, si votre fille a disparu, permettez à la France de se mettre à votre service. Nous connaissons la région mieux que le fond de notre verre.

– Par beau temps, nous sommes capables de marcher à neuf kilomètres heure. Et nous voyons clair la nuit comme en plein jour. »

Il eut un mouvement qui se voulait martial, serra les lèvres pour retenir le rot qu'il sentait remonter de son estomac, puis il ouvrit la bouche et laissa s'échapper en douceur des vapeurs de bière qui sentaient le poivre et la charcuterie.

« La France, dit-il avec difficulté, est toujours là où on a besoin d'elle. La preuve, c'est que ce soir on est là. Et tous français, attention ! »

Thérèse les repoussa sans brusquerie vers la salle de l'hôtel. Elle leur répéta que la note arrivait tout de suite. Ils étaient très excités, mais en même temps plus silencieux, plus solennels, comme sont les Français dans les grands moments. Ils n'osèrent pas se rasseoir à leur table et attendaient l'addition en piétinant le carreau. La cloche de l'église se mit à battre. On entendit des cris dans la rue, sur la place. Un homme pénétra précipitamment dans l'hôtel du Grand Cerf. Thérèse reconnut un des employés du Centre de Motivation. Il s'appelait Joseph Pruine et s'occupait du jardin :

« Madame Londroit ! Madame Londroit ! »

Thérèse reçut un coup au cœur. Elle eut l'impression que la pièce se mettait à tourner. Elle lâcha le crayon qui roula sur le comptoir. Joseph Pruine reprenait son souffle.

« Madame Londroit, la maison de Jeff Rousselet est en flammes ! »

Il crut bon d'ajouter, plus tranquillement :

« Y a le feu ! »

Un des Français s'était approché de la baie vitrée. Mais de cet endroit on ne pouvait rien voir. La maison du vieux douanier se trouvait à l'écart, pas très loin, sur le versant qui donnait sur la France. En moins de cinq minutes, tous les habitants de Reugny s'égosillaient sur la place. Les trois pompiers s'acharnaient sur la porte du garage où était leur camionnette. On avait demandé du renfort à Vresse et à Membre, des bourgades de la vallée de la Semois.

Thérèse vérifia son addition. Elle l'avança vers le seul Français accoudé au bar. Elle n'avait jamais été aussi calme.

« Ça devait arriver tôt ou tard », laissa-t-elle tomber à l'adresse de Joseph Pruine.

Il hocha la tête, en se frottant les mains l'une contre l'autre. Derrière lui, les Français se battaient pour payer l'addition.

Larcheville. Lundi, milieu de matinée.

Charles Raviotini avait bien fait les choses. Du moins, il avait cru bien les faire. C'est ce que s'était dit Nicolas Tèque en découvrant qu'il voyagerait en première classe. Avec réservation.

« Il se prend pour un producteur américain », avait-il soupiré sans être sûr de la générosité des producteurs américains.

Il préférait les secondes. On y rencontre des gens plus intéressants. Et plus nombreux, surtout. L'humanité va en seconde, forcément. Les premières sont réservées aux dieux. Les dieux n'existent pas. C'est pourquoi, probablement, le wagon où il se trouvait était vide.

À part lui, bien sûr. Qui n'était pas un dieu. Il le savait. Il n'était même pas certain d'exister en tant qu'homme.

Il avait posé près de lui la mallette remplie de documents que lui avait remise Charles en lui conseillant de les consulter avant de se perdre dans les immensités sylvestres de Reugny. Il avait dit cela en éclatant de rire. Charles était un brave. Peut-être l'homme le plus pur, le plus honnête, le plus consciencieusement humain de Paris. On ne savait pas après quoi il courait. D'ailleurs, il ne courait pas. C'était un marcheur. Un lent. Presque un contemplatif. Mais personne ne le connaissait vraiment. Pas même Nicolas Tèque, qui le fréquentait depuis de longues années et qui était de ses intimes. À notre époque, un homme simple constitue un mystère.

Tandis que le train filait à travers la Champagne, Nicolas Tèque sentait sa gorge se nouer. Le paysage se déroulait, si égal à lui-même qu'on avait le sentiment de ne pas progresser.

Nicolas avait attendu d'avoir dépassé Reims pour faire l'effort, qui lui coûtait, d'ouvrir la mallette et de recenser son contenu. Sans curiosité, il y découvrit la cassette vidéo qu'il avait visionnée la veille en compagnie de Charles. Plusieurs dossiers de presse concernant les films de Rosa Gulingen, sa carrière en Allemagne, sa carrière aux États-Unis, sa carrière en France, sa carrière avant Armand Grétry, sa carrière avec Armand Grétry. Il y avait aussi une série d'articles non classés et dépareillés, photocopies de feuilles à scandales, d'articles découpés dans les journaux de province, une biographie signée d'un journaliste, mais dont le récit s'arrêtait un an avant la mort de l'actrice.

« Je n'ai rien trouvé sur Armand, avait précisé Charles. Après la disparition de Rosa, sa carrière a périclité. Il a tourné quelques méchants films, rien de

44

valable. Puis on n'a plus entendu parler de lui. Il faudrait retrouver sa trace.

– Il doit être mort, avait estimé Nicolas.

– Oui. Mais il était un peu plus jeune que Rosa. Trois ans. Si je compte bien, il aurait soixante-dix-huit ans. Rien n'interdit de penser qu'il soit encore en vie.

– Il était originaire d'où ?

– De Charente-Maritime. Mais je vérifierai tout ça. »

Il s'était enfoncé dans sa rêverie. Il souriait. Il trouvait que la vie était belle.

« Pourquoi tu t'intéresses à Rosa Gulingen, Charles ? Et à Armand Grétry ? C'est ringard. »

Charles Raviotini avait eu un claquement de bouche, très dubitatif. Il n'était pas certain d'avoir envie d'expliquer le fond de sa pensée.

« C'est une intuition, dit-il.

– Une intuition ?

– Il me semble que la mort de Rosa n'est pas accidentelle.

– Tu l'appelles déjà par son prénom : Rosa. Tu me fais rire.

– Elle a été assassinée.

– Le rapport de police affirme le contraire.

– Je le sais bien. D'ailleurs, j'ai la plus grande estime pour le travail de la police. Mais la police peut se tromper. La police se trompe comme tout le monde se trompe.

– Tu ne penses pas te tromper, toi, quand tu penses qu'Armand Grétry aurait pu…

– Je ne pense rien, Nicolas. C'était dans l'ordre des possibilités. Il a été soupçonné. Puis mis hors de cause. La police peut se tromper. Un coupable peut être mis hors de cause de la même manière qu'un innocent. Pour te résumer ma pensée : Rosa a été assassinée. Armand a

45

été mis hors de cause. Si Armand était vraiment innocent, ce dont je ne veux pas douter, alors l'assassin de Rosa se trouvait à Reugny pendant le tournage de ce film.

– Il est peut-être mort, lui aussi.

– Peut-être. Mais peut-être qu'il vit encore. Peut-être est-ce un des figurants qu'on voit sur la cassette que je t'ai montrée. Peut-être est-ce un technicien de l'équipe de tournage.

– Un client de l'hôtel du Grand Cerf.

– L'équipe occupait tout l'hôtel.

– Tu m'as l'air bien informé, Charles.

– Tu liras les coupures de presse que je t'ai mises de côté. Et tu verras. Tu en arriveras à la même conclusion que moi. Rosa a été assassinée. On l'a noyée dans sa baignoire, le 6 juin 1960, à six heures du soir, à l'hôtel du Grand Cerf, à Reugny.

– Tu es drôlement péremptoire, Charles, pour quelqu'un qui n'a qu'une intuition.

– Je n'ai pas dit que c'était la vérité. J'ai dit que je voulais vérifier tous les éléments de cette histoire. C'est le parti pris du film. On essaie de voir clair dans une histoire où il y a un cadavre. Ce sont des choses qui intéressent tout le monde. Non ? »

Le convoi ralentissait. Puis il stoppa en rase campagne. Les haut-parleurs diffusèrent un message qui recommandait aux voyageurs de ne pas descendre du train. Nicolas boucla la mallette. Il n'avait pas encore envie de se mettre au travail. Pour tuer le temps, il déplia le journal qu'il avait acheté à la gare de l'Est. À la une, un article catastrophé relatait une série d'attentats qui, depuis trois jours, mettaient une partie de la Belgique à feu et à sang. Ces attentats à la bombe, parfaitement synchronisés, ne semblaient avoir eu d'autre but que d'assujettir les forces de police en divers endroits du territoire et de laisser le champ libre à des équipes de braqueurs. Cinq banques avaient été attaquées. On ignorait encore le montant du butin, mais le journaliste parlait déjà de « casses du siècle », au pluriel. Les bombes avaient fait une trentaine de victimes.

Après un arrêt d'une vingtaine de minutes, le train repartit, au pas, avec cette lenteur qui tirait des grincements de chaque roue et de chaque suspension, comme si le convoi se déplaçait tous freins serrés. L'entrée en gare de Larcheville parut extravagante à Nicolas Tèque. Il s'attendait à ces déserts provinciaux, quais refroidis par les courants d'air, où une poignée de quidams chargés de sacs ridicules patientent en tirant sur un bout de cigarette à la portière d'autorails d'une autre époque. Au lieu de cela, il découvrit une foule tonitruante, massée sur le quai, et qui circulait sur les voies en agitant les bras et en chantant. Il se demanda où il était tombé.

Reugny. Lundi matin.

Ce serait une nouvelle journée de beau temps. Le soleil, encore frais, détachait une à une les longueurs de brume qui mesuraient les hauteurs. À mi-pente d'une dépression du terrain au centre duquel se craquelait une mare en train de tarir, les ruines de la maison de Jeff Rousselet fumaient toujours. Quelques hommes en casquette se partageaient le contenu d'un Thermos dans des gobelets en matière plastique. Ils avaient été postés là par principe, car dans un rayon d'une cinquantaine de mètres il n'y avait plus rien à brûler. Les secours avaient tardé et le feu avait pris tout ce qu'il y avait à prendre, ne laissant debout qu'un pan de mur et, par ironie – dans la mesure où un incendie connaît les subtilités de l'ironie –, un tas de bûches stockées pour le chauffage, qui avaient à peine été noircies.

Il n'y avait pas eu grand-chose à faire. Les plus optimistes pensaient que Jeff Rousselet était réduit en cendres, sous les décombres. Le brigadier dépêché sur les lieux avait recueilli plusieurs témoignages qui relataient tous quelque chose comme l'explosion d'une bouteille de gaz. Mais ses premières constatations l'inclinaient à croire que le feu était parti en plusieurs endroits, à peu près simultanément : d'une réserve d'essence pour tronçonneuse, de bidons de pétrole lampant disséminés autour du bâtiment principal et de la bouteille de gaz dont on avait réuni les débris métalliques dans un cageot. Avec l'aide du capitaine des pompiers, il avait tenté une première reconstitution du sinistre et sans en tirer de conclusions prématurées il n'excluait pas l'hypothèse d'un acte criminel.

Tous les habitants de Reugny avaient défilé autour du brasier, en curieux, sans émotion, ne prêtant la main aux pompiers qu'avec une sorte de réticence, de mauvaise volonté qui avait étonné le brigadier. Selon toute vraisemblance, l'ancien douanier n'était pas apprécié de ses concitoyens. Mais c'était dans l'ordre du monde rural. Dans les campagnes, personne n'aime personne et le malheur des uns n'est que la réparation du malheur des autres. C'était sans importance.

Du reste, la police n'avait pas été appelée pour cet incendie, mais pour la disparition d'une jeune fille. Des battues avaient été organisées par la population. Il s'y était joint les stagiaires du Centre de Motivation. Et une bande de Français éméchés, lesquels avaient rapidement abandonné les recherches, pour regagner leur pays.

Faute de pouvoir s'aventurer dans la forêt, on avait fouillé les alentours immédiats du village et dans la

nuit embrasée le nom de la jeune fille, « Anne-Sophie !
Anne-Sophie ! », crié et répété par une centaine de voix
qui se déplaçaient et se répondaient, apportait à l'espace
une tonalité de romanesque et de légendaire.

Après trois ou quatre heures de sommeil, des groupes
avaient commencé à émerger de l'aube et à s'agglutiner
sur la terrasse de l'hôtel du Grand Cerf. Les battues
avaient repris. Richard Lépine dirigeait la manœuvre
de ses troupes composées de stagiaires et d'employés
du Centre, sans en référer ni au brigadier ni à Thérèse
Londroit, comme quelqu'un qui maîtrise son sujet et
qui n'a de comptes à rendre à personne. Thérèse avait
servi du café et des tartines de confiture. Elle n'avait pas
dormi et titubait. Par moments, elle était saisie dans un
vertige et avait l'impression que son cœur allait s'arrêter
de battre.

Un gendarme avait punaisé une carte d'état-major sur
un plateau soutenu par des tréteaux, devant l'hôtel, sur
la place. Aidé par les gens du village, il avait divisé le
secteur en bandes de largeurs inégales et qui tenaient
compte des difficultés du terrain. Meyer, le bûcheron,
qui connaissait les bois, définissait des stratégies et
distribuait des conseils aux uns et aux autres. Son fils,
Brice l'idiot, allait d'un groupe à l'autre et dansait en
chantant de courts échantillons des airs à la mode. Il
secouait ses mains aux doigts bien écartés au-dessus
de sa tête. Plusieurs fois, son père l'avait rappelé à
l'ordre. Le jeune homme à tête ronde était venu frapper un rythme maladroit de tam-tam sur la table où le
gendarme traçait des chemins et des directions au stylo
sur la carte.

La famille Lauwerijk au complet somnolait sur les
chaises, au bout de la terrasse. Ils n'avaient pas ménagé

49

leur peine. Même Jack, l'intellectuel, le poète, avait payé de sa personne, en bottes de caoutchouc, toute la nuit. Maintenant, ils soufflaient un peu et berçaient leur épuisement dans la rumeur de la foule qui grouillait sur la place. La Jeep d'Albrecht Lauwerijk, le père, était garée contre le seuil de l'hôtel.

« Regarde-moi cet idiot de Brice Meyer ! Hé, Lauwerijk, réveille-toi ! On te vole ta jèpe ! » signala quelqu'un en éclatant de rire.

Lauwerijk ouvrit un œil. Cet idiot de Brice Meyer s'était, en effet, juché sur le siège de la Jeep et il sautait dessus à pieds joints, toujours remuant ses mains à la hauteur de ses tempes.

« Il est fou ! Laisse-le ! C'est pas grave », grogna Lauwerijk.

Cependant, il ne se rendormit pas et resta à observer Brice dont les gesticulations amusaient les passants. Il mit un certain temps à comprendre.

« Il sait quelque chose, dit-il en se levant et en s'étirant, sans quitter l'idiot du regard.

– Qui ? demanda un gendarme.

– L'idiot. Il sait quelque chose. Il essaie de nous dire quelque chose.

– Alors c'est qu'il le dit en flamand, s'il ne peut être compris que par un Flamand ! » ricana la Marie Meltout qui était venue apporter un casse-croûte à son homme, le Maurice Meltout.

Lauwerijk héla le brigadier et, tout en lui montrant le manège de l'idiot, il lui exposa ce qu'il en déduisait.

« On peut essayer », dit le brigadier.

Il fit installer un gendarme, près de lui, sur le siège arrière, pendant que Lauwerijk se glissait derrière le volant, invitant l'idiot à occuper le siège passager. Brice obtempéra sans broncher, mais il refusa de s'asseoir et se campa debout, les mains crispées sur le haut du pare-brise.

« Qu'est-ce que tu veux me dire ? » interrogea doucement le Flamand.

L'idiot brailla quelques mesures atterrées d'une comptine pour enfant, dont personne n'identifia l'air. Il fit un signe de tête en direction de l'église. Lauwerijk engagea la première vitesse, accéléra délicatement pour ne pas risquer de déséquilibrer Brice Meyer et il avança vers la rue principale, qu'on appelait la rue Haute, sans autre motif qu'elle conduisait à la route, laquelle un kilomètre plus loin commençait à escalader la pente conduisant au point de vue de la Fourche noire.

Il n'avait pas encore tout à fait traversé la place de Reugny que Lauwerijk entendait derrière la Jeep la voix de son fils Jack. Ce dernier courait, empoté dans les bottes trop lourdes et trop larges pour lui.

« Je viens avec vous », dit-il.

Les policiers se serrèrent et lui firent une place près d'eux, à l'arrière. L'idiot ne se retourna pas. Il tendait son visage vers un point du paysage, qu'il était le seul à voir.

Larcheville. Lundi matin.

Le train était bloqué, symboliquement. Larcheville est un terminus. Un demi-millier de manifestants brandissaient des pancartes, des banderoles, et distribuaient des tracts aux voyageurs qui descendaient du train en provenance de Paris. Comme il était le seul passager des premières classes, Nicolas Tèque fut hué et conspué dès qu'il se présenta sur le marchepied. On lui adressa des remontrances goguenardes, quelques quolibets aimables et on bourra les poches de sa veste d'imprimés divers et édifiants, en lui conseillant fermement de les lire dans les délais les plus brefs.

« On viendra vérifier ! fulmina un barbu à lunettes.

– Demain, interro écrite ! » menaça plus précisément un type qui n'avait pas l'air de n'avoir gardé que des souvenirs radieux de sa scolarité.

Nicolas promettait tout ce qu'on voulait. Il fut vite absorbé par la bousculade et porté par le flot à travers la gare, le hall, puis sur la place de la gare qui s'ouvrait sur ce genre de square que les dépliants touristiques définissent comme un « îlot de verdure au cœur de la cité ».

Sur la place, grimpé sur le toit d'une camionnette, un syndicaliste qui se donnait des airs farouches s'égosillait dans un mégaphone.

« La gare est paralysée ! Bravo, mes camarades ! C'est une nouvelle victoire à inscrire à l'actif de notre mouvement ! Plus un train n'entrera dans cette gare ! Et plus un train n'en sortira ! La gare est bloquée !

– La gare est bloquée ! gueulait la foule.

– L'autoroute est bloquée ! Plus une voiture n'entrera dans la ville ! Plus une voiture n'en sortira ! L'autoroute est bloquée !

– L'autoroute est bloquée ! reprenaient les manifestants.

– La route de Cernon est bloquée !

– Bloquée !

– La route de Villers est bloquée !

– Bloquée !

– La route de Mandeuille est bloquée !

– Bloquée !

– Et ce n'est pas fini, camarades !

– Pas fini ! confirma la foule en brassant les banderoles.

– Toutes les usines du groupe Bating sont en grève ! Nos camarades de Bating Antwerpen bloquent la ville ! Et nos camarades de Bating Toulouse ! Nos camarades de Bating Stuttgart ! Nos camarades de Bating Normandie ! Tout est bloqué ! Tout le groupe Bating est bloqué !

– Bloqué !

– Mais la lutte ne fait que commencer, camarades de Bating Larcheville ! Ce n'est pas parce que nous avons cessé le travail qu'il faut rester à ne rien faire ! Nous avons encore des routes à bloquer !

– Bloquer !

– La route d'Ouzouville ! La route de Neuneu ! La route de Sponchart !

– Bloquer !

– Allons, camarades, en route vers la paralysie générale !

– Générale ! » reprirent-ils tous en chœur.

Le responsable de l'agence de location où Charles Raviotini avait réservé une voiture pour Nicolas se désolait. Les enchevêtrements d'automobiles pavoisées, couvertes d'autocollants et d'affiches grossièrement scotchées encombraient les rues de Larcheville jusqu'à la place du Grand Homme.

« Y en a pour la journée, pleurait-il. Je les connais, ce sont des féroces, des féroces de chez Féroce, passez-moi l'expression. Ils ont fichu la pagaille, et, pour être clair, c'est le bordel, le bordel de chez Bordel, si vous me passez l'expression. C'est bloqué partout. Je veux bien mettre le véhicule à votre disposition, mais vous n'en ferez rien, vous ne le sortirez même pas du parking. Avec tout ça, on l'a dedans, et dans les profondeurs de l'oignon, passez-moi l'expression. C'est des durs par ici. Je ne dis pas qu'ailleurs, n'y a que des mous, mais ici c'est des durs, des durs de chez Dur, si vous voulez bien me passer l'expression.

– Je dois me rendre dans un village belge, juste après la frontière. Vous ne connaîtriez pas un moyen d'y aller ?

– Où ça, exactement ?

– À Reugny.

– À Reugny ! J'aime mieux pour vous que pour moi. C'est des sauvages. Des sauvages de chez Sauvage, si vous me passez l'expression. Y a rien, à Reugny. Rien. Et "rien" c'est encore un mot trop grand pour ce qu'il y a à voir. D'abord, je n'y ai jamais mis les pieds. Et je ne les mettrai jamais. Et quand je dis "jamais", passez-moi l'expression, c'est jamais de chez Jamais. »

Nicolas se retrouva sur le trottoir. Il avait l'habitude de prendre les situations comme elles se présentaient. Pour lui, il serait toujours temps d'aviser. Les manifestants avaient pour la plupart réintégré leurs voitures et attendaient, klaxon bloqué aussi, que la circulation consente à se refluidifier. Des grappes de syndicalistes complotaient sur le bord des trottoirs. Les banderoles, posées sur leurs perches, étaient déployées contre les façades de la poste et contre celle de la gare. Nicolas entra dans le buffet où, comme savent si bien le rapporter les journaux, « régnait une ambiance de franche cordialité ». Il s'attribua la seule place demeurée libre. Quelques cheminots s'affrontaient confraternellement avec les grévistes, dans des dialectiques et des paradoxes routiniers :

« Les cheminots sont avec vous, clamaient-ils. Ils sont avec vous. On est avec vous. On a toujours été avec vous. Vous le savez qu'on est avec vous ! Alors pourquoi que vous vous en prenez aux trains ? On est avec vous, mais il faut comprendre que le train, il n'a rien à voir dans tout ça.

— Et pourquoi le train, il n'aurait rien à voir avec tout ça ?

— Parce que le train c'est le train. Et que le train, c'est fait pour rouler. »

Le hasard avait voulu que Nicolas Tèque s'assoie à une table où était installé l'orateur qu'il avait vu dans ses œuvres sur le toit de la camionnette. Les deux hommes se regardèrent. L'orateur fit un clin d'œil :

« Ça se durcit, dit-il. Je sens bien que ça se durcit. »

Nicolas approuva. Il y avait tellement de monde que la serveuse ne parcourait pas la salle sans être sournoisement déshabillée par des mains anonymes. Dès qu'elle retrouvait un peu d'espace, elle remettait de l'ordre dans sa tenue.

« Si ça continue, ils vont me foutre à poil », se plaignit-elle avant de noter la commande de Nicolas.

Puis elle s'engouffra avec vaillance dans ce troupeau aux revendications légitimes et aux ferveurs viriles.

« Vous ne seriez pas journaliste, par hasard ? » demanda l'orateur.

La question étonna Nicolas, mais il conçut un léger mouvement de tête qui pouvait passer pour une approbation.

« Je vous ai vu descendre tout à l'heure du wagon de première classe. Tout de suite, je me suis dit : celui-là c'est un journaliste qui vient de Paris. J'ai l'œil. Je me trompe ou non ?

— C'est ça, assura Nicolas.

— Et vous venez couvrir l'événement.

— En quelque sorte. Ça remue un peu partout en ce moment. On ne sait plus où donner de la bille. »

L'autre l'examina en plissant les yeux. Puis il tendit la main :

« Arnaldof Jipé, délégué. Jipé, c'est pour Jean-Pierre. On m'appelle plutôt Arnaldof.

– Nicolas Tèque, murmura Nicolas sans conviction.

– C'est un nom qui me dit quelque chose. Vous écrivez dans la presse de gauche. *Libé* et tout ça…

– Presse de gauche, presse de gauche…

– On sait à quoi s'en tenir, la droite, la gauche, le principal c'est de s'exprimer. La médiatisation, il n'y a que ça. Vous en êtes d'accord…

– On ne peut pas ne pas l'être.

– Voyez-vous, continua Arnaldof en devenant brusquement plus sérieux, voyez-vous, monsieur Tèque, ici, en province, on souffre d'un déficit au niveau de la médiatisation. On ne s'intéresse pas à nous. Moi, d'accord, j'ai pu m'exprimer dans la presse locale. Mais la presse locale, c'est pas ce que j'appelle de la médiatisation. Il faudrait qu'on soit plus connus qu'on l'est. Quand on est connu, on est plus efficace. On peut la ramener, on vous écoute. Moi, en dehors de chez Bating Larcheville, on ne sait pas qui je suis. Je suis comme un étranger dans mon propre pays. »

Il plaida sa cause avec tant d'ingénuité et tant d'insistance que lorsqu'il confia que cela ne le dérangeait pas qu'on enregistre ses propos, « au contraire… », Nicolas, ému par cet « au contraire… », sortit de sa poche le petit magnétophone dont Charles l'avait équipé et le posa entre eux.

« D'abord, je veux dire une chose, déclara le délégué en préambule, comme vous voyez, je bois du thé. Si je bois du thé, c'est pour changer l'image du syndicaliste. L'image, c'est important aujourd'hui. Il faut boire du thé. En privé ou entre copains, on fait ce qu'on veut.

Mais publiquement, le thé donne une bonne image du syndicaliste. »

Pendant une heure, il disserta sur son rôle de délégué, de meneur d'hommes, de démocrate et de révolutionnaire responsable. Nicolas faisait mine de s'intéresser. Il ne jugea pas utile de retenir le détail des développements que lui assénait Arnaldof. Il s'en tint à l'essentiel : Bating fabriquait de l'appareillage ménager. C'était une multinationale puissante. Elle comptait cinq usines dans différents pays d'Europe, dont une dans le département des Ardennes, à Larcheville, pour tout dire, et qui employait près de deux mille salariés.

« Ils disent que c'est pas vrai, mais tout nous porte à penser qu'ils ont l'intention de fermer une des boîtes. Pour l'instant, on ne sait pas laquelle. Mais il y a une forte chance que ça soit celle de Larcheville. Dès qu'il y a une tuile prête à tomber, c'est toujours sur Larcheville qu'elle tombe. Mais on va se battre. On ira jusqu'au bout. Foi de moi ! »

De fil en aiguille, ils en arrivaient à échanger des idées, des confidences. Bientôt Nicolas Tèque sut presque tout d'Arnaldof Jipé et ce dernier connut, au sujet de Nicolas Tèque, bien des choses qui n'étaient pas toutes inventées. Il fut désolé d'apprendre que le journaliste se trouvait empêché d'aller à Reugny.

« Tout est bloqué, dit-il. Aucun véhicule terrestre ni engin à moteur n'est autorisé à franchir le rempart dans lequel nous avons enfermé Larcheville. Je comprends que ce soit un problème pour vous. Mais on ne peut pas se permettre une seule exception. Ce qui est dit est dit, on ne revient pas dessus : barrage hermétique. Dans un sens comme dans l'autre. Personne n'entre, personne ne sort. »

Il ne lui serait même pas accordé de reprendre le train pour Paris. Et cela pouvait se prolonger pendant des jours. Ce n'était pas que la perspective de s'attarder dans cette ville l'affectât beaucoup, mais on l'avait chargé d'une mission et, affirma-t-il, il avait à cœur de l'accomplir dans les délais qui lui avaient été impartis.

« Je ne peux rien faire pour toi », gémit le syndicaliste, en estimant le tutoiement propice à renforcer l'expression des regrets qu'il manifestait.

Il fit sonner sa tasse à l'aide de la cuillère, pêcha le ticket de caisse dans la soucoupe, le chiffonna.

« La tournée est pour moi », bougonnait-il en se faisant le visage d'un homme en train de réfléchir et d'organiser mentalement la suite des aventures.

Puis, son regard s'éclaira.

« Ce que je peux faire, c'est te conduire jusqu'au dernier barrage de la route de Chepon. Il y a un chemin qui passe à travers le bois. Un kilomètre après, tu seras sur la route de Reugny. Il te restera à marcher pendant une petite heure. Ça monte un peu, mais depuis Adam et Ève on sait qu'une côte n'a jamais tué un homme. »

Une ou deux heures de marche n'étaient pas pour effrayer Nicolas Tèque, un homme dont les moyens de transport personnels étaient plus que souvent tombés en panne dans des endroits éloignés de toute station ferroviaire et de tout arrêt d'autobus.

« Les journalistes, conclut le gréviste, il faut leur faciliter la tâche. C'est ça, la démocratie. On n'attrape pas les mouches avec du vinaigre. »

Joignant le geste à la parole, il fit carillonner les pièces qu'il jetait, grand seigneur, dans la soucoupe.

Neufchâteau. Bureau de la police.
Lundi, début d'après-midi.

L'inspecteur Vertigo Kulbertus constituait à lui seul, du moins en volume, la moitié des effectifs de la police belge. Depuis vingt-cinq ans, il ne se pesait plus et les médecins comme ses supérieurs hiérarchiques avaient renoncé à lui faire perdre du poids. Il s'était fait de l'obésité une spécialité, comme d'autres s'en font une du marathon ou de l'alpinisme. De toute façon, il était beaucoup plus réputé pour son poids que pour son aptitude à résoudre les affaires criminelles.

Ce n'était pas un mauvais flic, mais sa carrière avait manqué de chance. Dans sa jeunesse, il avait conduit avec diligence les enquêtes les plus épineuses, les plus embrouillées et, au moment où il s'apprêtait à mettre la main sur le coupable, les contingences de l'administration le requéraient d'urgence pour des tâches insignifiantes, vol à la tire ou à la roulotte, pugilat entre voisins de palier, tapage nocturne et autres vétilles. Ainsi, les dénouements magnifiques, avec photos dans les journaux et citation au tableau d'honneur, lui échappaient. Le fait s'était reproduit avec trop de régularité pour qu'il ne finisse pas par y subodorer comme une malédiction. Il s'était alors mis à manger. Encore plus, lui qui mangeait déjà beaucoup. C'était sa façon de s'insurger contre le sort.

En fin de matinée, un fax lui avait enjoint de se rendre à Reugny, sur la frontière française, où la police locale avait découvert en pleine nature un cadavre somptueusement décapité avec le concours d'une arme à grosse puissance de feu. Les gens de l'Identité judiciaire étaient déjà sur place. Ensuite, un coup de téléphone l'avait informé plus en détail. Puis un autre coup de téléphone. Et un autre fax. Pour tout dire, pendant trois heures, le fax et le téléphone n'avaient pas cessé de le déranger, et cela l'avait mis de mauvaise humeur. Il ne s'était pas épuisé à prendre des notes. À peine s'il avait jeté un coup d'œil aux fax répandus sur le bureau, derrière lequel il remplissait aux trois quarts un banc de jardin, aucun siège, même le plus vaste, ne pouvant le contenir en entier.

« À quinze jours de la retraite, c'est pas de chance », avait commenté le jeune planton, en simulant un chagrin intense.

D'un regard panoramique, Vertigo Kulbertus avait balayé la longue pièce désertée. Depuis trois jours, tous ses collègues étaient mobilisés sur l'histoire des attentats et des hold-up, à Liège, à Namur et à Bruxelles. On lui avait confié la permanence.

« Si près de la retraite, je trouve que c'est moche », avait insisté le jeune planton, non sans une pointe de sadisme.

La première réaction de Kulbertus avait été de s'en aller, de consulter son médecin, de se faire porter malade. Après tout, il n'allait pas bien. Il rotait tellement qu'il avait l'impression de devoir ravaler des paquets d'intestins. Ses jambes le faisaient souffrir. Avec ce qu'il pesait, les pauvresses n'avaient pas la vie belle. Il les plaignait. Il leur adressait des encouragements.

« Tenez bon, mes jolies. Bientôt, la quille. Alors, vous n'aurez plus besoin de me transporter. Je vous promets que je ne quitterai plus jamais mon lit, sauf l'été où il me serait agréable et bénéfique de prendre l'air dans le fauteuil de la pergola, mais seulement si vous acceptez de m'y déplacer. »

Et il rêvait au paradis, aux paresses interminables, aux goinfreries nonchalantes.

Depuis un an, on le laissait en paix. Il rédigeait des rapports, conduisait des interrogatoires sans enjeu, bricolait des formulaires. De temps à autre, lors des matches de football, il était désigné à suivre les turbulences des supporters sur les écrans des caméras de surveillance. Il n'aimait pas le football et, d'une façon générale, aucun de ces sports qui s'appuient sur une utilisation exclusive et outrancière des jambes.

Une des secrétaires de l'étage vint lui signaler qu'une fourgonnette l'attendait devant le perron. Elle profita de l'occasion pour compatir avec une sincérité dont l'ostentation ne laissait pas de paraître un tant soit peu suspecte :

« À quinze jours de la retraite…, fredonna-t-elle sur un mode grégorien.

— Quatorze, rectifia sévèrement Kulbertus qui tenait une comptabilité pointilleuse de la chose.

— C'est encore pire », se consterna la secrétaire en faisant mine que cette précision lui arrachait l'âme, avant de regagner l'étage en pouffant.

Sans soin, Kulbertus ramassait les fax qui traînaient devant lui et les fourrait en vrac dans un sac de supermarché. Il repoussa le banc de jardin contre le mur. De la rue, le chauffeur de la fourgonnette, un nommé Ferrari, l'informait en morse, à l'aide du Klaxon, qu'il se tenait à sa disposition. L'inspecteur examina le bureau. Cédant à une mode idiote, ses collègues conservaient tous une photo dans un cadre, entre la lampe et la boîte à trombones. L'un c'était sa femme. L'autre, sa femme et ses enfants. Un autre, sa fiancée. C'était une manière d'afficher des opinions et des valeurs. De se revendiquer dans la correction et le purisme familial. N'ayant

personne à honorer de la sorte, Vertigo Kulbertus s'était
contenté de dresser sous verre devant lui un portrait en
pied de lui-même. Il se demandait s'il devait l'emporter
à Reugny. Malgré les coups de Klaxon à répétition du
chauffeur, il s'accorda le temps de réfléchir à la question. C'était autant de pris, mine de rien et en douce,
sur les jours qui le séparaient de la retraite.

Route de Reugny. Lundi, début d'après-midi.

Au volant de son taxi, qu'elle conduisait lentement,
vitres baissées, pour profiter de ce paysage qu'elle aimait
et qui sentait bon en cette saison, Sylvie Monsoir aperçut
un homme au bord de la route. Il levait le bras et agitait
la main, lui faisant signe comme les gens des villes
appellent un taxi en maraude. Elle revenait de Bouillon
où elle était allée reconduire à la halte d'autobus un
des stagiaires du Centre de Motivation. Elle en avait
profité pour faire un détour par Chepon, côté français,
chez une tireuse de cartes qu'on lui avait recomman-
dée. Elle consultait en secret, en fonction des courses
qu'elle était amenée à effectuer. Souvent en France. Et
surtout Mme Vonny, à Larcheville. Une reine, qu'elle
croyait sur parole. Freddy n'aurait pas aimé ce genre
de fantaisie. Mais elle n'avait pas trouvé de moyen plus
économique de s'offrir des avenirs radieux. Elle n'aurait
pas su dire ce qu'elle espérait de la vie. Peut-être un
peu plus d'aventures, quelques bonnes surprises, comme
tout le monde, finalement.

Elle repensait au stagiaire qu'elle avait déposé à la
station. C'était un cadre de Bating Toulouse. Il avait
été exclu dès la première nuit, en vertu d'une ancienne
coutume trévire que Richard Lépine avait réactivée. Et,

en quelque sorte, modernisée. En ce temps-là, quand les chefs étaient appelés à se réunir au grand conseil, le dernier arrivé était condamné à mort, car on estimait qu'il n'avait pas mis assez de zèle à répondre à la convocation. Quand, vers minuit, décidant de mobiliser ses troupes pour les lancer à la recherche d'Anne-Sophie Londroit, Richard Lépine avait fait battre la grosse cloche de la cour, quelques stagiaires avaient manqué de cet empressement qui caractérise la fidélité, la confiance, le dévouement, l'esprit de sacrifice et qui distingue le héros de l'homme ordinaire. Tiré d'un sommeil qu'il avait peut-être additionné d'un peu trop d'alcool au cours de sa longue journée de voyage, le Toulousain s'était présenté une minute après les autres dans la grande salle du Centre. Il s'était pourtant pressé de son mieux. Se rhabillant à la hâte et finissant de se rhabiller en courant dans les couloirs – dans les complications desquels il s'était d'ailleurs égaré –, ne se recoiffant que des cinq doigts agencés en peigne, ne laçant pas ses souliers. Il avait été stupéfait de découvrir que tous ses compagnons l'avaient précédé.

« J'ai fait au plus vite. J'ai couru comme un fou, avait-il confessé à Sylvie. J'ai failli tomber à la renverse quand j'ai vu qu'ils étaient déjà tous là. On ne nous avait pas prévenus que le dernier était automatiquement éliminé. C'était écrit nulle part. Et Mlle Grandjean n'en a pas soufflé mot. Je me souviens qu'à chaque page du fascicule qu'on nous a remis à notre arrivée était inscrite cette formule : "Soyez toujours sur vos gardes." J'étais sur mes gardes. Mais je me suis déshabillé avant de me mettre au lit. C'est naturel. »

Il reniflait ses larmes. Et craignait pour la suite de sa carrière chez Bating Toulouse.

« Je suis grillé, maintenant. J'ai été mis à l'écart. Je m'attends au pire. Je crois que je vais être mal accueilli à l'usine.

– Vous avez fait de votre mieux, l'avait consolé Sylvie, qui avait l'habitude. Vous n'avez rien à vous reprocher. »

Il avait haussé les épaules. Il se remémorait la scène.

Richard Lépine les attendait dans la grande salle. Derrière lui, Élisabeth Grandjean se tenait, droite et froide, sur une estrade minuscule. Elle remplissait des documents pincés sur une planchette. Quand le Toulousain, essoufflé, pantelant, ahuri, s'était approché du lieu de rassemblement, un employé du Centre lui avait interdit l'accès à la grande salle et l'avait immobilisé dans l'embrasure de la porte. Aucun regard ne s'était tourné vers lui.

Richard Lépine avait dit, sans bouger la tête, mais en élevant l'index dans sa direction :

« Celui-là n'est pas digne de faire un pas de plus vers nous. Qu'il soit reconduit à son insuffisance. »

Le Toulousain avait exigé des explications.

« J'ai crié que ce n'était pas juste. J'ai supplié qu'on me donne une chance supplémentaire. J'ai dit que ma cellule était la plus éloignée de toutes, qu'il m'avait donc fallu plus de temps qu'aux autres pour arriver à la grande salle. Je ne comprenais pas comment les autres avaient réussi à me précéder. Un cauchemar.

– Et alors ? demanda Sylvie, pour soutenir la conversation.

– C'est seulement qu'ils dormaient habillés. Ils n'avaient même pas pris la peine d'ôter leurs chaussures. Je me suis fait avoir. Je m'en veux. »

C'était la première leçon de Richard Lépine. Il l'avait formulée d'une façon que le Toulousain n'était pas près d'oublier :

« Croyez-vous que le lion, l'ours, le tigre, ces créatures guerrières, enlèvent leur fourrure pour dormir ? »

Rien de plus. Il n'avait prononcé que ces seules paroles. L'employé avait installé le Toulousain dans une sorte de sas fermé à clef, dont une porte s'ouvrait sur le hall d'entrée et une autre sur la rue. Quelques instants plus tard, par un guichet ménagé dans le mur, on lui passait ses affaires personnelles, récupérées dans la cellule qu'on lui avait attribuée et qu'il n'avait plus le droit de souiller par sa présence.

« C'est dur, avait-il murmuré, en osant enfin tourner les yeux vers le profil de la jeune femme.

– Je sais », avait répondu cette dernière.

Elle connaissait les méthodes de Richard Lépine. Et en profitait un peu. Chaque jour, elle reconduisait un stagiaire à la gare. De l'argent régulier, donc. Facilement gagné. Elle n'était pas contre.

Elle dépassa l'homme qui lui faisait signe, uniquement pour voir à quoi il ressemblait. Elle le trouva à son idée et, quelques mètres plus loin, elle stoppa le taxi au milieu de la route et se pencha pour ouvrir la portière, côté passager.

« Je vais à Reugny, déclara Nicolas Tèque.

– Moi j'y retourne », annonça Sylvie Monsoir avec un sourire qu'elle n'adressait qu'aux hommes qui lui plaisaient.

Le taxi progressait entre deux rangées de digitales et d'épilobes, dont les mauves accordés éclataient sur le fond noir des sapinières.

« Beau pays, dit Nicolas Tèque.

– L'été, oui. L'hiver, c'est plus difficile. »

Elle eut comme un instant de recueillement. Puis, se tournant vers lui :

« Vous êtes tombé en panne de voiture ?

– C'est un peu ça. Oui, on peut dire ça comme ça. J'avais loué une voiture à Larcheville. Mais toutes les routes sont barrées par des grévistes.

– Ils sont durs par là-bas. Je ne sais pas, mais c'est ce qu'on dit. On dit qu'ils sont durs.

– C'est vrai, on le dit. »

Ils pensèrent chacun de côté et à leur façon aux durs de par là-bas. Mais c'était un concept qui ne leur inspirait aucun commentaire. Aussi, Sylvie préféra-t-elle changer tout de suite le cours de leur bavardage :

« Ne me dites pas que vous venez déjà pour Jeff Rousselet…

– Je ne sais même pas qui est Jeff Rousselet.

– J'ai cru que vous étiez un journaliste de Larcheville.

– Non. Faut-il le regretter ?

– Ils ne sont pas pires qu'ailleurs.

– Qui est Jeff Rousselet ? s'enquit Nicolas.

– C'était un douanier à la retraite. Maintenant, il est mort. Il a pris du plomb dans la tête. Sacrément. Sa cervelle était éparpillée jusque je ne sais pas où. C'est un beau sujet pour un journaliste. Vous ne trouvez pas ?

– Je ne suis pas journaliste.

– Vous n'êtes pas de Larcheville ?

– Non. Je suis seulement de passage dans la région. Je viens de Paris.

– De Paris ? »

La tireuse de cartes lui avait parlé d'un homme venant d'une grande ville, qu'elle rencontrerait bientôt et avec lequel elle vivrait « quelque chose ». Elle essaya de se rappeler exactement ce que la femme avait dit. Mais elle se sentait si troublée tout d'un coup que les souvenirs lui échappaient.

« Il a été assassiné, votre douanier, reprit Nicolas.

– En tout cas c'est ni un accident de chasse ni un suicide. On ne l'a retrouvé que ce matin. D'après ce qu'on sait, on l'a massacré hier après-midi.

– Ça n'a pas l'air de vous attrister beaucoup.

– C'était un méchant. Ce ne sont pas des choses à dire, mais il n'a eu que ce qu'il méritait. »

Elle se renfrogna un instant. Du moins, le crut-il. En réalité, elle fouillait sa mémoire, à la recherche de ce que lui avait dit la tireuse de cartes.

« C'était un méchant, alors…, poursuivit-il pour tenter de la relancer.

– Ç'aurait été aussi bien de ne pas le retrouver. Il aurait pourri dans les bois. Et celui qui nous en a débarrassés aurait été tranquille.

– On ne trouvera peut-être jamais le coupable.

– Avec la police, on ne sait jamais. Ils sont nuls, mais quand ils ont envie d'empoisonner leur monde, ils ne se gênent pas. »

Elle lui raconta que c'était l'idiot qui avait guidé les policiers jusqu'au corps. L'idiot traînait toujours dans tous les coins. Il en savait autant que le douanier sur les gens du village, mais il n'avait pas les moyens de s'en servir. Les idiots aiment bien le monde et le regardent sans y trouver à redire. C'est leur façon de pardonner à la nature qui les a disgraciés.

Les premiers toits d'ardoises de Reugny apparaissaient presque roses sous le soleil. Des barrières de genêts défleuris ployaient de chaque côté de la route, en alternance avec des champs de jeunes fougères. Une pâture semée de pierres et de roches descendait rapidement vers un étang, au-delà duquel, dans un horizon relevé de sapins, Reugny se blottissait autour de son clocher, comme on dit dans les romans régionaux.

« Reugny, annonça joyeusement Sylvie.

– C'est plus grand que je ne l'avais imaginé, constata Nicolas.

– Pas loin de mille habitants. »

Puis elle lui demanda où elle devait le déposer.

« À l'hôtel du Grand Cerf.

– Au Grand Cerf ! Vous tombez mal.

– Ah bon ?

– La fille a disparu depuis hier. Tout le village la recherche. On a passé la nuit à battre la campagne. Et depuis ce matin, tout le monde ratisse les bois. Il ne se passe jamais rien par chez nous, mais quand il commence à s'en passer il s'en passe.

– L'hôtel n'est pas fermé, tout de même.

– Je ne crois pas. Mais la propriétaire ne doit pas être au meilleur de sa forme. Comme c'est elle qui s'occupe de tout, de la cuisine, des chambres, du service, il n'est pas certain que votre séjour à Reugny soit aussi confortable que vous l'auriez souhaité.

– Je me contenterai de ce qu'on me donnera.

– Vous êtes philosophe, vous.

– Non. C'est seulement que je ne suis pas en vacances. À la guerre comme à la guerre. »

La place de Reugny connaissait la même effervescence que le matin. Plusieurs voitures de police étaient garées devant l'église. Une équipe de télévision filmait l'église, le journaliste tendait son micro vers le porche, sans utilité, simple réflexe professionnel. Des tables supplémentaires avaient été dressées devant l'hôtel.

Nicolas demanda combien il devait.

« Rien pour cette fois », murmura la jeune femme en le fixant dans les yeux.

Nicolas songea que c'était une fille superbe.

« Mon nom, vous le connaissez : il est peint sur le taxi. Monsoir. C'est le nom de mon mari. Moi je m'appelle Sylvie.

– Et moi, c'est Nicolas Tèque », dit-il en contrepartie.

Il descendit du taxi, mais avant de claquer la portière il tint à remercier une fois encore la jeune femme. Il y mit un peu plus que de la cordialité. Il voulait vraiment exprimer sa gratitude avec une certaine chaleur.

« Il faudra faire attention, lui confia Sylvie à voix basse et en avançant le torse vers lui, très attention. Mon mari est jaloux. »

Et elle n'attendit pas que la portière soit complètement refermée pour démarrer et aller faire son demi-tour devant le Centre de Motivation.

Reugny. Hôtel du Grand Cerf.
Lundi après-midi.

« Vous êtes le monsieur de Paris qui a réservé une chambre par téléphone ? devina Thérèse Londroit.

– Oui. Mais j'ai été informé de la disparition de votre fille…, commença Nicolas Tèque, comme pour s'excuser d'arriver dans un aussi mauvais moment.

– Ça ne change rien, lui assura Thérèse.

– Je peux me débrouiller autrement, si vous voulez, insista Nicolas.

– Pas du tout. La vie continue, quoi qu'il se passe.

– Je pourrais au moins prendre mes repas autre part…

– Je vous dis que ça ne change rien. »

Elle restait d'une amabilité professionnelle, reprise par le mouvement du travail, malgré sa nuit blanche et la crainte qui grandissait en elle.

« Je vous conduis à votre chambre. C'est au premier étage. Elle donne sur la place. Mais avec tout ce raffut, ce serait peut-être mieux que je vous installe sur la cour. »

D'un air soucieux, elle décrocha une clef montée sur un morceau de bois de cerf taillé et se dirigea vers le salon. Nicolas reconnut au passage le décor qu'il avait découvert sur la cassette. En quarante ans, rien n'avait été modifié. Le même mobilier, la même cheminée surmontée d'un blason et ornée de chandeliers en étain, les mêmes tableaux sur les murs éclairés par une lumière identique.

« Vous vous intéressez à Rosa Gulingen, si j'ai bien compris ? demanda Thérèse en se retournant vers l'escalier, large et à double rampe de chêne et de cuivre.

– À Armand Grétry aussi. Aux deux.

– Je vais vous montrer la baignoire où elle est morte.

– J'ai le temps, vous savez.

– On l'a conservée dans l'état où on l'a trouvée. On ne l'a même pas nettoyée. Il reste des traces de savon. C'est du savon qui a été en contact avec le corps de Rosa. Il n'est pas visible à l'œil nu. Mais si vous passez le doigt sur l'émail, vous le sentirez. C'était quelqu'un de bien. »

La chambre de Rosa aussi avait été conservée. Personne n'y était entré depuis le mois de juin 1960.

« Même pas moi, pour ainsi dire, certifia Thérèse. Les volets ont été fermés une fois pour toutes, les rideaux et les doubles-rideaux tirés, la clef tournée dans la serrure. Mais si cela peut vous être utile pour votre travail, je vous la montrerai. »

Sur le palier, prolongé par la mezzanine qui surplombait une partie du salon et de la salle de restaurant, elle déplia un paravent de style rococo, isolant Léontine qui la regardait faire en marmonnant.

« C'est ma mère, expliquait Thérèse. Elle a quatre-vingt-six ans. Je ne la cache pas avec ce paravent, ne croyez pas. C'est seulement que ce n'est peut-être pas un spectacle pour la clientèle.

– Elle ne me dérangerait pas.

– On ne sait jamais. À cet âge, ils ne sont pas toujours raisonnables. Et quand elle trouve quelqu'un à qui parler, elle aurait tendance à l'accaparer. C'est sans doute désagréable, quand on a autre chose à faire. »

La vieille collait son menton sur sa poitrine, avec un air navré. Nicolas crut surprendre un sourire ou un ricanement, mais ce pouvait seulement être l'effet d'un jeu de rides, de plissements qui tressaillaient.

« Elle occupe ses journées à guetter tout ce qui se passe dans l'établissement. En ce moment, elle est servie : ça circule. Il y a du monde. C'est elle qui a construit cet hôtel. Avec mon père. Au début, ce n'était qu'un baraquement. Je vous ferai voir des photos, si vous voulez. À l'époque, ils faisaient des omelettes. Au lard ou aux champignons, selon la saison. C'est seulement après la guerre qu'ils ont bâti l'hôtel. Ils avaient vu grand. Ça n'a jamais trop bien marché. Mais enfin, on s'en sort. Il y en a qui sont plus à plaindre, pas vrai ? »

Elle lui fit visiter la chambre, ouvrit et ferma l'armoire à glace, retourna la savonnette dans le porte-savon du lavabo, redressa les serviettes sur leur portant, entrebâilla la fenêtre, lui parla des volets, vérifia l'éclairage des lampes de chevet, toute chose et tout geste qu'elle avait déjà accomplis en préparant la chambre. Ainsi elle avait l'impression de se distraire des pensées amères qui s'étaient emparées d'elle depuis la veille.

« C'est parfait », dit Nicolas.

Il avait posé la mallette sur le lit et se tenait au milieu de la pièce, gêné d'être confronté à autant de souffrance et à autant de courage. En bas, des équipes revenaient d'avoir battu les bois et on les entendait faire brèvement leur rapport. Le policier chargé, avec le bûcheron Meyer, de coordonner les différentes recherches leur octroyait un nouveau secteur à explorer. Toutefois, ils ne repartaient pas sans s'être abreuvés de quelques pintes. Ils trinquaient en silence.

« Si vous avez besoin de moi, dit encore Thérèse, la sonnette est à la tête du lit. N'hésitez pas.

– Ça ira, merci.

– Je suis là pour ça », murmura-t-elle en ouvrant la porte, mais sa voix se brisait maintenant.

Reugny. Lundi, fin d'après-midi.

« Faites aller la sirène, qu'on leur montre un peu ! » avait commandé Vertigo Kulbertus, calé à l'arrière de la fourgonnette, quand ils avaient été en vue de Reugny.

Il n'avait pas cessé de se gratter et se plaignait à grosse voix de faire une allergie au déplacement. Il détestait bouger. Les voyages lui devenaient vite un enfer. Ferrari, le chauffeur, qui était patient, et surtout qui le connaissait bien, abondait dans son sens, réprouvant sans demi-mesures les contraintes des périples en automobile. Il n'en pensait pas un mot, mais il se faisait un devoir d'assortir son humeur à celle de l'inspecteur.

Ce fut donc dans un fracas surmonté des éclairs du gyrophare, et comme surgis de nulle part, qu'ils pénétrèrent sur la place du village, engendrant presque un mouvement de panique.

« Ces ploucs ne pourront pas dire qu'on se fout de leur gueule ! rigola Kulbertus. On leur fait le grand jeu, les effets spéciaux, tout ! Laisse encore sonner un peu. Je ne voudrais pas qu'on ait l'air de les rationner ! »

Il serra contre lui le sac en plastique imprimé à l'enseigne d'une supérette d'assez médiocre réputation et attendit que le chauffeur vienne pousser la porte à glissière. Les flics locaux s'étaient approchés et tiraient des figures pitoyables. Kulbertus fit celui qui les passait en revue. Il fronçait les sourcils, prenait son air méchant.

« Nous sommes là pour faire du bon travail », déclarat-il en haussant le ton.

Puis ne trouvant rien de mieux à dire, il escalada les trois marches de granit qui constituaient, avec les pots de fleurs qui les balisaient, l'essentiel du perron de l'hôtel du Grand Cerf. Un instant plus tard, il frappait comme un sourd sur la sonnette de la réception.

À peine Thérèse eut-elle ouvert la bouche pour lui souhaiter la bienvenue, qu'il la fit taire d'une voix tonitruante :

« Police ! Je suis l'inspecteur Vertigo Kulbertus. Mes services ont dû vous téléphoner. Ils m'ont réservé une chambre. Pour une durée certes indéterminée, mais n'excédant pas quatorze jours.

– En effet, inspecteur...

– Je précise, parce qu'il y en a qui ne savent pas que dans quatorze jours je serai à la retraite.

– Félicitations, dit Thérèse qui reprenait son assurance.

– En posant les yeux sur moi, vous comprendrez tout de suite que j'ai besoin d'un grand lit.

– Je vous ai préparé un lit de deux personnes. Mais presque tous les lits de la maison sont des lits à deux personnes.

– Bien. Je vous prierai alors, madame, de bien vouloir le renforcer à l'aide de quatre parpaings, voire avec des briques, que vous glisserez sous les bois. Je serais triste d'être à l'origine du délabrement d'un instrument de plaisir aussi respectable qu'un lit. Vous ajouterez trois oreillers. À cause de ma corpulence, je suis tenu de dormir assis. Pratiquement. Oui. »

Il s'appuyait sur le comptoir, mains à plat contre le plateau, bras étendus, à cause de son ventre. Les policiers et le chauffeur l'avaient suivi dans l'hôtel et piétinaient derrière lui.

« En ce qui concerne les repas, madame, signifia l'inspecteur, vous ne serez pas étonnée d'apprendre qu'il m'est nécessaire d'en absorber quatre chaque jour. Je vous rassure tout de suite, je ne suis pas difficile. Le samedi et le dimanche, je mange de tout. Pendant la semaine, je me contente de frites et de boulettes le matin, de frites et de cervelas le midi, de frites et de fricadelles à quatre heures, de frites et d'une ou deux brochettes de steak haché le soir. Vous voyez, je ne suis pas compliqué. Pour vous faciliter la tâche, je consomme les viandes dans l'ordre alphabétique : boulettes, cervelas, fricadelles, steak. Toujours dans le même ordre. Toujours avec des frites. Quand j'enquête, j'ai horreur des surprises. Horreur ! »

Thérèse avait noté sur un calepin les quatre volontés de Vertigo Kulbertus. Elle dit qu'elle veillerait « personnellement » à la satisfaction de ses désirs et lui proposa de le conduire sans plus tarder à sa chambre. Il lui tendit le sac plastique qui contenait les premiers documents de son enquête :

« Quand vous aurez cinq minutes, vous mettrez cet encombrement sur ma table de nuit. Pour l'instant, l'heure est à la bière. Un homme comme moi a soif à heures fixes. C'est fou ce qu'il peut y avoir d'heures dans une minute. Mais ne vous dérangez pas : j'ai vu qu'il y avait de quoi dehors. Je tirerai moi-même à la pompe. Je sais mieux que personne ce qui me convient. J'aime pas la mousse. »

Il tourna les talons, en grognant d'une voix méchante :
« J'aime pas la mousse ! J'aime pas la mousse ! »

Reugny. Sur la place.
Lundi, fin d'après-midi.

D'un geste du bras, Vertigo Kulbertus avait écarté un journaliste qui s'était précipité sur lui dès qu'il avait descendu la dernière marche du perron. Et, d'un pas triomphal, il s'était acheminé vers les pompes à bière. Le journaliste le suivit, bientôt rejoint par deux de ses confrères et par un photographe. Kulbertus poussa Albrecht Lauwerijk, saisit un bock d'un demi-litre et se servit sans hâte, adressant quelques commentaires à ses voisins :

« Ils nous font payer la mousse au prix de la bière. Moi j'y regarde.

– C'est gratuit, murmura Lauwerijk.

– À plus forte raison si c'est une œuvre de bienfaisance, rugit Kulbertus, avec une mauvaise foi venimeuse. Quand c'est gratuit, on n'a pas le droit de lésiner. La générosité se mesure en quantité de bière, pas en quantité de mousse. D'abord, la mousse c'est pas cher. Ça n'a donc aucun mérite à être gratuit. »

Le Flamand n'y voyait pas d'inconvénient. Il était fatigué. Il avait roulé dans le bois toute la journée et toute la nuit précédente. En vain.

« C'est moi qui ai découvert le corps, commença-t-il en regardant l'inspecteur dans les yeux.

– Je ne vous ai rien demandé, ronchonna Kulbertus.

– Je pensais que vous étiez là pour interroger tout le monde.

75

– Quand je bois de la bière, je ne suis là que pour la bière, monsieur… Monsieur… ?

– Albrecht Lauwerijk.

– La bière, c'est une dame, monsieur Lauwerijk. S'il l'aime et s'il tient à lui rendre hommage, le buveur ne doit pas se laisser distraire par les mondanités. »

Il se tira encore deux bocks, sans mousse. Et les siffla avec sérénité, sous le regard sans étonnement de Lauwerijk. Autour d'eux, l'agitation s'amplifiait. Les gens allaient, venaient. On parlait d'abandonner les recherches. De les remettre au lendemain.

« Vous avez trouvé le corps de Jeff Rousselet, dit enfin Kulbertus.

– Je n'étais pas seul. Avec moi, il y avait les gendarmes. Et le fils Meyer. Brice. Un simple d'esprit. C'est lui qui nous a mis sur la piste.

– Bon, ça va. C'est assez pour aujourd'hui », rota l'inspecteur.

Honnêtement, il n'avait pas envie de travailler dans cette cohue. Les journalistes le pressaient de questions, le bousculaient, et il n'aimait pas cette familiarité. Lauwerijk lui posa la main sur l'avant-bras et lui annonça doucement qu'il avait quelque chose à lui confier, d'important.

« Quoi ? hurla l'inspecteur en chassant les journalistes.

– Une intuition, murmura le Flamand.

– C'est pas cartésien, ça, une intuition, protestait Kulbertus. Il n'y a que dans les romans qu'on mène des enquêtes avec de l'intuition. Vous me prenez pour un flic qui cherche les coupables dans le marc de café ? J'ai même jamais lu mon horoscope. C'est vous dire que je ne suis pas que la moitié d'un pro. »

Toutefois, tout en maugréant il avait attiré le Flamand de l'autre côté de la table, hors de portée de l'indiscrétion des journalistes, auxquels, d'un bref coup de gueule, il avait promis du nouveau dans les heures à venir.

« Je parlerai à la presse en début de soirée. Pas avant. »

Puis se collant à Lauwerijk, de profil, et baissant la tête comme un confesseur, il engagea l'autre à se confier à lui :

« Allons-y pour l'intuition. Je vous écoute, mon fils.

– J'ai réfléchi à quelque chose. Je vous ai dit que c'est Brice Meyer...

– L'idiot ?

– Oui. L'idiot. C'est lui qui nous a menés au corps de Jeff Rousselet.

– Je suis au courant.

– Quand on est arrivés au point de vue et qu'on a aperçu le cadavre, l'idiot a paru aussi stupéfait que nous. À mon avis, il ne s'attendait pas à ça. D'ailleurs, il s'est mis à danser en tenant ses mains au-dessus de sa tête.

– Comment, ses mains au-dessus de sa tête ? »

Lauwerijk lui mima l'attitude de Brice Meyer, et quelques ricanements s'échappèrent du groupe de journalistes qui se tenait à distance.

« Vous le faites très bien..., laissa tomber l'inspecteur, avec dégoût.

– Ce que je veux dire, c'est que l'idiot essayait de nous faire comprendre quelque chose. On a cru qu'il nous indiquait l'endroit où était mort le douanier. En fait, je crois...

– Vous croyez. Il s'agit donc d'une intuition.

– Dimanche après-midi, l'idiot a discuté avec la jeune fille de l'hôtel du Grand Cerf, au bord de la rue Haute. Il a vu qu'elle se dirigeait vers le point de vue de la Fourche noire. Il nous a conduits sur la piste d'Anne-Sophie et nous avons cru qu'il nous indiquait le lieu du crime. Vous voyez ?

– Pas du tout. Mais aucune importance. Chacun est libre de ses intuitions. Je vais reboire une petite pinte. De vous écouter, ça m'a mis le gosier à sec.

– Inspecteur, qui vous dit qu'Anne-Sophie ne s'est pas trouvée là au moment où Jeff Rousselet a été abattu ? Et peut-être que l'assassin l'a abattue, elle aussi. »

Kulbertus épuisait un demi-litre de bière en moins de quatre gorgées.

« Ça se pourrait bien », dit-il sur le ton de l'homme qui a pris le parti de toujours écouter les fous sans les contrarier.

Il y eut à ce moment-là un remue-ménage dans le bas de Reugny. Des voix de femmes appelant au secours. Un bruit de course. Le moteur d'une voiture qu'on démarrait. Bien qu'il se défendît d'ajouter la moindre foi à l'intuition en général, Vertigo Kulbertus eut le pressentiment que les choses prenaient le train de vouloir lui compliquer la vie. Il n'avait pas tort, car une minute plus tard il apprit qu'on avait retrouvé le corps sans vie de l'idiot. Albrecht Lauwerijk avait pâli. Il restait seul avec l'inspecteur, au milieu de la place qui s'était vidée presque instantanément, comme mue par un réflexe collectif.

Reugny. Centre de Motivation.
Lundi, fin d'après-midi.

Un à un, les groupes de stagiaires se présentaient au rapport. Richard Lépine se tenait debout derrière une table, le regard fixé sur le fond de la salle. Il ne voyait personne. Élisabeth Grandjean enregistrait ses observations sur les formulaires. Le plus grand silence était exigé. Discipline militaire. C'était la méthode. Le moindre manquement à la règle était sanctionné par l'élimination immédiate de son auteur.

Il laissa son regard tomber sur la troupe alignée en rangs et au complet dans la grande salle. Ils étaient pitoyables, les jeunes cadres de Bating. Ils avaient couru les bois toute la journée et toute la nuit, déchirant leurs vêtements, s'engluant dans les marais, y perdant une chaussure ou leur montre. Des branches les avaient marqués au visage. Certains boitaient, la cheville enflée, mais n'osaient pas se plaindre. Ici se jouait la suite de leur brillante carrière. Il y aurait des victimes. Aussi tous les coups étaient-ils permis.

Richard Lépine ne semblait pas mécontent de la tournure que prenaient les événements. Cette chasse à la jeune fille constituait une épreuve idéale de sélection, bien supérieure au saut à l'élastique et à la course sur des charbons ardents – qui, pour autant, ne leur seraient pas épargnés.

Maintenant, il allait les abandonner, debout, dans cette salle, pendant le temps qu'il faudrait pour que l'un d'eux brise le silence et demande l'autorisation de se rendre aux toilettes, signant par cette coupable faiblesse, sans le savoir, son élimination. Les autres retiendraient la leçon. Le lendemain, ils préféreraient souiller leur pantalon plutôt que prendre le risque d'être exclus.

« Chacun de vous est son premier ennemi », articula-t-il.

Et il sortit, droit comme un monument, et froid.

À cause du désordre qui régnait sur la place, Sylvie Monsoir avait garé son taxi contre le mur du Centre.

Richard Lépine regagnait son bureau. Il s'approcha de la fenêtre. Il avait demandé à la jeune femme de passer le voir, sous le prétexte assez médiocre de mettre au point les conditions d'un tarif spécial, au cas où il serait nécessaire – et édifiant – de reconduire en pleine nuit un stagiaire à la gare. C'était un projet, une éventualité dont ils avaient déjà vaguement discuté. Il n'y avait rien d'urgent. Seulement, il avait envie de la voir.

Il avait seulement envie de la voir. Cette fille lui plaisait. Elle ne voulait pas de lui. Il se demandait jusqu'où il serait capable d'aller pour qu'elle accepte de devenir sa maîtresse, même provisoirement.

Est-ce qu'elle se doutait que c'était lui qui avait trouvé du travail à son mari, dans les transports internationaux ? Ignorait-elle aussi qu'il avait avancé à Freddy l'argent grâce auquel il avait pu acheter le taxi qu'elle exploitait ? Certainement pas. Freddy était grande gueule, mais trop orgueilleux pour se vanter de devoir quelque chose à quelqu'un. De toute façon, c'était un secret entre Freddy et lui. Un secret entre autres secrets. Freddy lui rendait des services. Il était fou, bien sûr. Fou de sa femme, d'abord. Fou de jalousie, ensuite. Fou de lui-même. Parfois, il buvait trop. Mais il savait tenir sa langue.

Les gens de Reugny ont toujours su tenir leur langue. Ils se détestent, mais n'iraient jamais dénoncer leur pire ennemi à la police. Au contraire, ils choisiraient plutôt de commettre un faux témoignage pour le soustraire à l'action d'une justice dont ils pensaient qu'elle ne les concernait pas, lointaine qu'elle était et rendue par des fonctionnaires qui ne savaient rien des affaires humaines.

Ce n'était pas le cas de Sylvie. Elle n'était pas d'ici. Comme lui. Comme Freddy. Tous les deux de Reugny. Freddy en bas du village. Lui, d'ici.

La moitié du village lui appartenait et les trois quarts des terres, des bois. Par le simple jeu des échanges et des agrandissements de parcelles, ses propriétés débordaient même sur les trois communes limitrophes. Il s'interrogeait quelquefois sur le besoin qui le rongeait de régner sur un territoire toujours plus vaste. C'était une question sans réponse, évidemment, comme toutes les questions que l'on se pose à soi et dont la réponse réclamerait de déranger l'impassibilité des choses intimes et cette paix intérieure, conquise de haute lutte et au prix fort.

Tout le monde lui était redevable. Il aidait. Albrecht Lauwerijk pouvait lui être dévoué. Le Centre avait pris en charge les études de Jack, son grand garçon, sa fierté. D'abord à Bruxelles. Puis finançant ensuite un séjour d'un an à Paris, de deux ans dans une université américaine. Lui assurant plus tard des tournées de conférences dans toute l'Europe et un emploi stable au Centre.

Cet infâme bûcheron de Meyer avait également des raisons de le remercier, qui exploitait les bois à son compte, en échange de quelques travaux d'entretien et de surveillance sur le reste du domaine.

Et Walmourt, toute la famille ou quasi venait donner la main au Centre, soit aux cuisines, soit au ménage, soit au gardiennage. Les Frelin, ces hébétés, minces comme des échalas et dont pas un ne mesurait moins de deux mètres sous la toise et bien plus à l'œil nu et dans les sarcasmes. Les Maillard, les Louesse, les Tinclet, les Charbane, les Caminage, les Reudon, à tous il avait apporté aide et assistance au moment où ils en avaient eu le plus besoin, soit en rachetant leur terre ou leur tas de cailloux, soit en leur obtenant des postes ici et là, en faisant jouer les relations qu'il entretenait avec les entreprises, y compris Bating Larcheville où, encore cette année, deux jeunes du plateau avaient trouvé à s'employer sur les chaînes de montage.

Le réseau qu'il avait organisé profitait à tout le monde. C'était des babioles, des menus services, des investissements sans ampleur, mais cela assurait à la communauté une cohésion, une cohérence, une connivence, où chacun trouvait son compte.

Des frissons lui parcoururent la nuque quand il vit Sylvie apparaître sur le seuil de sa maison. Son espoir fut de courte durée. La femme de Freddy ne traversait pas la place, ne dirigeait pas ses pas vers le Centre, mais longeait la rangée d'habitations disposées en arc de cercle, traversait la ruelle et remontait par le trottoir jusqu'à l'hôtel du Grand Cerf, à la terrasse duquel un homme qu'il ne connaissait pas se leva pour l'accueillir, avec des amabilités curieuses, avant de l'inviter à s'asseoir à sa table.

Richard Lépine pesta. Mais au fond, sans se l'avouer, il souffrait.

Reugny. Au-dessus du moulin.
Lundi, fin d'après-midi.

L'idiot était mort. Son corps était étendu, en partie dans la boue, en partie sur l'herbe. Sa bouche et son nez avaient été remplis de terre. Sa chemise était arrachée. Kulbertus nota que le cou ne portait aucune trace de strangulation, contrairement à ce que prétendait un des flics locaux. Par contre, il repéra une marque à la poitrine. Le meurtrier avait dû immobiliser le jeune homme contre terre en s'appuyant d'un genou sur la cage thoracique. Sur la pommette, une plaie superficielle avait éclaté et une petite marque sanglante était en train de sécher.

Le père de Brice, qu'on n'appelait jamais autrement que le « bûcheron Meyer », approchait de la mare en traînant des pieds. Il ne parut qu'à moitié étonné en découvrant son fils. Il s'était immobilisé à trois mètres et ne semblait pas décidé à faire un pas de plus. L'une après l'autre, il enfonça les mains dans les poches de son pantalon, comme pour y fouiller à la recherche d'un couteau ou d'une pièce de monnaie. Peut-être aurait-il voulu manifester un peu de tristesse, mais c'était un sentiment dont il ne connaissait pas les démonstrations. Il se contenta de grogner et de se racler le fond de la gorge.

« Il a été étouffé par de la terre, grasseya Kulbertus. Il s'est défendu. En témoigne la chemise déchirée. Et peut-être la marque à la pommette, qui est le résultat d'un coup de poing, à mon avis. »

Il parlait comme un professeur de collège qui décrit une expérience de sciences naturelles, mort d'une grenouille ou bille glissant sur un plan incliné. Les curieux, journalistes et villageois mêlés, que deux gendarmes tenaient à distance, l'écoutaient religieusement. Le clocher de l'église sonna le quart d'une heure, mais personne n'aurait pu préciser laquelle.

Meyer toussa et s'agita sur place.

« Ce que je voudrais dire…, commença-t-il.

— Vous êtes le père de la victime, je crois, présuma Kulbertus.

— Oui. C'est mon fils. Brice qu'il s'appelle.

— Brice Meyer, c'est ça ?

— Oui.

— Qu'est-ce que vous vouliez dire ? susurra l'inspecteur, en plissant les yeux.

– Ce que je voulais dire, c'est que la marque qu'il a sur la joue, c'est moi qui lui ai faite. Je le dis parce que c'est vrai. Il était difficile. Il ne comprenait que la fermeté. Et il m'énervait aussi. C'est dur d'avoir un idiot à la maison.

– Qu'est-ce qu'il avait fait pour mériter d'être corrigé ?

– Il était insupportable, je vous dis. Il me dansait autour. Il répétait sans arrêt « ding, dang, dong ». Il criait. Moi j'aidais pour rechercher la gamine de l'hôtel. Je ne pouvais pas m'occuper de lui. Il venait frapper à deux mains sur les cartes. Il me bousculait. Non, il était intenable.

– Est-ce que ça méritait un coup de poing dans la figure ? demanda Kulbertus, sans sévérité.

– Il n'aurait embêté que moi, j'aurais rien dit. En tout cas, pas tout de suite. Mais il en avait après tout le monde. Même après la police. J'ai seulement essayé de le calmer. C'est normal. Je voulais pas qu'il embête les gens. Lui, il ne se rendait pas compte. Il savait pas ce qu'il faisait. »

Kulbertus remarqua que Lauwerijk était crispé. Des pompiers qui venaient de regagner le village après une nouvelle battue dans la forêt descendaient en camionnette dans la pâture, avec précaution. Ils firent le tour de la mare et stoppèrent de l'autre côté. Ils ouvrirent les portières, mais ne quittèrent pas leur véhicule, attendant un signal de la part du policier.

« Et pourquoi, monsieur Meyer, demanda Kulbertus, avez-vous éprouvé le besoin de me dire ce que vous m'avez dit ? »

L'autre haussa les épaules.

« Tout le monde le sait, que j'ai corrigé mon fils. C'était sur la place, cet après-midi. On ne cache que ce qu'on peut cacher. »

La lumière déclinait avec douceur. Le soleil s'enfonçait derrière la ligne haute de la forêt, qu'il faisait flamboyer. Kulbertus leva les yeux vers Lauwerijk. Ce dernier fixait le corps de l'idiot, comme fasciné.

Reugny. Terrasse de l'hôtel du Grand Cerf.
Lundi, nuit tombante.

Nicolas Tèque n'avait eu qu'à lire de loin sur le taxi garé près du Centre le numéro de téléphone et il avait invité Sylvie à boire un verre sur la terrasse de l'hôtel. Il avait argué qu'il lui « devait bien ça », en lui rappelant que le matin elle avait refusé de lui faire payer la course en taxi. Il s'était tout de suite établi entre eux une sorte de familiarité, comme s'ils se connaissaient depuis longtemps.

« J'aurais presque peur de faire jaser, dit-elle en s'asseyant et en montrant d'un coup d'œil la place où attendait une petite foule d'hommes déjà éméchés.

– C'est en tout bien tout honneur, assura Nicolas, qui ne savait jamais par quoi commencer avec les femmes.

– Les gens ont l'air drôle, constatait Sylvie.

– On a retrouvé le corps d'un jeune homme. Un idiot.

– Brice Meyer ?

– Probablement. Ils n'arrêtent pas de faire des allers-retours entre la place et le bas du village.

– Vous y êtes allé ?

– Non. »

Les flics attendaient leurs collègues de l'Identité judiciaire. Vertigo Kulbertus s'était fait conduire on ne savait où. On avait vu la camionnette disparaître dans la rue du haut. Certains avaient cru pouvoir en déduire qu'il avait décidé d'examiner l'endroit où le douanier Jeff Rousselet avait été tué.

« C'est un moment bizarre pour le village, murmura Sylvie. Rousselet, je comprends pourquoi on l'a tué. Je suis même bien placée pour le savoir...

– Bien placée ? osa Nicolas.

– Comme tout le monde dans le village, je veux dire. Mais Brice Meyer... Il n'aurait pas fait de mal à une mouche. Il chantait tout le temps. C'est bizarre. Personne ne peut en vouloir à un idiot.

– Peut-être qu'il avait vu quelque chose qu'il n'aurait pas dû voir.

– Il ne parlait pas. Il ne comprenait rien à rien. Je vous assure, il était vraiment idiot. »

Thérèse Londroit servit les consommations. Elle essayait de se tenir droite. Elle avait changé de corsage. Elle était impeccable, mais Nicolas remarqua qu'elle avait de la terre au bout du pouce de la main droite. Il se souvint qu'il l'avait aperçue déplacer des pots de fleurs sur un rebord de fenêtre. Elle n'avait pas eu de nouvelles de sa fille. La mobylette n'avait pas été retrouvée. Un des gendarmes avait estimé que c'était bon signe.

« Elle a fait une fugue, c'est tout, avait-il déclaré. On peut aller loin en mobylette. Elle est peut-être déjà à Liège. Ou à Bruxelles. Vous m'avez dit qu'elle voulait aller à Liège.

– Elle n'avait pas d'argent.

– Qu'est-ce que vous en savez ? Les jeunes filles ne disent pas tout. Peut-être aussi qu'elle connaissait quelqu'un et qu'elle l'a rejoint. Les jeunes se décident vite, vous savez. »

Prise d'un doute, Thérèse avait fouillé la chambre d'Anne-Sophie. Dans le tiroir du bureau, elle avait découvert une petite somme d'argent, juste quelques billets et de la menue monnaie. Dans la table de nuit, il y avait encore de la monnaie. Et aussi deux préservatifs. Cette découverte sans importance lui fit battre le cœur plus fort. Elle ne se faisait pas d'illusions, elle connaissait la vie, mais il y avait des vérités trop dures pour elle et qu'elle préférait ne pas voir. Enfin elle avait trouvé un brouillon de lettre qui commençait par « Mon amour ». Elle n'avait pas eu le courage de déchiffrer la suite, se contentant de noter l'adresse gribouillée en travers de la marge. C'était celle d'un certain Jérôme Doussot, domicilié rue Sax, à Dinant.

Thérèse informa Nicolas qu'elle serait en mesure de servir le repas vers neuf heures.

« Ne vous inquiétez pas pour moi, madame Londroit. Avec un morceau de pain et du fromage, ce sera parfait.

— Vous aurez un ris de veau en entrée, une truite et de la tarte, annonça Thérèse, avec un sourire lointain.

— Vous feriez mieux de vous reposer, lui conseilla Nicolas.

— Demain, quelqu'un du Centre viendra me donner un coup de main. Ils me l'ont proposé. »

Elle tourna les talons, sèchement. Nicolas crut deviner qu'elle était au bord des larmes. Il se pencha vers Sylvie :

« Si vous vouliez partager mon repas…

— Impossible. Qu'est-ce que les gens diraient ? Pensez à mon Freddy. Il a juré qu'il ferait de la bouillie avec le premier homme qui aurait l'audace de me serrer d'un peu trop près. Je vous garantis qu'il est capable de passer à l'action. »

Elle ne le disait pas en plaisantant. Mais elle eut une expression de tout le visage, pour signifier que les menaces de son jaloux de mari ne la bouleversaient que moyennement.

« C'était en tout bien tout honneur, répéta Nicolas qui ne connaissait pas de formule plus vertueuse.

– Tout est possible dans ce monde qui n'est pas le meilleur, lui confia-t-elle, mais mieux vaut ne pas inspirer les commentaires. »

Il comprenait, évidemment.

« Je voulais d'abord vous voir, dit-il en changeant de ton, parce que les grèves de Larcheville m'ont privé de véhicule. J'aurais besoin d'être transporté dans la région. À Bouillon. À Namur. À Larcheville…

– On n'entre pas dans Larcheville. Toutes les routes sont barrées. Et même, paraît-il, les chemins forestiers.

– Ce serait seulement pour m'avancer jusqu'au barrage de la rue de Montcy. Ensuite, je me débrouillerai. J'ai fait connaissance d'un syndicaliste. Il m'a donné son numéro de portable. Bien. Alors, vous acceptez de me transporter ?

– Un client, ça ne se refuse pas. Mais chaque jour, plutôt le matin, je dois emmener à la gare un des stagiaires renvoyé du Centre. C'est ma rente. Généralement, c'est soit la halte de Bouillon, soit la gare de Larcheville. En ce moment, c'est Bouillon, systématiquement. Je préfère Larcheville : la course est plus importante.

– On se débrouillera, j'en suis sûr », dit Nicolas.

Un convoi de voitures de police débouchait sur la place et s'arrêtait à l'entrée de la ruelle pour laisser passer la Jeep pilotée par Albrecht Lauwerijk.

« À propos, dit Sylvie, vous ne m'avez toujours pas dit les raisons qui nous valent votre présence à Reugny. À moins que je sois indiscrète. »

En quelques phrases, il la mit au courant de l'essentiel de sa mission. L'idée la faisait rire.

« C'est de la vieille histoire, lança-t-elle.

– Les documentaires s'intéressent surtout aux vieilles histoires, indiqua Nicolas.

– J'en ai entendu parler. Mais pas plus que ça. Vous avez visité le musée que la patronne de l'hôtel consacre à Rosa Gulingen ?

– Oui.

– C'est un peu de la folie, non ?

– Je ne sais pas. Il est encore trop tôt pour se faire une opinion.

– Ça attire encore un peu les touristes. Mais plus tellement aujourd'hui. Le dimanche, oui, un peu, quand il fait beau. Mais la semaine, on ne voit jamais personne.

– Qu'est-ce que les gens racontent au sujet de Rosa Gulingen ?

– Qu'est-ce que vous voulez qu'ils racontent ? Ils n'en parlent jamais. Ce n'est pas un sujet de conversation. Je vous l'ai dit : c'est de la vieille histoire. Pourquoi voulez-vous qu'ils en parlent ?

– La nostalgie, par exemple.

– Quelle nostalgie ?

– Je ne sais pas. Leur jeunesse. La plupart d'entre eux ont côtoyé Rosa Gulingen et Armand Grétry. Ils ont joué les figurants dans les premières scènes du film qui a été tourné à Reugny. Et puis, quoi, elle est morte ici. Ce ne sont pas des événements qu'on peut oublier.

– Tout ce que je peux dire, c'est qu'ils n'en parlent jamais », certifia Sylvie en appuyant son propos par un geste rapide de la main.

Mais aussitôt, elle promit de l'aider et de le transporter où il voudrait.

Frontière polonaise.
Sur la route de Stettin.

Freddy Monsoir avait arrêté son camion à l'entrée d'un village. La terre exhalait une odeur de champignon et de moisissure que les premières fraîcheurs de la nuit n'atténuaient pas encore. Il avait plu pendant une partie de l'après-midi. Le téléphone avait sonné plusieurs fois, mais la communication ne s'était pas établie. Freddy attendait, appuyé contre le capot, en tirant sur un de ces cigares de la Semois qui donnent à fumer de la brume et de la terre noire. Il se sentait morose. Quand la sonnerie résonna, il était tellement perdu dans sa rêverie qu'il sursauta.

« Freddy, chuchotait cette voix qu'il ne reconnaissait pas, Sylvie a trouvé de la compagnie ce soir. Un homme. Il l'a invitée à boire un verre à l'hôtel du Grand Cerf. Sur la terrasse. Il ne s'est rien passé pour l'instant. Du moins, je crois qu'il ne s'est rien passé pour l'instant. Ils ont parlé. Je ne sais pas de quoi. D'un sujet agréable, parce qu'ils souriaient. Sylvie est rentrée à la maison. Ils se sont serré la main. Peut-être ont-ils convenu d'un rendez-vous pour plus tard. Peut-être pour cette nuit. »

Il y eut un grésillement dans l'appareil. La voix continuait à faire son rapport, mais Freddy ne comprenait plus un mot sur dix. Il enfonça la touche, remit l'appareil dans la poche de sa veste. Puis il croisa les bras. Il ne savait pas vraiment s'il était furieux ou s'il souffrait. Il se disait que le moment n'était pas venu de s'alarmer. Si Sylvie avait eu une idée derrière la tête, est-ce qu'elle se serait affichée sur la terrasse de l'hôtel du Grand Cerf ? Elle n'était pas naïve ou maladroite à ce point. Si elle avait accepté de boire un verre en tête à tête avec un homme, il devait y avoir à cela une bonne raison. Il essaya d'imaginer laquelle, mais ne trouvait rien de convaincant. Peut-être un représentant en automobiles. Il reprit son téléphone et composa le numéro de la maison, mais la communication refusait de passer.

Reugny. Hôtel du Grand Cerf.

Vertigo Kulbertus apprécia à sa juste valeur que la propriétaire de l'hôtel eût suivi à la lettre ses recommandations. Le lit avait été renforcé. Elle avait empilé cinq oreillers sur la courtepointe et deux autres sur le fauteuil. Elle avait néanmoins commis l'erreur de laisser la fenêtre ouverte, mais il ne se souvenait pas de lui avoir précisé qu'il aimait vivre dans un air qu'il confinait lui-même, doucement, avec patience, flottant dans ses propres odeurs, ravalant sans cesse l'air qu'il venait d'expirer et qui prenait comme des habitudes dans ses narines et dans ses poumons, devenant, une fois rejeté, comme une extension de lui-même et qui allait en s'épaississant. Il avait à cœur de produire son propre gaz carbonique. À la limite, il n'aurait vu aucun inconvénient à mourir asphyxié, ayant usé tout l'oxygène compris entre les murs qu'il habitait.

D'un large geste de toréador, il vida le contenu du sac de supermarché sur le lit, éparpilla les papiers et, saisissant le cadre où il y avait sa photo, il le dressa sur la table de nuit, en le positionnant dans la lumière de la lampe et de telle façon qu'une fois sur le lit il puisse le regarder sans trop tourner la tête. Puis il se laissa tomber au milieu des documents.

Il était assez content de lui. D'abord, une crapule avait été éliminée de la surface de la planète. Il ne voulait préjuger de rien, mais il fallait se rendre à l'évidence, d'après les premiers renseignements qu'il avait recueillis auprès des gens du village, Jeff Rousselet avait mérité son sort et sa triste fin. Bien. Sa maison avait été incendiée. Autrement dit, l'assassin était un perfectionniste. Bien, bien. Il ne lui suffisait pas d'anéantir le vieux douanier, mais il avait vu comme un devoir d'effacer tout ce qui pouvait en rappeler le souvenir dans le village. Rien ne subsistait de l'habitation et de ses dépendances. Un tonnelet de pétrole lampant avait été répandu dans la cave. Le feu était aussi parti de là. Et l'espèce de baraque de jardin, éloignée d'une trentaine de mètres, avait également été travaillée au pétrole. C'était parfait. Les pompiers et quelques gendarmes avaient fouillé les décombres, sans rien découvrir qui vaille la peine d'être mentionné.

Sur le site de la Fourche noire, où il s'était rendu en dernier, il avait retrouvé, à l'entrée du chemin qui redescendait par le bois vers la vallée, des empreintes de pneus qui pouvaient avoir été laissées par la mobylette de la jeune fille disparue. Derrière le banc au pied duquel le corps du douanier avait été retrouvé, un passage était ménagé dans la broussaille et on pénétrait facilement dans le sous-bois. À trois mètres à l'intérieur du bois, les hommes de l'Identité judiciaire avaient découvert un lambeau de cuir chevelu, plus loin un morceau de crâne et plus loin encore des miettes de cervelle sanglantes, tout cela sur une trajectoire rectiligne où le tapis de vieilles feuilles avait été remué. Au-delà commençait un champ de fougères et les pistes se perdaient, se mêlant avec celles des animaux, ou celles que creusait le vent ici et là.

Il essayait de reconstituer la scène. Il voyait Anne-Sophie surgir en haut de la côte juste au moment où le coup de feu explosait la tête du douanier, dont des morceaux avaient été projetés sur la figure et sur la poitrine de la jeune fille. Le vélomoteur se couche sur le côté. La jeune fille s'enfuit dans le bois, les résidus de chair et autres lambeaux ensanglantés se détachent et se sèment le long des premiers mètres de la course. L'assassin se lance à la poursuite de ce témoin gênant. S'il l'a rattrapée, à l'heure qu'il est elle est morte, enterrée quelque part dans la forêt.

« Non, songeait Kulbertus. S'il l'avait tuée, il ne se serait pas fatigué à cacher le cadavre. Ou alors, il aurait d'abord caché le cadavre du douanier. Depuis vingt-quatre heures que les bois sont battus par plusieurs centaines d'hommes, si la jeune fille avait été tuée, on aurait sans doute retrouvé son corps. Comme on a retrouvé le corps de l'idiot. Pourquoi n'a-t-il pas poussé le corps de l'idiot dans la mare ? Parce que cela lui était indifférent qu'on le retrouve tout de suite ou dans quelques jours. Il n'a aucun intérêt à faire disparaître le corps de ses victimes. »

Dans son esprit, il ne faisait aucun doute que la jeune fille était encore en vie. Il l'imaginait choquée, dans un état second, prenant peur au moindre bruit dans la forêt, y compris les appels des hommes qui la cherchaient. On la retrouverait sans doute très loin de l'endroit où elle était censée avoir disparu. Il se dit encore que l'assassin était probablement redescendu de la Fourche noire sur la mobylette d'Anne-Sophie. C'était une hypothèse qui lui plaisait. Il ne voyait pas la jeune fille venir récupérer son engin sur les lieux du crime. Pourtant, la mobylette avait disparu. Une idée lui traversa la tête. Il ne comprenait pas pourquoi l'assassin aurait fait disparaître une mobylette, alors qu'il ne prenait pas la peine de cacher les cadavres. C'était bizarre. Il se tourna vers sa photo. Il n'avait jamais personne à qui parler. Il se parlait à lui-même.

Reugny. Centre de Motivation.
Nuit de lundi à mardi.

Après avoir pris une douche, Richard Lépine enfilait des vêtements propres. Pas une tenue de nuit, mais un costume de ville, de couleur claire, et qu'il faisait tailler sur mesure chez un tailleur d'Anvers. Il ne dormait jamais ailleurs que sur un siège long, en cuir, dont la forme n'était pas sans rappeler celle d'un transat. Il faisait souvent le même rêve. Un enfant était étendu dans la neige, près d'une forme noire et tiède. Il découvrait petit à petit que c'était le corps d'une femme inconnue, dont le ventre était déchiré et dont la masse intestinale avait coulé sur le sol et fumait. L'enfant rampait dans la neige. Il le voyait très nettement. C'était toujours le même rêve. Le paysage était blanc et vide jusqu'à l'horizon. Et silencieux. La femme gémissait. Sa chevelure masquait une partie de son visage. L'enfant sentait la tiédeur de ce corps. Il se blottissait dans ce désordre de tissus noirs, de chair et de sang. La femme était immobile, mais il percevait nettement les battements de son cœur. Il avait faim et soif. Il se laissait glisser vers la neige, qui était rouge, et il s'en nourrissait.

Mardi

Reugny. Hôtel du Grand Cerf. Matin.

« Tout est resté en l'état », murmura Thérèse Londroit.

Elle était plantée au milieu de la chambre. C'était la meilleure chambre de l'hôtel, la plus vaste. Elle se composait d'une entrée, d'une première pièce où était le lit, dans le prolongement de laquelle il y avait un petit salon qui donnait sur le seul balcon de l'établissement.

« Je n'ouvre pas les rideaux », prévint Thérèse.

Puis avançant de quelques pas vers l'armoire, elle montra une porte fermée.

« La salle de bains. »

Nicolas Tèque se laissait doucement envahir par une sorte d'émotion bizarre, qu'il n'avait jamais éprouvée et qui semblait d'abord composée d'appréhension. Le papier peint se décollait par endroits, bien qu'il n'y eût pas de traces d'humidité. Sur la table basse, une bouteille de whisky à moitié vide, un verre dont le bord était encore marqué par une vague empreinte de rouge à lèvres. Les nappes en dentelle avaient jauni. L'air sentait la poussière et le vieux bois.

Thérèse tira la porte de la salle de bains, tourna l'interrupteur.

« Au début, je venais de temps en temps. Je m'installais dans le fauteuil, là. J'étais gosse. Je ne comprenais pas ce qui s'était passé. C'est ma mère qui a découvert le corps.

– Vous aviez quel âge au moment de la mort de Rosa ?

– Onze ans. »

La baignoire était toujours bouchée par la bonde. L'eau du bain s'était évaporée, déposant une poussière rugueuse qui contenait encore probablement des particules du corps de l'actrice, des débris de peau.

« Il y a plusieurs cheveux, dit Thérèse Londroit en se penchant. Cinq exactement. Regardez. Là... et là... »

Près de la bonde moulée dans un caoutchouc noir que l'usure avait blanchi par places, il y avait une minuscule chaîne en or, enroulée autour d'une médaille de la Vierge.

« Elle ne portait tout de même pas cela au cou, s'étonna Nicolas.

– Au poignet.

– La police n'y a pas prêté attention ?

– Je vous ai dit que l'eau de la baignoire n'a pas été vidée. J'ai découvert la chaîne au moins deux ans plus tard. Je ne l'ai pas touchée. Si vous regardez bien vous verrez qu'il y a deux cheveux aussi qui se sont pris dans les maillons. Et même trois. Tiens, je n'avais jamais fait attention. »

C'était des cheveux très blonds, presque transparents, et assez longs. Nicolas les examina, sans qu'il lui vienne la moindre réflexion. Quand il se releva, il eut un regard vers le plafond et les angles des murs.

« Il n'y a pas de toiles d'araignées, nota-t-il.

– Je fais les poussières une ou deux fois par an, dit Thérèse, en soupirant.

« – Qu'est-ce que vous pensez de tout ça, vous ? demanda-t-il, en revenant dans la chambre.

– Je n'en pense rien.

– La police a soupçonné Armand Grétry.

– C'est ce qui s'est raconté. Les gens ne peuvent pas s'empêcher de dire n'importe quoi. C'est une manière de s'occuper dans les villages. En fait, c'était un accident. La plupart du temps, dans la vie, la vérité va au plus simple. C'est le cinéma qui nous a donné le goût des vérités compliquées, non ? La police a conclu à l'accident. De toute façon, il n'y avait personne à l'étage.

– Où étiez-vous, vous ?

– En bas. Avec l'équipe de tournage. Rosa était sans doute fatiguée. Elle est montée se reposer, je suppose.

– C'était dans ses habitudes ?

– Certainement.

– Les autres jours, elle quittait le tournage vers cinq heures ?

– Je ne sais pas. Ils n'ont passé que huit jours à Reugny. Ce n'est pas assez pour prendre des habitudes. »

Nicolas circulait délicatement dans la chambre. Il ouvrit le tiroir de la table de nuit.

« Ce sont des somnifères, dit Thérèse, sans changer de place.

– Il y a eu une autopsie ? demanda Nicolas en repoussant le tiroir.

– Je crois. »

Les journaux en avaient parlé. Il avait lu plusieurs coupures de presse à ce sujet. Le médecin légiste n'avait rien eu à signaler. L'hypothèse qui venait immédiatement à l'esprit, c'était que Rosa s'était endormie dans son bain et qu'elle s'était noyée.

« Elle buvait ? demanda Nicolas.

– Ici, personne ne l'a jamais vue ivre. »

Dans le tiroir de la deuxième table de nuit, il découvrit deux mouchoirs.

« Sous les mouchoirs, il y a une carte postale. »

Nicolas hésitait à soulever les mouchoirs. Il avait l'impression qu'il pouvait commettre un sacrilège ou déplaire à Thérèse, qui avait, semblait-il, élevé le souvenir de Rosa au niveau d'une religion. Il renonça, referma le tiroir.

« Qu'est-ce qu'elle représente, cette carte postale ?

– Je n'ai jamais regardé », souffla Thérèse, en baissant les yeux.

Par respect pour elle autant que par timidité, il n'osa pas insister. Il serait bien assez tôt d'en savoir plus quand on en serait au tournage du documentaire. Thérèse s'approcha du lit, souleva la couverture et le drap, découvrant un oreiller enveloppé dans de la Cellophane.

« Il y a encore des cheveux, dit-elle. C'est moi qui les ai protégés. Au début, la taie était encore tout imprégnée du parfum de Rosa. Maintenant, on ne sent plus rien. Le tissu contient certainement un peu de sa sueur.

– Vous ne changiez pas les taies d'oreillers tous les jours ?

– Elle avait apporté son propre oreiller. C'était un souvenir du temps où elle était en Amérique. Elle disait qu'elle ne pouvait pas dormir sur un autre oreiller. C'était une manie. Tout le monde le savait. »

Peut-être aurait-il fallu que Nicolas s'assoie dans le fauteuil et passe quelques heures dans la chambre. Ce qui l'intriguait, maintenant, et plus que la mort de Rosa, c'était la passion qu'une petite fille avait pu développer à partir d'une histoire d'adultes, inintelligible pour elle, et où les illusions, les rêveries, sans doute les mensonges, défiaient la réalité.

Reugny. Moulin du bas. Matin.

Le soleil avait dispersé les brumes tout d'un coup. La lumière tombait maintenant, encore légèrement dorée, sur la surface noire de l'eau et révélait dans son rayon un bouillonnement d'air, d'insectes et de pollen. Vertigo Kulbertus avait réquisitionné un des deux pompiers commis pour la nuit à la surveillance de la maison du douanier Jeff Rousselet. Une équipe de policiers devait débarquer de Namur dans la journée pour passer les décombres et les cendres au tamis. Kulbertus ne faisait pas grand cas de cette démarche, mais il avait entendu parler hier des fiches que tenait la victime sur des dessous de bocks à bière. Il présumait que le meurtrier de Rousselet et l'incendiaire étaient un même et seul individu. Les poches de Rousselet avaient été soigneusement fouillées. La poche droite de la veste était retournée et la doublure apparaissait. Le portefeuille avait disparu. On n'avait retrouvé qu'un sous-bock en carton, ne portant que la date du jour. L'assassin avait dû fouiller la maison avant d'y mettre le feu pour effacer les traces de son passage. Sans doute avait-il déniché la cachette où Rousselet entreposait ses quelques centaines de fiches. C'était plus que probable.

Kulbertus avait fait dresser par les gendarmes une liste des gens du village, qu'il se proposait d'interroger sans délai. Bien qu'on lui eût proposé de mettre la salle des fêtes à sa disposition, il avait installé son quartier général à l'hôtel du Grand Cerf. Il avait invoqué ses difficultés à marcher, qui n'étaient pas feintes, mais son choix visait surtout à placer sa corpulence au plus près des pompes à bière.

D'un œil maussade, il suivait les mouvements lents du pompier qui sondait la mare au bord de laquelle l'idiot avait été tué. L'eau était dense comme de la vase et à chaque coup de gaffe elle se mêlait de remontées blanchâtres, qui puaient. À cette saison, le niveau de l'eau avait baissé de moitié. La rive s'effondrait sous le pied de l'homme. Ce dernier n'eut pas à chercher longtemps. Au quatrième ou au cinquième essai, il accrocha quelque chose. Vertigo Kulbertus grogna de satisfaction. Quand il vit apparaître le guidon de la mobylette, il tourna les talons et remonta la pâture d'un pas lourd. Il se mit à encourager ses jambes, avec un frémissement de compassion dans la voix.

Reugny. Hôtel du Grand Cerf. Matin.

Sur l'écran de la télévision défilaient les images de la cassette que Charles Raviotini avait remise à Nicolas Tèque. Thérèse Londroit identifiait chaque figure. En découvrant ce passé vieux d'une quarantaine d'années, elle avait pâli et les larmes lui étaient venues jusqu'aux yeux. Nicolas notait les noms au crayon sur le dos d'une enveloppe. Il tendait l'oreille, car Thérèse s'exprimait dans un chuchotement à peine audible.

« Arthur Maillard, le père. Il est mort. Walmourt, il ne doit pas être loin de la retraite maintenant. Il bricole au Centre. Alfred Louesse. Il était un peu plus vieux que moi, trois ou quatre ans… »

C'était la place de Reugny. Un vrai décor de cinéma. Les figurants traversaient le champ, par groupes de cinq ou six. Ils portaient des haches, des bâtons, des faux. On ne savait s'ils rentraient du travail ou s'ils montaient à l'assaut d'une citadelle. Le clocher de l'église était très abîmé.

« C'est moi, là. À côté de ma mère.

– Comment elle s'appelle, votre mère ? demanda Nicolas, le crayon en l'air.

– Léontine Londroit, précisa Thérèse.

– Londroit ? Comme vous ?

– Oui, comme moi.

– Je pensais que Londroit c'était votre nom de femme.

– C'est le nom de mon père. Je ne me suis jamais mariée. Ah oui, vous pensez à ma fille, qui s'appelle Londroit aussi. Son père est mort avant qu'on ait eu le temps de se marier. Voilà. Qu'est-ce que vous voulez que je vous dise de plus… »

Il ne cherchait pas à être indiscret. Il l'arrêta, d'un geste flou de la main. C'était sans importance. Vraiment.

« Il n'y a pas de secret », tint-elle néanmoins à stipuler.

Les images défilaient, charriant les jeunesses du village, Albrecht Lauwerijk, sa femme Marieke tenant dans ses bras un enfant de deux ou trois ans.

« Jack Lauwerijk ? » interrogea Nicolas.

Elle eut un petit rire. Cela lui échappait. Elle posa son regard sur Nicolas :

« En 1960, Jack Lauwerijk n'était pas encore né, figurez-vous.

– C'est vrai, excusez-moi…

– Jack est né six ou sept ans plus tard. Oui, quelque chose comme ça. Il doit être âgé de trente-deux, trente-trois ans. »

Elle comptait sur ses doigts, en levant les yeux vers le plafond.

« Et qui est l'enfant que Marieke Lauwerijk tient dans ses bras ?

– Peut-être une fille Tinclet. Mathide, je crois. Il n'y a rien de sûr. C'est loin. Je me souviens qu'à une époque Marieke Lauwerijk a gardé des enfants. Oui, ce pourrait être Mathilde Tinclet. Judith Tinclet travaillait de nuit, dans une clinique, en France. C'était Marieke Lauwerijk qui s'occupait des enfants, quand leur mère se reposait. Maintenant, Mathilde est mariée à Lucien Caminage. Ils tiennent l'épicerie à tout faire, de l'autre côté du Centre. »

Elle se tut. Elle se demandait pourquoi elle lui racontait ces détails qui ne pouvaient sans doute pas intéresser un homme comme lui. Mais il l'écoutait avec attention, tout en écrivant un mot de temps à autre.

« C'est pas bien passionnant, ce que je vous raconte, dit-elle.

– Je crois que si, la rassura Nicolas. Je voudrais identifier toutes les personnes qui apparaissent dans ces bouts de films. Toutes. On ne sait jamais. »

Elle alla jusqu'à un placard, en ouvrit une des portes et découvrit une bibliothèque où étaient rangés des volumes dépareillés, des boîtes marouflées de tissus aux couleurs passées et divers objets, statuettes, chandeliers et pendulettes d'un autre temps. Elle prit un album et le posa sur la table, devant Nicolas.

« Tout le monde n'est pas sur le film, dit-elle en ouvrant l'album. Ce sont des photos qui ont été faites par ma mère. »

La première photo avait été prise devant l'orphelinat. On y voyait une religieuse et un jeune homme qui paraissait âgé d'une vingtaine d'années. Deux autres personnes se tenaient de profil à la limite du cadre.

« Le Centre a été installé dans les bâtiments de l'ancien orphelinat. En 1960, ce n'était plus un orphelinat depuis longtemps. Une partie du corps d'habitation était encore occupée par trois religieuses. Deux sœurs très vieilles, qui étaient arrivées à Reugny dans les années vingt. Et une sœur très jeune qui avait été mise à leur disposition vers la fin de la guerre, ou juste après. Elle a vécu à Reugny jusqu'au milieu des années soixante. La jeune sœur s'appelait sœur Marie-Céleste. Je me souviens bien d'elle. Elle doit être morte aujourd'hui. Ou alors elle n'a peut-être pas loin de quatre-vingt-dix ans. Elle n'a jamais donné de ses nouvelles. »

La religieuse photographiée en compagnie du jeune homme n'était certainement pas sœur Marie-Céleste. On ne distinguait pas nettement son visage, mais elle s'appuyait sur une canne, et ses épaules, très rondes, s'affaissaient.

« Le jeune homme, c'est Richard Lépine, dit Thérèse.

– Le directeur du Centre ?

– Tout juste. Il avait dix-sept ans. Il a été élevé par les sœurs. Ses parents ont disparu pendant la guerre. C'était des Français. Des industriels. Ils habitaient dans la région de Larcheville.

– C'était un orphelin, alors ?

– On peut dire ça comme ça. En fait, tout le domaine appartenait à ses parents qui l'avaient mis à la disposition de l'évêché. Dans les années vingt. Les religieuses y ont ouvert un orphelinat. Mais il n'y a jamais eu plus d'une quinzaine d'enfants. Juste avant la guerre, l'orphelinat a fermé ses portes. Pour cause.

– Et les parents de Richard Lépine, que sont-ils devenus ?

– Ils ont été abattus par la Résistance, en 44. C'est ce qu'on dit. Ils avaient des amis allemands un peu trop voyants. Ça ne pardonne pas. En France, leurs biens ont été confisqués. En Belgique, il leur restait ce corps de ferme et une maison de chasse sur les hauteurs de Bouillon, mais je ne sais pas où exactement. Elle est partie en ruine, à ce qu'il paraît.

– Richard Lépine a hérité du domaine, si je comprends bien.

– C'est plus compliqué. Je ne pourrais pas vous expliquer. Ce ne sont pas mes affaires. »

Il sentit qu'elle lui mentait. Mais il n'était pas à Reugny pour remuer des histoires qui remontaient à la guerre et avant la guerre.

« Revenons à Rosa Gulingen... », annonça-t-il.

Reugny. Rue Haute. Matin.

Suivi en camionnette par son chauffeur, Vertigo Kulbertus s'était traîné à pied jusqu'à la maison du bûcheron Meyer, à cent mètres au-delà de la ferme des Lauwerijk. Il hurlait, en équilibre sur le sommet du petit talus, face à la porcherie qui était précédée par un enclos étroit dans lequel se vautraient deux jeunes cochons.

« Meyer ! Meyer ! Police ! Police ! » criait-il en brandissant sa carte.

Le bûcheron jaillit de l'ombre de la maison, sans se hâter.

« Qu'est-ce qu'y a ?

– Police ! cria encore Kulbertus.

– Je vois bien, grogna Meyer.

– Vous allez me rentrer tout de suite cette paire de porcs ! Tout de suite, vous entendez ?

– Ça gêne pas, c'est du porc.

– Je ne peux pas passer à côté d'un porc sans avoir envie de le bouffer tout cru ! expliqua Kulbertus d'une

106

voix puissante. Alors vous me les fourrez au gnouf ou je les bouffe ! »

Meyer eut l'air de se plaindre, mais il s'exécuta. Il enjamba la barrière, repoussa les animaux à coups de pied, en les traitant de « saloperie de viande puante ». Puis il repassa la barrière, des jurons plein la bouche.

« C'est du porc, ça gêne pas, se lamentait-il encore en abordant Kulbertus. Qu'est-ce que vous me voulez, vous ? Je vous ai tout dit. »

Kulbertus se laissa glisser à pas menus en bas du talus et précéda Meyer jusqu'à la maison d'habitation. Du pied, il poussa la porte, stoppa une seconde sur le seuil en reniflant ostensiblement. Puis il pénétra dans l'antre du bûcheron, une pièce basse et noire où régnait un désordre de fin du monde.

« Vous faites pas souvent le ménage, Meyer...

— Vous savez ce que c'est, un homme seul...

— Je ne vous disais pas ça comme un reproche. Je constate seulement que c'est le bordel chez vous. J'ai jamais vu ça. Et ça, c'est quoi ? »

Il montrait une serpillière étalée sur la table.

« C'est une serpillière, dit le bûcheron. Ça me sert de nappe. C'est solide et ça absorbe bien. Et ça coûte rien à l'achat.

— Je retiens l'idée, Meyer.

— Un homme seul, ça fait pas de chichis, voyez-vous. Qu'est-ce que je vous sers ? »

Pour le moment, Kulbertus n'avait pas soif. Il avait calculé qu'il serait revenu à l'hôtel dans moins d'une demi-heure, ce serait assez tôt pour se pendre un peu à la pompe. En cas d'urgence, et si l'interrogatoire devait se prolonger, il enverrait le chauffeur lui chercher un bock ou deux.

« Vous vous appelez Meyer.

– Oui.

– Meyer comment ?

– Meyer Meyer.

– Le prénom ?

– Paul. Meyer Paul.

– Je parie qu'on vous appelait Popol quand vous étiez petit !

– Oui.

– C'est souvent le cas quand on s'appelle Paul.

– Je sais pas.

– Moi, c'est Vertigo. Pour les diminutifs, c'est moins facile qu'avec Paul. Vertigo c'est un prénom qui ressemble déjà trop à un surnom. Vous ne trouvez pas ?

– Je sais pas, moi... », souffla le bûcheron, ahuri.

Kulbertus tira sa montre de la poche de sa veste, en déroula le bracelet sur la table.

« Je suis pressé, prévint-il. Je vous demanderai de ne pas trop réfléchir à ce que vous me direz. Soyez honnête et sincère et tout ira pour le mieux. Auparavant, je dois vous informer que j'enquête sur deux morts suspectes. Celle d'un douanier à la retraite nommé Jeff Rousselet et celle de votre fils nommé Brice Meyer, fils de Popol Meyer et de... s'il vous plaît : et de ?

– Et de quoi ?

– Votre fils, vous ne l'avez pas fait tout seul ?

– Non.

– Alors, avec qui ?

– Avec sa mère.

– Votre femme ?

– Oui.

– Nom, prénom de la femme.

– Emma.

– Elle s'appelait Emma. Emma Meyer, donc. Son nom de jeune fille ?

– Missot.

– Bien. Où peut-on la rencontrer ?

– Elle est morte. Elle était venue au bois avec moi. Un arbre lui est tombé dessus. Elle a été fracassée. Je m'en suis voulu, bien sûr. Je m'en veux encore, mais c'est pas ça qui la fera revenir. À l'heure actuelle, elle se trouve au cimetière de Reugny.

– Date du décès ?

– 1979. Brice avait un an.

– C'est jeune.

– Ah oui, un an c'est jeune. »

Devant cette évidence, ils hochaient tous deux la tête.

« Vous ne pouvez pas ouvrir un peu la fenêtre ? Ça pue drôlement chez vous. C'est intenable. »

Abasourdi, le bûcheron semblait s'écraser petit à petit sur la table. Il eut un soupir fatigué, avant de se lever pour entrouvrir, au-dessus de l'évier, une fenêtre de la taille d'un vasistas.

« Ouvrez plus grand, Meyer.

– Je peux pas : y a un blocage…

– Tout me laisse supposer que votre fils a été tué par la personne qui a tué le douanier Jeff Rousselet. Vous êtes d'accord ?

– Je ne sais pas.

– D'une certaine façon, on peut considérer que les deux morts sont liées. Au moins que l'une soit la conséquence de l'autre. Vous êtes d'accord ?

– Je veux bien, moi.

– Alors, je vais vous poser une question difficile. Je peux ?

– Oui.

– Quels rapports entreteniez-vous avec Jeff Rousselet ? »

Meyer eut un instant d'hésitation. Kulbertus fit celui qui en sait plus long qu'il ne veut bien le dire et qui n'en attend que la confirmation.

« Bé, à vrai dire, on n'avait pas de rapports...

– Vous ne l'aimiez pas.

– Non.

– Vous ne l'aimiez vraiment pas.

– C'est-à-dire que... on vous l'a peut-être dit au village...

– On dit bien des choses au village.

– Il a tiré mon père comme un lapin. C'est de la vieille histoire, mais on n'oublie pas. Question de respect pour les morts.

– Comme un lapin, vous dites, Meyer ?

– Oui. Comme un lapin.

– J'aime bien le lapin. »

L'inspecteur défroissa une feuille de papier, l'étala devant lui et écrivit, en grosses capitales : *LAPIN*.

« Accident ou crime ? demanda-t-il.

– Accident pour la justice, crime pour moi, répondit Meyer.

– Racontez-moi, Meyer. Parlez-moi du lapin.

– Mon père, il était comme tous les gens de la frontière. Il contrebandait un peu. Rien de grave. Des babioles.

– Quelles babioles ?

– Je ne sais pas, moi. Des babioles c'est des babioles.

– Ah, des babioles ! Je me disais aussi ! Des babioles, bien sûr. Et Rousselet, en tant que douanier, il avait juré qu'il lui tomberait un jour sur le paletot.

– Bé, oui. Rousselet, il passait rien à personne. C'était plus un chasseur qu'un douanier. Il était terrible. Il a mis une balle à mon père en plein cœur.

– Le douanier a été condamné, j'espère ?

– Son collègue a témoigné pour lui. Il a eu un blâme et il a été déplacé pendant un certain temps.

– C'est triste pour le lapin.

– Ce qu'y a, c'est que les douaniers ont truqué. Depuis le temps qu'ils disaient à mon père qu'ils l'auraient, ils n'ont pas fait dans le détail. Dans le sac de mon père, on a retrouvé cinq kilos de haschich. Et un pistolet à grenaille.

– C'est pas des babioles, cinq kilos de haschich, Meyer.

– Il n'a jamais passé de drogue, mon père. Jamais. C'était un truquage de Rousselet.

– Il y a eu une enquête ?

– Un genre. Mais ça n'a pas donné grand-chose.

– Pour résumer, vous aviez donc des raisons d'en vouloir à Jeff Rousselet. À cause du lapin. Vous lui en vouliez ?

– Oui, je lui en voulais. Mais j'aurais pas attendu vingt-cinq ans pour lui faire la peau. Qu'est-ce que vous croyez ? On n'est pas des assassins.

– Vous avez eu envie de le tuer.

– Oui. Au début. Je peux pas le cacher. Ça, oui. C'est normal.

– Qu'est-ce qu'il faisait, le lapin ? Je veux dire : de son vivant. Il avait un métier ?

– Bûcheron.

– On va s'en tenir là, Meyer. »

Il fourra sa montre dans la poche où il l'avait prise, se leva en s'appuyant sur le bord de la table collante :

« Restez assis, Meyer. J'aime pas du tout qu'on se lève quand je me lève. »

Comme il posait la main sur la poignée de porte, il dit, sans se retourner vers le bûcheron :

« Vous êtes quand même bien content qu'il soit mort, le douanier… »

Assommé par les manières de Kulbertus, Meyer n'eut pas le réflexe de répondre tout de suite.

« Vous êtes content, oui ou non, Meyer ? insista le policier.

— Oui. C'est une bonne chose.

— Vous êtes très content.

— Je suis content, c'est tout.

— Mais vous êtes très content.

— C'est un peu ça.

— Alors dites-moi que vous êtes très content.

— Je suis très content.

— Je suis très content aussi, Meyer. Je suis très content que le lapin soit vengé. »

Il laissa filer deux ou trois respirations et reprit :

« Meyer, ça ne vous dérange pas trop que votre fils ait trouvé sa mort.

— Quand même…

— J'ai cru comprendre que vous avez plus d'une fois souhaité qu'il débarrasse le plancher.

— Il était difficile. Vous ne savez pas ce que c'est de vivre avec un idiot. Il était même pas capable de se laver tout seul. Il a failli je ne sais combien de fois mettre le feu à la maison. Il travaillait pas.

— Il ne vous donnera plus de soucis, maintenant, hein ?

— Bé, non.

— Vous allez être bien tranquille, pas vrai ?

— On a de la peine, malgré tout.

— Parce qu'il faut. Pas vrai ? De la peine, il en faut, hein, Meyer.

— Oui, il en faut. »

Kulbertus ouvrit la porte. Une lumière d'un bleu éclatant lui tomba dessus. Le soleil était déjà haut.

Il fit un pas vers le seuil.

« Finalement, Meyer, pour vous, c'est une bonne journée. »

Reugny. Centre de Motivation.
Fin de matinée.

De tous les esprits brillants que Richard Lépine avait été amené à fréquenter, Jack Lauwerijk était le plus éblouissant, le plus fidèle et le plus dévoué. Il ne s'était jamais trompé à son sujet. Dès le départ, il avait deviné en lui des qualités rares. Il était doté d'une intelligence supérieure, d'une volonté hors du commun et d'une puissance de travail stupéfiante. Albrecht, son père, le destinait à l'agriculture, évidemment. Ces gens ne croyaient qu'au labeur, qu'à l'effort, qu'à la terre. Ils n'avaient jamais rien connu d'autre. Quand l'institu-teur avait évoqué devant eux les dispositions excep-tionnelles de l'enfant, ils s'étaient contentés de rougir et de paraître navrés. Albrecht avait même eu l'air de s'excuser. Il avait baissé la tête. C'est un problème d'engendrer autant d'intelligence et de n'avoir aucune idée de ce à quoi elle pourra servir. Marieke était plus atterrée encore que son mari.

Dans le village, la réputation du jeune Jack Lauwerijk entretenait les bavardages admiratifs et les supputations extravagantes. Alors Richard Lépine avait pris les choses en main. Il avait trouvé les arguments qu'il fallait pour convaincre Albrecht d'envoyer son fils à Namur, puis à Liège et à Bruxelles. À vingt ans, Jack avait accumulé tous les diplômes possibles et imaginables, complétant ses connaissances en passant par Paris et par les États-Unis. Une trajectoire idéale. Il s'était spécialisé dans l'étude des mythes et la symbolique animale. Dans ce domaine, il déployait un savoir encyclopédique. Ses articles faisaient autorité, même s'ils engendraient quelquefois des polémiques.

Dans le cadre du Centre et des différents stages, il tenait une place grandissante, essentielle, et bien qu'à cinquante-sept ans Richard Lépine n'envisageât aucunement de cesser bientôt ses activités, il s'en remettait de plus en plus souvent à Jack et manifestait ouvertement le désir de le voir un jour prendre sa succession. Déjà, il l'avait associé à la direction des stages et à la mise au point des épreuves de sélection. Jack possédait l'esprit d'à-propos et des réflexes affûtés. C'est lui qui avait eu l'idée de profiter de la disparition d'Anne-Sophie Londroit et des battues organisées. Tout de suite, il avait compris comment exploiter l'incident. Il avait lancé les stagiaires dans la forêt. Il les avait confrontés à la nuit, à cette crainte ancestrale qu'inspirent les grands bois, à cette solitude aveugle où chaque pas rapproche le marcheur d'un piège, d'un danger, peut-être de sa mort. Il avait lui-même pris la tête des opérations, distribuant les itinéraires, les ordres et les recommandations. Jack savait commander. Il était habité par cette conviction vertigineuse que confère une intelligence inégalable. On l'avait toujours connu sans faille.

Cette force, qui l'élevait au-dessus du commun, aurait pu le rendre immodeste et méprisant. C'était le contraire. Il n'y avait pas plus humain, plus affable, plus aimable que lui. Ni plus serviable. Lorsque Richard Lépine avait parlé de l'intéresser aux bénéfices que produisait le Centre, il avait tout d'abord refusé, estimant n'avoir pas encore fait la preuve de son efficacité. Il avait également confié qu'il travaillait à la rédaction d'un ouvrage de poésie important et qu'il voulait se conserver des espaces de liberté et de réflexion. Après bien des tergiversations, il avait tout de même accepté la proposition de Richard Lépine, après que ce dernier lui eut promis de ne pas l'attacher au Centre plus qu'il ne l'était déjà.

« On verrait plus tard », avait-il dit.

Le livre avait été un échec. Jack en avait souffert, et terriblement, sans pour autant en faire état, ni se plaindre, ni en vouloir aux critiques et aux lecteurs qui l'ignoraient avec une telle légèreté. À peine si le journal local avait signalé la parution dans un entrefilet sans commentaire. Une radio en avait dit quelques mots, mais avec une ironie hargneuse, dans le cadre d'une émission humoristique. De quoi être mortifié. Mais Jack ne doutait pas de son talent littéraire. Il faisait front avec bonne humeur. Un libraire de ses amis l'avait invité à signer son ouvrage, à Bouillon. La librairie était demeurée déserte tout l'après-midi. Pas un seul lecteur. La plupart des écrivains ne se vanteraient pas d'une si parfaite déconfiture. Jack l'avait pris avec malice. À Reugny, tout le monde s'accordait à louer sa gentillesse et Richard Lépine, qui était celui qui le connaissait le mieux, lui prédisait une carrière littéraire qui le conduirait jusqu'au prix Nobel. Il l'encourageait à composer un deuxième livre. Jack savait qu'il serait toujours à ses côtés, qu'ils formaient une bonne équipe tous les deux et que rien ne leur résisterait jamais. Richard avait voulu que Jack devienne ce qu'il était maintenant. Jack savait lui en manifester de la reconnaissance, notamment en contribuant à l'évolution du Centre.

Reugny. Hôtel du Grand Cerf.
Vers midi.

Thérèse Londroit raccrocha le téléphone. À part oui et non, elle n'avait pas osé prononcer une parole. Elle retourna aux fourneaux, songeuse. Elle eut une pensée empreinte de gratitude pour Richard Lépine qui l'avait dépannée en lui envoyant le fils Valvin et sa sœur, Karine, habituellement employés au Centre. C'était des jeunes gens discrets et appliqués. Ils présentaient bien. Karine servirait en salle. Son frère soutiendrait Thérèse à la cuisine. Elle devait cuisiner pour quatorze personnes, dont le gros policier qui le midi se nourrissait exclusivement de frites et de cervelas. Par la baie coulissante, elle jeta un coup d'œil dans le jardin et la lumière lui sembla plus douce que d'ordinaire. Elle repoussa plusieurs saladiers de la laitue que Karine avait nettoyée, mais qui n'était pas encore assaisonnée.

Ayant dégagé un peu de place, elle s'installa à la table, prit un carnet dans la poche de son tablier et commença à établir la liste des commissions qu'elle rapporterait de Bouillon. Elle partirait en voiture juste après le service. Vers deux heures. Rien ne la pressait. Dans sa tête, elle entendait encore la voix qui lui avait parlé au téléphone, tout en se demandant si elle ne l'avait pas rêvée. En haut de la liste des commissions, elle avait noté une adresse, rue de Sax, à Dinant. Elle se dit qu'avant de partir, elle devrait peut-être vérifier si cette adresse correspondait à celle qu'elle avait trouvée en fouillant dans les affaires d'Anne-Sophie. Elle croyait se souvenir. Elle n'était plus sûre de rien. Le nom de Jérôme Doussot n'éveillait pas grand-chose en elle. Anne-Sophie cachait bien son jeu.

116

Reugny. Ferme des Lauwerijk. Vers midi.

Comme il fallait bien commencer quelque part, Nicolas était allé au plus facile, histoire de se mettre en train, et il avait frappé à la porte des Lauwerijk. Marieke l'avait fait entrer dans une cuisine où tout était rangé et propre comme dans un magasin. Sans lui demander son avis, elle avait poussé devant lui un bol, qu'elle avait aussitôt rempli d'un café si léger qu'il sentait encore l'eau chaude. En levant la tête, elle appela Albrecht. Il se lavait les mains à la salle de bains, qui était au premier étage. Il avait passé sa matinée dans les bois, avec les autres hommes du village et les gendarmes, toujours à la recherche de la fille de l'hôtel.

Marieke ne devait pas souvent ouvrir la bouche. Son visage arrondi se renfrognait facilement, mais lorsqu'elle souriait, on avait la révélation d'une nature débordant de bonté et un peu timide.

« Excusez-moi ! cria Albrecht du couloir. J'arrive dans une seconde. »

Il ouvrit une porte, remua des objets métalliques, et quelques secondes plus tard il déboulait dans la cuisine. Il émanait de lui une odeur de savonnette, d'eau de Cologne et de bonne santé.

Nicolas se leva à demi et se présenta en saisissant la main que lui tendait le Flamand :

« Je m'appelle Nicolas Tèque. Je souhaitais vous rencontrer.

– Je sais.

– Vous savez déjà ?

– Dans un village les nouvelles vont vite. Vous recherchez les personnes qui ont connu Rosa Gulingen.

– Et Armand Grétry.

– Bien sûr : et Armand Grétry. »

Il s'assit en face de Nicolas, à l'autre bout de la table, face à la fenêtre, sans doute à la place qu'il occupait habituellement.

« Marieke, reprocha-t-il avec douceur, tu devrais nous faire un café où il y aurait au moins autant de café que d'eau.

– Ça va très bien comme ça, dit Nicolas, en tirant le bol vers lui.

– Ici, la cafetière reste au tiède du matin au soir. On fait de la *rapasse*, comme on dit. On rajoute de l'eau sur l'eau et on fait semblant de croire que le résultat ressemble à du café. C'est la mode du pays. Marieke, tiens, pendant que tu as le corps dérangé, sers-nous un petit poil de genièvre. Alors, monsieur Tèque…

– Parlez-moi des rapports de Rosa Gulingen et d'Armand Grétry.

– Ils ne s'entendaient pas.

– On dit le contraire un peu partout.

– Je sais bien. La légende reste la légende.

– Thérèse Londroit affirme…

– Thérèse avait dix ans ou douze ans à l'époque. À cet âge-là, on ne voit que ce qu'il y a à voir, mais on ne voit pas ce qu'il y a à comprendre. Je vais vous dire quelque chose, que vous pourrez vérifier, monsieur Tèque : Rosa Gulingen avait une chambre à l'hôtel du Grand Cerf.

– Armand Grétry aussi.

– Peut-être. Mais il ne l'a jamais occupée. Lui, il avait loué un chalet à Rochehaut. C'est un village qui domine la Semois, une rivière qui traverse le pays. Ça se trouve à moins d'un quart d'heure d'ici, en voiture. Il logeait là-bas.

– Vous êtes sûr ?

– Je ne suis pas le seul à le savoir. Mais je le sais peut-être mieux que d'autres, parce que je connaissais les propriétaires de ce chalet. Des Flamands. On se voyait de temps en temps. Pour le plaisir de parler flamand. C'est comme ça que je peux vous dire qu'Armand Grétry était installé là-bas. Et qu'il n'était pas seul. Il y avait une femme avec lui. Je ne me souviens pas de son nom, mais ce ne devrait pas être difficile pour vous de le retrouver, puisque Armand Grétry l'a épousée quelques mois plus tard, en France. »

Marieke emplit jusqu'au bord les verres à gros fond qu'elle avait posés sur la table. Albrecht la suivait d'un regard heureux et esquissait un sourire, sans cesser de parler. Rosa Gulingen et Armand Grétry se disputaient régulièrement. Ils en étaient presque venus aux mains, une fois.

« Elle avait bu. Quand elle avait bu, elle devenait bizarre. Elle criait, elle faisait des caprices, des scènes. Elle était féroce. Grétry ne valait pas mieux, sauf qu'il ne buvait pas ou pas beaucoup. Mais il avait des paroles assez dures, et l'alcool n'y était pour rien. Je crois que Rosa ignorait qu'il retrouvait sa maîtresse toutes les nuits à Rochehaut. Il était méfiant et malin. Il avait sans doute peur que Rosa vienne faire du scandale au chalet. C'est une supposition.

– Quand Rosa est morte, certains ont dit qu'elle avait été tuée.

– C'était un accident. Elle s'est noyée.

– Je ne fais que répéter ce qu'on a dit à l'époque. Et ce que j'ai lu dans les journaux.

– La police a conclu à un accident.

– Armand Grétry a été inquiété. C'est que la situation n'était pas aussi claire qu'elle le paraissait.

– La police l'a inquiété parce qu'il n'avait pas jugé utile de leur parler de sa maîtresse. À part moi, personne ne connaissait l'existence de cette femme. Je ne l'avais même pas confié à Marieke. Tout le monde savait qu'Armand résidait quelque part dans la vallée. Il y avait une chambre réservée à son nom à l'hôtel du Pont, à Membre. Il avait essayé de brouiller les pistes. À cause de Rosa.

– Il y avait encore quelque chose entre Rosa et lui à ce moment ?

– Comment voulez-vous que je le sache ? Entre deux disputes, ils avaient l'air de bien s'entendre. Sans plus. De temps en temps, ils disparaissaient tous les deux. On ne les voyait pas pendant une heure. Mais je ne vois pas ce qu'on pourrait en déduire. À mon avis, ils essayaient seulement de rafistoler leur légende, de donner du grain à moudre aux journalistes, au public, je ne sais pas. Ce sont des histoires de stars. Ce qui est vrai, ce qui est faux, c'est pas à moi de trier. »

Nicolas apprit qu'Armand Grétry ne devait de s'être sorti du mauvais pas où le mettait la mort de Rosa Gulingen qu'à sa maîtresse, laquelle lui avait fourni un alibi. Par la suite, leur départ avait été si précipité que l'acteur avait oublié au chalet ses affaires de toilette, le scénario du film et une boîte de photos de lui signées de sa main.

« Les propriétaires du chalet l'ont contacté par le biais de la maison de production. Il leur a écrit un mot où il promettait de repasser un jour par Rochehaut et qu'il en profiterait pour reprendre ses affaires. Mais il n'est jamais venu. Deux ou trois mois plus tard, on a appris par les journaux qu'il avait épousé cette femme. »

C'était Charles Raviotini qui avait mis dans le crâne de Nicolas l'idée qu'Armand Grétry était pour quelque chose dans la mort de Rosa. L'idée faisait son chemin, bien qu'elle fût absurde. La police ne referme jamais un dossier sans être convaincue qu'aucun indice, même minuscule, ne la retient de le refermer. Toutefois, Nicolas tenta de nouveau sa chance, en pestant intérieurement contre Charles :

« Ça ne vous paraît pas bizarre, monsieur Lauwerijk, qu'un homme épouse la femme qui l'a sauvé d'une accusation de meurtre ? Est-ce qu'il ne l'aurait pas épousée pour lui interdire de revenir sur sa parole ? On a vu pire, non ?

– La mort de Rosa Gulingen était un accident. Il n'y a pas à sortir de là.

– Je pense à cela parce que le témoignage de cette femme n'a pas été confirmé par des voisins, par des promeneurs.

– Le chalet est isolé. À l'époque, il était entouré de plusieurs rangées de sapins. Et le village était moins peuplé que de nos jours. Il y avait moins de résidences secondaires, moins de touristes, moins de passage. C'était des pays tranquilles.

– Quelqu'un aurait pu apercevoir la voiture de Grétry sur la route de Rochehaut. Une voiture de vedette du cinéma, en général, ça se remarque.

– Détrompez-vous, monsieur Tèque. Ici, Armand Grétry se déplaçait souvent dans une voiture ordinaire. Il y en avait des dizaines sur les routes à ce moment-là. Je vous l'ai dit, il n'avait pas intérêt à être trop voyant. Il se cachait. »

La porte s'ouvrit sans brutalité et un grand gaillard blond, au sourire avenant, apparut dans la cuisine.

« Je vous présente mon fils, Jack », dit Lauwerijk en rayonnant de fierté.

Marieke souriait, comme si Dieu en personne était entré dans la maison. Jack embrassa son père et sa mère, salua Nicolas.

« Ce monsieur s'appelle Nicolas Tèque, expliqua le Flamand. Il vient de Paris et il cherche des renseignements sur Rosa Gulingen.

– Et Armand Grétry, ajouta Nicolas. C'est pour un film documentaire. »

Jack parut aussitôt enthousiasmé par ce projet. Il y voyait un moyen pour Reugny d'être tiré de sa torpeur.

« Pour un village comme le nôtre c'est une richesse, une histoire comme celle-là. Elle fait partie de notre patrimoine. Papa, est-ce que tu as dit que tu avais fait des essais de figuration ? »

Ils éclatèrent de rire. Albrecht haussait les épaules. Marieke se retournait vers l'évier pour pouffer.

« Jack donne des cours au Centre de Motivation.

– Papa, je t'en prie…, protesta gentiment Jack.

– C'est pas un secret.

– Ce n'est pas un secret que je travaille au Centre. Mais il faudrait que tu cesses d'être trop fier de moi. Je ne le mérite pas.

– J'ai bien le droit d'être fier de mon fils. C'est pas vrai, monsieur Tèque ?

– Je vous donne raison, assura Nicolas.

– Quand on voit où il est, mon fils, et d'où il est parti, y a de quoi tout de même se redresser un peu. Il est diplômé de l'université de Yale, aux États-Unis. C'est jamais qu'un fils de fermier. Au début, ici, on était comme des étrangers. Pour un beau parcours, c'est un beau parcours. Bravo, mon fils. Et ce n'est pas tout, monsieur Tèque : Jack a même écrit un livre.

– Papa… »

Nicolas observa que l'évocation de ce livre avait fait tiquer Jack, qu'il s'était brièvement assombri ou, plutôt, qu'une ombre avait traversé ses yeux.

« Il faut le lire, ce livre, insistait le père. Moi je ne l'ai pas lu, parce que j'ai du mal à lire le français des livres. Le français du journal, ça va. Mais pour lire des livres, il faut savoir lire. Vous lirez, et vous verrez.

– Je le lirai, promit Nicolas.

– Je vous en offrirai un exemplaire », dit Jack en retrouvant sa bonne humeur.

Nicolas le remercia et lui proposa de le rencontrer, à l'occasion, pour deviser tranquillement autour d'un verre en parlant de Rosa Gulingen.

« Je n'étais pas né, monsieur Tèque. S'il n'y avait pas le petit musée de l'hôtel du Grand Cerf, je ne saurais rien de Rosa et d'Armand.

– Vous en avez entendu parler, ça suffit. Vous avez dit vous-même que cette histoire faisait partie du patrimoine du village.

– Je l'ai dit et je le pense, monsieur Tèque.

– Vous avez certainement des idées sur la question. Si vous voulez, nous en parlerons. Sans obligation de votre part, évidemment. »

Le silence de la rue fut brutalement déchiré par une sirène de police. Ils tournèrent tous les quatre leurs regards vers la fenêtre. Dominée par son gyrophare, la fourgonnette de Vertigo Kulbertus passait lentement dans un vacarme de moteur malmené, mêlé au bruit énervant de la sirène.

« Il est bizarre, cet inspecteur, déclara Jack d'un air rêveur.

– Je crois que c'est un bon flic, dit Albrecht.

– La bizarrerie n'est pas incompatible avec la compétence, répondit Jack.

– Vous entendez, monsieur Tèque, s'émerveillait Albrecht, mon fils trouve toujours quelque chose à dire. Et il le dit bien. C'est beau, ça, vous ne trouvez pas : "La bizarrerie n'est pas incompatible avec la compétence." Ça ne s'invente pas. »

Marieke contemplait ses hommes avec ravissement. Elle s'était appuyée contre l'évier et bougeait la tête de droite à gauche et de gauche à droite, dans un mouvement doux et lent qui, chez elle, était sans doute l'expression la plus ostentatoire du bonheur.

Reugny. Hôtel du Grand Cerf.
Une heure.

Quand Karine lui présenta le plateau de fromages, Vertigo Kulbertus eut un haut-le-cœur et il s'écria, avec un manque odieux de simplicité :

« Mais enfin, mademoiselle, vous avez devant vous un homme qui vient de manger deux saladiers de frites et quatre cervelas ! Est-ce qu'on présente le plateau de fromages à un homme qui vient de manger deux saladiers de frites et quatre cervelas ? Après le cervelas, sachez, mademoiselle, qu'un homme normal n'a plus le goût à rien ! Qu'est-ce qu'on vous apprend à l'école ? Ne vous excusez pas, surtout. »

Il fit l'offensé. Karine balança sur place et le plateau faillit choir.

« Hors de ma vue ! » se fâchait Kulbertus.

Elle ne se le fit pas dire deux fois. Le policier allongea devant lui, en direction des gendarmes qui déjeunaient à la table voisine, un rot d'une puissance d'explosion nucléaire.

« Un rot, proféra-t-il doctement, un rot, dis-je, un rot qui suit un festin de cervelas est encore du cervelas. N'est-ce pas ? »

Puis, heureux d'avoir paraphrasé avec brio, il empoigna les rapports que les gendarmes avaient déposés devant lui et fit celui qui s'y plongeait avec voracité.

« Le meurtrier du douanier est grand, annonça-t-il. Il tenait son arme à la hanche, le canon légèrement dirigé vers le haut. Le douanier était assis sur le banc. La hauteur du douanier, du gras des fesses à la nuque, diminuée du segment de droite défini par l'inclinaison et la longueur du canon de l'arme, nous donne la distance séparant le sol de la hanche du meurtrier. L'analyse balistique me confirme dans la certitude que l'assassin est un homme qui mesure au moins son mètre quatre-vingts, voire son mètre quatre-vingt-dix. À moins qu'il ait des grandes jambes et un petit tronc. Désormais, j'oriente l'enquête vers les grands hommes. Et, bien sûr, accessoirement, vers les individus à grandes jambes et à petit tronc. »

Il avait l'air solennel et tout le monde l'écoutait avec inquiétude.

« Ne tourmentez pas les petits hommes. Ils souffrent déjà du malheur d'être petits. N'ajoutons pas à leur peine. À partir de cet instant, considérez que tous les petits hommes sont innocents. Sauf s'il s'agit de grands déguisés en petits. Vous avez compris ? »

Les gendarmes hochèrent la tête. Aucun n'aurait eu l'audace de prendre la parole, fût-ce pour solliciter une précision, encore moins de contredire l'inspecteur.

À l'autre bout de la salle, Nicolas Tèque prêtait une attention amusée à la scène. Il avait vu Thérèse sortir la voiture du garage et, comme elle lui souriait, il lui avait demandé si par hasard elle ne passait pas par Rochehaut.

Il aurait aimé voir à quoi ressemblait le chalet que les Flamands avaient loué à Armand Grétry, il y avait de cela quarante ans.

« Je vais dans la direction opposée », avait répondu Thérèse.

Vertigo Kulbertus poursuivait son explication. Il y mettait de l'énormité et, même, de la bouffonnerie, si bien qu'on se demandait s'il fallait le prendre au sérieux.

« Moi je vais vous dire pourquoi l'idiot a été assassiné. Il a été assassiné parce qu'il avait découvert la mobylette. C'est pas plus sorcier que ça. La jeune fille de l'hôtel a été témoin de la mort du douanier. Nous le savons. Nous savons aussi que le criminel a couru derrière elle dans le sous-bois. Sur un peu moins d'une centaine de mètres. À mon avis, il est redescendu discrètement par les chemins forestiers, à mobylette, de sorte à se trouver à Reugny avant la jeune fille. Il a fait disparaître l'engin dans la mare. Et il s'est mis à guetter. À attendre sa proie. »

Il se tut un long instant pour savourer ce qu'il venait de dire et reprit :

« Vous entendez : *À attendre sa proie*. Avouez que j'y mets du style. Je cause comme un écrivain. *À attendre sa proie*. Ça c'est envoyé. Donc je disais que le meurtrier de Rousselet rôdait dans les environs de l'hôtel du Grand Cerf, à attendre sa proie. Manque de chance pour lui, sa proie n'a pas daigné obtempérer. Dans le même temps, l'idiot a dû repérer quelque chose d'anormal dans l'eau de la mare. Le bas de son pantalon était mouillé. Il s'est donc avancé dans l'eau, d'un pas ou deux. Peut-être n'a-t-il rien vu. C'est possible. Et qu'il s'est mis dans l'eau pour le plaisir de mouiller le bas de son pantalon. Bref. Toujours est-il que c'est dans cette position que l'assassin l'a aperçu. Et qu'il s'est approché. Et qu'il l'a liquidé. Voilà. Il aurait pu le jeter dans l'eau, me direz-vous. Et je vous rétorquerai que non, pas du tout. Parce que dans cette mare à moitié asséchée, il n'y avait pas la place à la fois pour la mobylette et pour le corps de l'idiot. À peine vingt centimètres d'eau sale recouvraient la mobylette. L'idiot n'était pas très épais, mais à vue de nez son épaisseur excédait largement les vingt centimètres ci-dessus évoqués. Ce crime a dû être perpétré en plein jour, raison pour laquelle notre assassin n'a pas pris le risque de transporter le corps dans un endroit plus discret. »

Il aspira une demi-chope de bière.

« De tout cela, je conclus que cet homme est ici. Pas obligatoirement dans cette pièce. Peut-être sur la place du village. Pas loin de l'hôtel. Il sait que la jeune fille l'a vu tuer le douanier. Il ne lui laissera pas le temps de parler. Aussi dis-je qu'il est là *à attendre sa proie.* »

Il y avait longtemps qu'il ne s'était pas senti aussi suprêmement en verve. Lancé comme il était, il avait les ressources verbales pour tenir jusqu'au repas du soir. Mais il ne voulait pas non plus abuser de la situation. Il se contenta de remuer la tête avec une énergie orgueil-leuse et de souffler sans excès de modestie :

« Vous pouvez applaudir. »

Après un flottement dubitatif, tous ceux qui se trou-vaient attablés là, Nicolas Tèque aussi, claquèrent dans leurs mains, avec respect et une certaine appréhension.

« Merci, dit Kulbertus en s'inclinant. Donc, pour résumer, on s'intéresse aux grands hommes qui traînent dans les parages de l'hôtel. Dans le cas où on retrouve la jeune fille, témoin capital, on ne la quitte pas d'une semelle, on la marque au corps, on l'entoure de tous les soins dont des policiers dignes de ce nom sont capables. Sa vie est en danger. »

Dinant. Rue Sax.
Cinq heures de l'après-midi.

Le mardi n'était pas le jour où Thérèse Londroit faisait les commissions pour l'hôtel. D'habitude, c'était le jeudi matin. Mais elle avait expliqué, peut-être avec trop d'insistance, à qui voulait l'entendre que la situation était exceptionnelle. Depuis des années, l'hôtel n'avait jamais connu une telle affluence. Il y avait ce type de Paris, le policier, le chauffeur du policier, trois journalistes, des curieux. Six des quatorze chambres étaient occupées.

Par un surcroît de précautions, elle fit plusieurs détours avant d'acheter son ravitaillement dans un supermarché de Bouillon. Puis elle rejoignit l'autoroute et fila vers Dinant, non sans s'arrêter quelques minutes sur chaque parking, afin de déjouer les intentions d'éventuels poursuivants. Elle se méfiait surtout de Vertigo Kulbertus. Il cachait son jeu sous des manières loufoques. À travers le grotesque, elle percevait quelque chose de subtil, une logique tortueuse, un genre d'inspiration, il n'y avait pas d'autre mot.

Quand elle avait traversé la place de Reugny, il l'avait stoppée et, par la vitre baissée, lui avait demandé où elle allait.

« Faire des courses pour l'hôtel, lui avait-elle répondu.

– Ah bon ! s'était-il exclamé. Je croyais que vous partiez pour toujours ! J'avais peur pour mes frites de ce soir. Vous comprenez, je n'ai que ça dans la vie. C'est mon seul bonheur. Alors si les frites venaient à manquer… »

Il avait porté contre sa tempe deux doigts figurant un revolver. Mais son regard fouillait la voiture. Elle était sûre qu'il avait tout enregistré. Les couvertures pliées sur le siège arrière. Le carnet sur le siège passager. Elle se reprochait d'avoir voulu paraître plus détendue qu'elle ne l'était. Est-ce qu'une mère dont la fille a disparu peut être détendue ? Elle s'en voulait.

« Soyez prudente, madame Londroit », avait recommandé Kulbertus.

Il avait ajouté après avoir aspiré un peu de salive :

« Je veux dire : sur la route ! »

Elle ne connaissait pas Dinant et malgré l'angoisse qu'elle sentait monter en elle, elle était émerveillée par cette ville qui semblait cristalliser tous les plaisirs des vacances. Elle fit deux fois le tour d'un quartier sur le bord du fleuve, avant de s'apercevoir que la route d'où elle venait débouchait directement dans la rue de Sax. Elle trouva à se garer devant le casino. Dès qu'elle ouvrit la portière, elle fut saisie dans un tourbillon de musique. Elle descendit la rue sur plusieurs centaines de mètres. Elle craignait d'être suivie et entrait brusquement dans un magasin d'où elle surveillait la rue pendant un long moment. Quand elle fut un peu rassurée, elle se rendit à l'adresse qu'on lui avait indiquée et qui correspondait à celle qu'elle avait lue dans la marge de la lettre découverte dans le tiroir du bureau, dans la chambre d'Anne-Sophie.

Le couloir sentait l'humidité et la crasse. Des boîtes à lettres défoncées, des poubelles renversées, le torchis des murs se détachant par mottes jaunes qui éclataient en tombant sur le pavé luisant. Un vieil escalier où tous les chats devaient venir en cas de besoins. C'était au premier étage. Apparemment, il n'y avait qu'un logement par palier. Elle lut le nom sur une carte de visite punaisée à même la porte : Jérôme Doussot.

Elle tendit l'oreille, mais le calme était total à l'intérieur. Elle aurait aimé frapper le bois avec plus de détermination, mais elle avait l'impression que ses forces l'avaient abandonnée. Elle effleura à peine la porte qui, aussitôt, s'ouvrit. Tout de suite, elle reconnut le jeune gars qui se présentait devant elle. Il avait séjourné plusieurs fois à l'hôtel, à Noël et à Pâques. C'était un étudiant en droit commercial qui se prétendait passionné de géologie.

« Bonjour, madame Londroit. Vous me remettez ? »

Elle était tellement troublée que, sur le moment, elle ne trouva rien à dire.

« On se connaît, continua le jeune homme.

– Je crois, oui. »

Il lui fallut une seconde encore pour reprendre ses esprits.

« Vous êtes venu à l'hôtel.

– Oui.

– Vous ne vous appeliez pas Jérôme Doussot à ce moment-là, si je me souviens bien.

– Non. J'avais emprunté l'identité d'un de mes cousins. C'était une idée d'Anne-Sophie. »

Ils étaient entrés dans un appartement sans désordre, bien qu'il fût surtout meublé de caisses en carton empilées par trois ou par quatre. Thérèse les remarquait à peine. Au bout d'un deuxième couloir, elle voyait une porte ouverte et quelque chose qui pouvait ressembler à une forme sur un lit.

« Elle est là-bas », indiqua le jeune homme.

Thérèse se retint de courir. Elle s'entraînait à se maîtriser, à s'afficher dans un calme parfait. Ce fut d'un pas tranquille qu'elle pénétra dans la chambre.

Anne-Sophie était étendue, les yeux grands ouverts, les bras le long du corps. Son visage ne portait qu'une griffure, qui allait de la joue droite à la tempe.

« Elle est arrivée dans la nuit. Je ne sais pas à quelle heure. Je suis rentré tard. Je crois qu'elle m'a attendu en bas, dans un renfoncement où on range les poubelles. Elle ne parle pas. Je ne suis pas certain qu'elle m'ait reconnu. Je lui ai fait boire du lait sucré. »

Thérèse se baissa vers sa fille. Elle l'écoutait respirer. Elle ne savait pas exactement ce qui se passait en elle. C'était un mélange de révolte, de soulagement, de déception et de bonheur. Elle eut envie de l'embrasser, mais elle renonça, sans savoir pourquoi. Peut-être le regard de Jérôme.

« J'ai pensé qu'elle irait mieux et que je pourrais la reconduire jusqu'à Reugny. Mais elle est restée prostrée toute la journée. À midi, j'ai préféré vous appeler. Je ne savais pas quoi faire. Je crois qu'il lui est arrivé quelque chose. J'espère que c'est pas grave. »

Il ne le montrait pas, mais il était effrayé. Il se tortillait au pied du lit.

« À mon avis, il faut la conduire à l'hôpital », dit-il encore.

Ce n'était pas ce qu'il y avait de mieux à faire. Elle avait retrouvé Anne-Sophie, elle ne l'abandonnerait plus.

« Je m'en occupe », dit-elle en essayant de mettre dans sa voix le plus d'autorité possible.

Le jeune homme baissa les yeux.

« Je vais l'emmener, dit Thérèse. Je vais aller chercher la voiture. Vous m'aiderez à la transporter. À cause des escaliers. »

Il approuvait. C'était un gentil garçon.

« Écoutez-moi bien, Jérôme, dit Thérèse. Je voudrais vous demander un service.

– Je suis à votre disposition…

– Vous avez dû apprendre par les journaux ce qui s'est passé à Reugny…

– Non, murmura le jeune homme. En ce moment, les journaux ne s'intéressent qu'aux explosions et aux hold-up. Je n'ai rien vu sur Reugny.

– Dimanche, Anne-Sophie a vu des choses qu'elle n'aurait pas dû voir. Et elle a disparu. Sa vie est en danger. Maintenant, je veux la protéger. C'est à moi de la protéger. Il est possible que la police… Enfin, je ne sais pas… J'ai fait attention. Ce que je veux dire, c'est que personne ne sait que je suis venue ici. Si par hasard, quelqu'un vous posait des questions, faites comme si vous ne m'aviez jamais vue. »

Il promit. Il avait pâli et sa lèvre inférieure s'était mise à trembler.

« Je peux compter sur vous, insista Thérèse.

– Bien sûr. »

Puis elle lui certifia qu'elle lui enverrait des nouvelles dès que ce serait possible. Pour donner un peu de crédibilité à sa promesse, elle demanda le numéro de téléphone où il pouvait être joint, et elle le nota sur le carnet, juste sous l'adresse du garçon.

Reugny. Hôtel du Grand Cerf. Après-midi.

Nicolas Tèque mit à profit l'absence de Thérèse pour interroger Léontine. Ne la trouvant pas derrière le paravent qui l'isolait de la clientèle, il frappa à la chambre de la vieille femme et sans attendre la réponse il poussa la porte et passa la tête dans l'entrebâillement.

« Madame Léontine Londroit ? »

La vieille femme étendue sous un monceau de couvertures ne fit pas un mouvement, mais de cette accumulation de tissus et d'édredon monta une voix forte et vaguement éraillée :

« Vous êtes français, vous. Je suis sourde pour bien des choses, c'est normal à mon âge, mais j'entends l'accent français. Quel laid accent ! Je peux même vous dire que vous venez de Paris. Quel laid accent vous avez, mon Dieu !

— Est-ce que je pourrais vous parler un instant ?

— Vous, vous pouvez parler. Moi, pas. J'ai pas le droit. Thérèse me prend pour une petite fille. Elle me répète toujours : "Il ne faut pas adresser la parole aux gens que tu ne connais pas." Elle n'ajoute pas : "Surtout aux messieurs." Mais je sais qu'elle le pense. Elle le pense, je vous dis ! »

Sa tête s'enfonçait aux trois quarts dans l'oreiller. Elle observait son visiteur du coin de l'œil.

« Thérèse croit que je suis folle. Elle vous en a parlé ?

— Pas du tout.

— Ça m'étonne. Je veux bien admettre que je n'ai plus toute ma tête, mais je ne suis pas folle. Avec ce qui me reste de tête, je peux encore faire des choses très exactes. Voulez-vous que je vous donne un exemple ? »

Heureux de la trouver en de si éloquentes dispositions, Nicolas la pria de lui fournir tous les exemples qu'elle voudrait.

« C'est Thérèse la patronne, maintenant. Mais c'est moi qui surveille l'établissement. Quand je suis sur la mezzanine, je ne vois qu'une partie de la salle, mais je remarque tout ce qui s'y passe. Et ce que je ne vois pas, je le devine, je le déduis. Mon fort, c'est de compter les pintes de bière. Croyez-moi, il faut une oreille subtile. Je ne me trompe jamais. Je fais même la différence entre la bière au tirage et la bière en bouteille. Tout à l'oreille. À propos, vous avez de la religion ?

— J'en ai, affirma Nicolas en se frappant la poitrine du plat de la main.

– Ça vaut mieux. »

Sa main eut un mouvement presque imperceptible et un grain du chapelet qu'elle tenait tangua entre ses doigts.

« Si c'est pas trop vous demander, monsieur, j'aimerais changer de grain. Je suis sur ce grain-là depuis trois heures, au moins. Dieu qui voit tout doit se dire que je traîne toujours sur le même bout de chapelet. Remarquez, je me dis que la paralysie est aussi une œuvre divine. Y a pas de raison, puisque tout est divin. Votre présence ici est aussi une œuvre divine. Et si Dieu a dirigé vos pas jusqu'à moi, c'est probablement qu'il veut me faire penser à changer de grain. Il me teste. »

Nicolas s'exécuta et tira sur le chapelet, glissant un grain sous la main, en coinçant un autre à la place du premier.

« Les Français croient moins en Dieu que les Belges, savez-vous.

– Je ne sais pas.

– Je vous assure. Le Belge a besoin de Dieu, alors que le Français n'a besoin que de lui-même. Vous comprenez ce que je veux dire ? »

Il ne la contrariait pas. Et souriait. Il sentit que le moment était venu d'exposer la raison de son intrusion.

« Je voudrais que vous me parliez de Rosa Gulingen et d'Armand Grétry. »

Elle donna l'impression d'explorer en elle des régions qu'elle ne fréquentait plus depuis longtemps. Elle ferma les yeux et marmonna quelque chose dont il ne comprit pas le sens.

« Je travaille pour un producteur de films documentaires, dit Nicolas. Nous recherchons toutes les personnes qui ont connu Rosa.

– Me permettez-vous d'être un peu vulgaire ?

– À votre âge, il n'y a plus de vulgarité. On peut tout dire.

– Justement, non. On ne peut pas tout dire. Thérèse me le répète assez souvent.

– Soyez donc un peu vulgaire, madame.

– Je vous le dis parce que c'est vrai : Armand, il lui foutait sur la gueule, à Rosa.

– Il la frappait ?

– Il lui foutait sur la gueule. Ils ont passé un peu plus d'une semaine à Reugny. Il l'a dérouillée deux fois. Ils ne s'entendaient pas. En public, ça allait. Mais dès qu'ils se retrouvaient tous les deux, ils se disputaient comme des chiffonniers. Sur la même semaine, battre deux fois une femme qu'on aime, vous n'allez pas me dire que c'est favorable à l'harmonie du couple. Ou alors, on aurait tout vu !

– C'était aussi grave que vous le dites ?

– Une beigne, en passant, on peut voir ça comme un accident. Mais il lui mettait la ratatouille intégrale. Les tartes claquaient tellement rude que je les entendais de la cuisine. Alors, si c'est pas foutre sur la gueule, qu'est-ce que c'est ?

– Vous connaissez le motif de leurs disputes ?

– Il ne voulait plus d'elle. Quand une femme se rend compte qu'un homme ne veut plus d'elle, c'est là qu'elle s'accroche, qu'elle se met à l'aimer, qu'elle ne peut plus vivre sans lui, je ne vous raconte pas, vous savez tout ça mieux que moi, vous êtes encore à l'âge de l'expérience, moi je n'ai plus que des souvenirs.

– Étaient-ils séparés ? Vivaient-ils encore ensemble par moments ?

– Ils avaient chacun leur chambre à l'hôtel et Armand se rendait quelquefois dans la chambre de Rosa. Mais le soir, il quittait Reugny et il allait dormir ailleurs.

– Vous savez où ?

– Oui, mais je n'ai pas le droit de le dire. C'est des secrets, ce que je raconte là.

– Depuis le temps, il y a prescription.

– Dans un village, monsieur, il n'y a jamais prescription. Le plus lointain passé reste d'actualité. On règle ses comptes avec trois siècles de retard, mais on les règle. Ce qui est dû doit être payé, voilà. »

Sa voix avait modulé avec gourmandise une intention méchante. Nicolas s'avisa qu'il y avait une chaise à sa portée. Il fit un pas de côté, tendit la main, tira la chaise vers lui et s'installa plus confortablement, une main sur le bord du lit.

« Armand Grétry, reprit Léontine, avait loué une chambre dans un hôtel de Membre. Officiellement. Il y faisait des apparitions. C'est ce que m'a raconté le propriétaire. Mais c'est pas là qu'il passait ses nuits. »

Nicolas hésitait à lui rapporter le témoignage d'Albrecht Lauwerijk.

« Ce que je peux vous dire, reprit-elle, c'est qu'il se rendait dans un chalet à Rochehaut. Je ne devrais pas le dire. Mais je le dis quand même. Je ne peux pas m'en empêcher. Mais vous ne direz pas à Thérèse que je vous l'ai dit.

– Promis », jura Nicolas.

Il se pencha vers elle, tendit la main et proposa :

« Si vous voulez, je peux avancer votre chapelet d'un grain.

– Vous avez raison. Les Français ont toujours raison sur ces choses-là. C'est un pays de malins. Ils n'en ont pas grand-chose à faire de Dieu, mais ils savent ce qui lui fait plaisir. Allez-y, ça ne peut pas faire de mal. »

Il glissa un nouveau grain entre les doigts de Léontine. Tout en opérant avec des lenteurs respectueuses, il demanda :

« Vous vous souvenez du soir où on a retrouvé Rosa noyée dans sa baignoire ?

– Je me souviens de tout.

– Elle avait bu ce jour-là ?

– Pas trop. Quand elle buvait, ça se voyait. Elle se tenait mal.

– C'est-à-dire ?

– C'est-à-dire rien. Elle se tenait mal. Quand on a passé sa vie derrière un bar, on n'a plus rien à apprendre sur les gens qui se tiennent mal. Il y a toutes sortes de façons de se tenir mal, mais c'est toujours se tenir mal, qu'on soit vedette de cinéma ou pêcheur à la ligne. Mais moi je ne critique pas. Quand le client boit raisonnablement, il rapporte raisonnablement. S'il boit beaucoup, il rapporte beaucoup. Et quand il est saoul, c'est là qu'il rapporte le mieux. Parce qu'il ne fait plus attention à ce qu'il dépense. L'homme saoul, vous le savez peut-être, n'a plus de dettes, plus de factures en retard, plus de femme infidèle, plus de patron tyrannique, plus d'obligations sociales, plus d'ennuis avec l'administration, plus d'impôts à supporter. Il est saoul. Je ne dis pas qu'il est heureux, mais en tout cas il n'est plus malheureux à cause de ce qui le rend malheureux d'habitude. Quand on a gagné ce que j'ai gagné grâce aux gens qui boivent, monsieur, on a du respect pour l'alcoolisme. Les ivrognes, vous savez, la profession devrait leur élever un monument. »

Ses yeux se mouillaient. Tout d'un coup, elle était émue. Comme un flocon de salive moussait au coin de ses lèvres, Nicolas l'essuya avec le haut du drap.

« Qu'est-ce que vous pensez d'Armand Grétry ? demanda Nicolas dans un souffle.

– Pas que du bien, grogna Léontine. Je m'en voudrais de penser du bien d'un homme pareil.

– Où était-il au moment de la mort de Rosa ?

– Au moment de la mort de Rosa, je ne sais pas. Peut-être à côté de la baignoire.

– On m'a dit qu'il était déjà reparti.

– C'est Thérèse qui vous a dit ça. Avouez…

– En effet.

– Il faut voir deux choses, monsieur. D'abord, le moment de la mort de Rosa. Ensuite, le moment où Rosa a été retrouvée morte. Quand on l'a retrouvée, il y avait une heure qu'elle était morte. En une heure, l'assassin a eu le temps de se mettre à l'abri. Je ne sais pas pourquoi je vous dis ça, mais ça n'a pas d'importance parce qu'à l'époque je l'avais déjà dit à la police. C'est grâce à moi que Grétry a été interrogé. Il n'y a pas de quoi se vanter, je sais bien, mais c'est moi qui ai retrouvé le corps. Eh oui !

– La police a conclu à un accident.

– Ça ressemblait à un accident, c'est vrai. Mais moi j'ai le droit de penser ce que je veux.

– Vous aviez une raison de penser qu'Armand Grétry avait quelque chose à voir dans la mort de Rosa.

– Un homme qui bat une femme se qualifie pour la tuer. Ça ne vous suffit pas ?

– Il avait un alibi, tout de même.

– Tous les assassins ont des alibis. Un assassin sans alibi, c'est un pompier sans échelle.

– Pourquoi la tuer ?

– Je n'ai pas dit qu'il avait décidé de la tuer. J'ai dit qu'il l'avait tuée. Il lui a maintenu la tête sous l'eau pour ne plus l'entendre brailler. C'est juste une dispute qui a mal tourné. On ne m'enlèvera pas ça de l'idée. N'allez pas répéter ce que je vous dis à Thérèse. Elle les voit encore avec ses yeux d'enfant. Le couple parfait, la tragédie, la légende, pouah ! »

Les journaux de l'époque n'avaient pas fait état d'un désaccord sérieux entre les deux comédiens. On racontait qu'ils s'étaient séparés pendant quelque temps, qu'elle était partie seule en vacances, querelle d'amoureux. Mais Nicolas avait l'intuition que Léontine ne se trompait pas en disant que le couple traversait une crise qui devait le conduire rapidement à la rupture. Elle ne se trompait pas non plus quand elle témoignait de la violence des scènes où ils se déchiraient. De là à croire que Grétry avait noyé Rosa, il y avait un pas qu'il n'avait pas envie de franchir.

« Quelqu'un a-t-il vu Grétry monter à la chambre de Rosa ?

– Attendez que j'y regarde en deux fois, dit la vieille femme. Je ne voudrais pas me mélanger. C'est délicat, tout ça. Rosa n'est pas morte longtemps après avoir quitté le tournage. C'était en fin de journée. Ils avaient fait des essais dans la salle de l'hôtel. Où vous avez mangé à midi. Mais Grétry n'y participait pas. Lui il était dehors. Je ne sais où. Il a très bien pu s'introduire dans l'hôtel par la porte de derrière, celle qui donne sur le potager. Ou bien par la remise. Par la remise, on peut rentrer aussi.

– Vous m'avez dit tout à l'heure qu'il n'avait pas eu l'intention de la tuer, qu'il l'a tuée dans le feu de la discussion. Alors, s'il ne savait pas qu'il allait la tuer, pourquoi se serait-il caché pour la rejoindre dans la chambre ?

– Je dis ça, parce que personne ne l'a vu monter dans la chambre. Et s'il a tué Rosa, il fallait bien qu'il soit dans la chambre. Mais c'est vrai qu'il a pu s'y rendre par le chemin normal et que personne n'y a fait attention. C'était la pagaille, vous savez. Un tournage, c'est du désordre, du bruit, des allées et venues. Ce que j'en disais, monsieur, ce n'est pas tellement pour vous dire par quel moyen il est monté dans la chambre, c'est surtout pour que vous sachiez comment il en est sorti une fois commis son forfait. Eh oui, il est passé par-derrière. Je ne vois que ça. Ah, il était pas franc, ce gaillard ! »

Elle était ravie, enchantée, ses yeux resplendissaient de bonheur. Nicolas se levait, replaçait la chaise où il l'avait prise, se frottait les mains l'une contre l'autre. Il ne voyait pas encore quel tri opérer dans les informations que lui avait fournies, peut-être de trop bonne grâce, la vieille femme. Il songea à Charles Raviotini qui, par goût du romantisme, penchait vers une culpabilité d'Armand Grétry. Les producteurs aiment que les histoires aient une belle fin, pas trop surprenante, bien définitive, un rien ténébreuse. Les drames de l'amour sont une valeur sûre, même dans les documentaires. Mais ce n'était peut-être pas aussi simple.

Il prit congé, en étirant les politesses et les gratitudes. Comme il avait la main sur la poignée de porte, Léontine le rappela :

« Monsieur, s'il vous plaît… encore une chose… »

Nicolas revint près du lit. La vieille femme le fixait terriblement dans les yeux. Elle se mit à chuchoter :

« Est-ce que vous pouvez encore m'avancer un peu le chapelet ? »

Il souleva les doigts de Léontine, saisit le chapelet entre le pouce et l'index, exerça une légère traction sur la chaînette. Tout près de son oreille, il perçut le murmure crachotant de Léontine qui l'implorait :

« Avancez-le de quatre ou cinq grains. De là-haut, il n'y verra que du feu. »

Et elle se mit à ricaner avec une pieuse discrétion.

Reugny. Chez Sylvie Monsoir. Après-midi.

Vertigo Kulbertus avait tout de suite jugé que la jeune femme n'était pas du genre à se laisser impressionner. Il était entré sans frapper et avait découvert Sylvie Monsoir avachie devant la télévision.

« Police ! dit-il, suave comme un roi mage.

— Vous pourriez frapper…, lui reprocha Sylvie.

— J'ai bien essayé, madame, expliqua le policier en se tortillant, mais au dernier moment je ne m'en suis pas senti le courage. Vous savez, je ne voudrais pas donner l'impression de dire du bien à mon sujet, mais je suis follement timide. À un point qui m'étonne moi-même. Pourtant, j'ai vécu. Plus rien ne devrait m'étonner de ce qui me concerne.

— Vous êtes gonflé, estimait Sylvie.

— Je suis de la police. Je fais mon métier.

— Qu'est-ce que vous voulez ?

— Ce que je veux, madame, c'est que vous m'appeliez *inspecteur* et que vous y mettiez un peu de sympathie. Ma situation n'est pas enviable. Je veux qu'on soit humain avec moi. »

Sylvie n'eut pas l'air de le prendre pour un fou. Elle coupa le son de la télévision, repoussa deux ou trois magazines au bout du canapé où elle invita le visiteur à se laisser choir, ce qu'il fit avec des manières minaudantes de modiste, un caquetage posé de communiante au milieu de son jour le plus solennel.

« Madame, je vous remercie de ne pas me contrarier. Quand on me contrarie, je saigne facilement du nez. C'est gênant. »

Elle s'assit sur le bord du fauteuil qui se trouvait face au canapé, dans le retour de l'angle où était la télévision.

« Écoutez, madame, j'enquête sur l'assassinat de Jeff Rousselet.

– On commence à le savoir dans le quartier.

– *Inspecteur*...

– Comme vous voudrez, inspecteur.

– J'ai ici, sur moi, dans ce sac qui ne paie pas de mine, mais auquel je tiens comme à une vraie sacoche de cuir, car c'est un souvenir de ma supérette préférée, genre commerce de proximité, voyez-vous, avec mes pauvres vieilles guibolles qui contiennent maintenant plus de bière que de fémur, la bière étant moins rigide que l'os des jambes, et les mètres à marcher faisant toujours leur poids de mètres...

– Inspecteur, si vous en veniez à la raison de votre visite.

– Je vous disais que j'ai ici, sur moi, des témoignages de vos compatriotes, lesquels affirment que vous entreteniez des liens, certes professionnels, mais assez réguliers pour mériter le qualificatif de privilégiés, voire de familiers, avec la victime, Jeff Rousselet...

– Ça n'a jamais été des *liens*, inspecteur. Et jamais *réguliers*. Et encore moins *familiers*. Il se trouve que Rousselet fréquentait certaines maisons de Larcheville ou de Bouillon...

– Mon Dieu, des maisons avec des femmes, je parie ?

– Peut-être.

– Comment, peut-être ?

– Je le conduisais plutôt aux archives. Ou dans les bibliothèques. À la rédaction des journaux locaux. Chez des particuliers.

– Chez des femmes particulières ?

– Je n'en sais rien, inspecteur. Je ne suis pas certaine que Jeff Rousselet s'intéressait beaucoup aux femmes. Peut-être un peu, en passant, quand il avait bu. Je suis allé le rechercher cinq ou six fois chez la Mère Dodue. Cinq ou six fois en deux ans, c'est quand même pas un péché qui mérite les enfers.

– La Mère Dodue ?

– À Larcheville. On y boit et on y rencontre des personnes pour se détendre. Voilà.

– C'est très magnifique, madame. Très magnifique.

– Toutes les courses sont inscrites dans mon registre, inspecteur. Il serait peut-être plus simple que je vous le prête. Vous l'examinerez. Les heures sont notées, les dates, la durée de la course, l'argent encaissé. Tout y est. »

Kulbertus leva les bras au ciel. Il n'était pas question pour lui de vérifier quoi que ce soit. Encore moins la comptabilité d'une entreprise qu'il voulait considérer au-dessus de tout soupçon. Il déclara qu'il préférait le témoignage humain, le bavardage amical, l'échange de vues. Il se refusait de pratiquer une police d'inquisition.

« Écoutez, madame, moi je crois tout ce qu'on me dit. Je fais confiance à la créature. Il me semble qu'on a même le droit de me mentir. C'est normal de mentir à la police. Tout le monde a ses petits secrets. Je connais l'humanité, vous savez. J'arrive à treize jours de la retraite, vous pensez bien que je n'ai pas le temps d'être regardant. Alors j'écoute, j'entends. Et c'est tout. Confidence pour confidence, je vois la mort de Jeff Rousselet comme la mort d'une crapule. J'espère qu'on ne découvrira jamais le coupable. Mais quoi, il faut bien que je justifie mes émoluments. Non ? »

Sylvie le fixait d'un œil horrifié. Kulbertus était plein d'affectation et de simagrées. Sa voix prenait des intonations de buveuse de thé. Il agitait ses grosses paluches, avec des étroitesses de mouvements qui le rendaient ridicule.

« Alors, madame, je vous écoute. Vous plairait-il de remonter le temps avec moi ? Par exemple, la dernière fois que vous avez conduit Jeff Rousselet quelque part, c'était quand et c'était où ?

— Aux archives de Larcheville. Il y a trois semaines.

— C'était la première fois que vous le conduisiez aux archives de Larcheville ?

— Non.

— C'est passionnant. Tenez, je ne vous demande même pas combien de fois vous l'avez conduit aux archives de Larcheville. Je ne veux même pas le savoir. J'écrirai sur mon rapport que vous l'avez conduit *plusieurs fois* aux archives de Larcheville. *Plusieurs fois*, c'est précis sans être indiscret. Vous trouvez ça bien aussi ?

— J'ai dû l'emmener quatre ou cinq fois…

— Mais il ne fallait pas me le dire ! Qu'est-ce qui vous a pris ? On oublie. Je n'ai rien entendu. Je note : *Plusieurs fois*. C'est assez. »

La télévision diffusait les images d'une course cycliste. De temps en temps, le regard du policier s'arrêtait sur l'écran et Sylvie avait l'impression de ne plus exister.

« La dernière fois, madame, il était comment, votre Jeff Rousselet ?

— Ce n'était pas *mon* Jeff Rousselet, inspecteur.

— C'était pas le mien non plus. Si c'était pas le vôtre, si c'était pas le mien, il était à qui ce Jeff Rousselet ?

Bref, bref, bref, je m'égare. Comment était-il ? De bonne humeur ? Pas de bonne humeur ?

– Comme d'habitude.

– De bonne humeur, alors ?

– Il aimait bien aller aux archives de Larcheville.

– Oui. J'imagine que c'est très bien. Il vous parlait ?

– Pas beaucoup.

– Je suis sûr qu'il rigolait dans sa barbe. C'était le genre à ça. Tous les types qui finissent comme lui ont à un moment ou à un autre eu la tentation de rigoler dans leur barbe. C'est un signe qui ne trompe pas. Et ça ne plaît pas à tout le monde. »

Elle avait le sentiment qu'il se moquait d'elle, qu'il voulait l'amener à se fâcher, à se mettre en colère. Peut-être espérait-il ainsi tirer d'elle des informations qu'il devinait ne pas pouvoir obtenir autrement. Mais elle avait des ressources de patience et d'immenses réserves d'opiniâtreté.

« Je n'en sais pas plus, dit-elle.

– Je vous crois. Mais il y a sans doute une chose que vous pouvez encore me dire. Une.

– Comme vous voulez.

– Jeff Rousselet, ce dimanche après-midi, il est monté au point de vue de la Fourche noire par ses propres moyens, n'est-ce pas ?

– Non. C'est moi qui l'ai monté là-haut.

– Ah.

– Presque tous les dimanches, il allait se promener de ce côté-là. Je le montais en taxi, il redescendait à pied.

– Oui, oui. Et alors, il rigolait dans sa barbe.

– Je n'ai pas remarqué.

– Je vous le dis, moi. »

Puis il s'absorba dans la contemplation de la télévision. Sylvie Monsoir le regardait regarder la course.

Il était impavide. Au bout de dix minutes, elle frappa les accoudoirs du fauteuil et dit :

« Écoutez, j'ai à faire, inspecteur. Si vous ne voyez plus de questions à me poser…

– La télévision est bien meilleure quand le son est coupé, murmura Kulbertus, comme pour lui-même. C'est plus reposant. Et ça ne change rien aux couleurs. J'ai même l'impression de voir plus net. »

Il ne se décidait pas à se lever. Il demeurait calé dans le creux du canapé, les mains sur les cuisses, le dos droit, la tête légèrement penchée sur l'épaule gauche. Sylvie hésitait sur l'attitude à prendre. Elle fit celle qui vaquait à des occupations domestiques, ouvrit le buffet, remua de la vaisselle, plia un torchon sur le bout de la table. Pour la première fois depuis qu'elle habitait Reugny, elle ne se sentait pas en sécurité.

Une heure plus tard, les coureurs franchirent la ligne d'arrivée, sans produire chez le policier la moindre émotion, le moindre clignement de paupières. Mais elle entendit, comme se dissolvant dans l'air de la pièce, la voix plaintive de Kulbertus :

« Vous auriez au moins pu m'offrir quelque chose à boire, madame… »

Paris. Bureau de Charles Raviotini.

Charles Raviotini avait recopié mot à mot le message que Nicolas avait laissé sur le répondeur. Il soulignait les noms propres, entourait des mots, portait des points d'interrogation dans la marge. Il ne voyait pas encore quelle tournure cette affaire pouvait prendre, mais il rêvait à son film avec une précision que les mots n'étaient pas encore en mesure de formuler. Il savait qu'Armand Grétry vivait encore. Qu'il finissait sa vie dans une maison de retraite, à Saint-Jean d'Angély, en Charente. L'information lui avait été fournie par un de ses oncles qui travaillait dans l'administration fiscale. Le comédien vivait toujours avec la femme épousée en 1960, peu après la mort de Rosa Gulingen.

Charles avait presque envie d'entreprendre le voyage. Mais c'était un homme qui ne cédait jamais à l'impatience. Il préférait laisser courir les choses naturellement, selon la procédure établie avec Nicolas.

Comme il avait du temps devant lui, il se planta devant le tableau qui couvrait un mur de son bureau et commença à recopier le nom des différents protagonistes qu'il espérait voir apparaître dans le documentaire, ainsi que leur âge au moment de la mort de Rosa et leur âge aujourd'hui, tels que Nicolas les avait établis dans son message :

Rosa Gulingen (comédienne ; Française, origine allemande), 41 ans (images d'archives)

Armand Grétry (comédien ; Français), 38 ans, 78 ans (images d'archives + entretien)

Albrecht Lauwerijk (cultivateur, Belge, originaire de Flandre), 20 ans, 60 ans – un fils de 32 ans, nommé Jack, une fille plus âgée, installée au Canada depuis sept ans – (images d'archives + entretien)

Marieke Lauwerijk (cultivatrice, idem que le précédent), 20 ans, 60 ans (images d'archives + entretien)

Thérèse Londroit (hôtelière, Belge), 11 ans, 51 ans – une fille unique, Anne-Sophie, âgée de 23 ans – (images d'archives + entretien)

Léontine Londroit (propriétaire de l'hôtel du Grand Cerf, idem), 46 ans, 86 ans (entretien)

Richard Lépine (directeur du Centre de Motivation, origine française), 17 ans, 57 ans (images d'archives + entretien)

Dans une deuxième colonne, il organisa les noms (Walmourt, Frelin, Maillard, Louesse, Tinclet, Charbane, Caminage, Reudon) pour lesquels il n'avait pas encore de renseignements. Dans cette deuxième colonne, il souligna sœur Marie-Céleste, au sujet de qui Nicolas lui demandait de s'informer. Puis il relia certains noms entre eux par des courbes ou des flèches, les unes convergeant vers Rosa Gulingen, les autres dirigées vers Armand.

Pour conclure son message, Nicolas avait soupiré :
« Finalement, tu as peut-être raison, Charles. »

Ce qui pouvait passer comme une confirmation, certes sans enthousiasme, de ce que lui-même pensait. À gauche du tableau, il traça donc cette phrase, autour de laquelle il rêvait depuis plusieurs mois :
« Rosa Gulingen a été assassinée. »

Puis il rejoignit son fauteuil et, en plissant les yeux, relut tout ce qu'il venait d'écrire sur le tableau. Il avait le sentiment que le film prenait forme.

Reugny. Hôtel du Grand Cerf.
Fin d'après-midi.

Thérèse avait garé la voiture dans la remise, derrière l'hôtel. Elle avait évité de traverser la place de Reugny et avait abordé le village par la route qui venait de France. Anne-Sophie était étendue entre les sièges, à même le plancher de l'automobile, dans une position dont un matelas de mousse légère ne devait pas beaucoup modifier l'inconfort. Elle l'avait dissimulée sous plusieurs couvertures, puis avait entassé sur toute la banquette arrière une demi-douzaine de gros paquets de papier toilette.

Elle se demandait comment elle avait pu vivre aussi longtemps auprès de sa fille sans se rendre compte que cette dernière entretenait des relations avec un jeune homme qu'elle faisait dormir régulièrement à l'hôtel. Jérôme avait, en effet, séjourné au moins quatre fois en un an à l'hôtel du Grand Cerf. À chaque fois une semaine. La journée, équipé d'un sac à dos et d'un marteau de géologue, il disparaissait dans la campagne. Sans doute qu'Anne-Sophie le rejoignait. Comme elle devait le rejoindre dans sa chambre chaque nuit. Thérèse essaya de se souvenir des comportements de sa fille pendant ces semaines, mais il ne lui revenait à la mémoire que des souvenirs d'une poignante banalité. Elle ne pouvait pas imaginer une chose pareille.

« C'est pas grave », se répétait-elle.

Et elle essayait de penser à autre chose. Mais l'idée s'imposait bientôt de nouveau. Elle avait l'impression d'en rougir. Ce qu'elle éprouvait, c'était une sorte de gêne. En fait, elle ne parvenait pas à se déterminer entre des émotions contradictoires, qui allaient du soulagement d'avoir retrouvé Anne-Sophie à une espèce de souffrance qui la déchirait d'avoir appris que sa fille lui mentait, la trahissait d'une certaine façon, en tout cas la tenait éloignée de ses préoccupations. Elle ne comprenait pas.

Sans repousser les paquets de papier toilette, elle fit glisser Anne-Sophie au-dehors de la voiture et l'étendit sur le sol pavé. Elle replia les couvertures, le matelas en mousse et les rangea sur les étagères, à leur place. Puis elle souleva la jeune fille et la transporta à travers la buanderie, vers une petite pièce qui avait servi de cellier autrefois, avant la construction de l'hôtel, à l'époque où le Grand Cerf n'était encore qu'un baraquement sans étage. On y accédait en descendant une marche. C'était encombré et poussiéreux et le jour n'y entrait que par une lucarne minuscule dont le carreau avait été peint. Avant de partir pour Dinant, elle avait apporté là un seau hygiénique, une lampe de poche, des vêtements chauds et de la nourriture.

Anne-Sophie marchait à peine. Ses jambes se dérobaient sous elle. Elle semblait incapable de prononcer une parole. Thérèse lui enfila un anorak, un pantalon de ski, lui serra la tête dans un bonnet, puis l'allongea sur un vieux matelas posé sur un sommier métallique. Elle éteignit la lampe de poche qu'elle avait prise dans la boîte à gants de la voiture, alluma l'autre lampe de poche qu'elle posa sur une caisse en bois. Elle s'accroupit au bord du lit et dit, à voix presque basse et en articulant :

« Anne-Sophie. Tout va bien. Tu es en sécurité. Je veille sur toi. Tu n'as rien à craindre. Ici, tu ne cours aucun danger. Je viendrai te voir aussi souvent que possible. Mais surtout ne crie pas, ne dis pas un mot. Si tu as envie de me faire savoir quelque chose, attends que je vienne te voir. Je t'expliquerai ce qui se passe dehors. »

Puis elle lui fit boire le contenu de deux gélules de somnifère dilué dans de l'eau.

En sortant, elle poussa devant la porte un séchoir métallique sur lequel elle avait jeté quelques nappes qui n'avaient plus d'utilité et dans lesquelles on découpait les chiffons pour le nettoyage des carreaux. Il y avait peu de risques que quelqu'un vienne jusqu'ici. Toutefois, elle ferma à clef la porte de communication entre la

buanderie et la remise, et glissa la clef sous la resserre
à pommes de terre.

Hambourg, Allemagne. Station-service.
Fin d'après-midi.

Freddy Monsoir s'était battu avec un chauffeur portugais qui prétendait être arrivé avant lui à la dernière
cabine de douche disponible. Il en était encore tout
énervé. Des chauffeurs roumains, nus comme des vers,
dégoulinant d'eau et de savon, avaient dû les séparer.
Finalement, ils avaient donné raison à Freddy, parce
qu'il était le plus furieux et qu'il en imposait avec ses
tatouages et sa méchante gueule. De toute façon, il
n'aimait pas les Portugais. Il confia farouchement aux
Roumains qu'il avait toujours eu envie d'en tuer un. Les
Roumains lui avaient donné raison. Il en avait déduit
que les Roumains sont plus civilisés que les Portugais.
Et il les avait invités à boire une bière. Les Roumains
n'avaient pas osé refuser. Entre gens civilisés, on ne
rechigne pas sur les politesses.
Ce qu'il apprenait maintenant au téléphone rallumait
sa colère, pas seulement contre les Portugais :
« Aux dernières nouvelles, un homme a passé une
partie de l'après-midi en compagnie de Sylvie. Chez
toi. Dans la maison. Ce qu'ils ont fait, personne qu'eux
deux ne pourrait le dire.
– Qui c'est ? » grogna Freddy.
Il se bouchait l'autre oreille, dans l'espoir de s'isoler
un peu du vacarme de l'autoroute qui passait à moins
de vingt mètres du parking.
« Je ne sais pas.
– Qui c'est ? cria Freddy.

– Tout ce que je sais, c'est que c'est un homme.

– Je veux savoir ! Je veux savoir ! »

Mais le correspondant avait raccroché. Freddy pensait au Portugais. Un type avec une tête de singe et des yeux gros comme des poings. Il jeta le portable dans la cabine, par la vitre baissée. Puis il alluma un cigare et fit quelques pas autour du camion.

« Salope ! » hurla-t-il.

Mais son cri se mêlait au bruit de vent qui montait de la circulation et qui s'élargissait comme un flot de chaque côté de l'autoroute.

Reugny. Hôtel du Grand Cerf.
Salle à manger. Soir.

Vertigo Kulbertus et Nicolas Tèque, qui étaient depuis la veille les clients les plus réguliers de l'hôtel du Grand Cerf, avaient chacun leur table à un bout de la salle à manger. Ils s'étaient croisés plusieurs fois, au cours de leurs pérégrinations dans les rues du village. Et se saluaient désormais comme de vieilles connaissances. Ils se souhaitaient « Bon appétit ! », sans pour autant faire encore table commune.

« Quand nous en aurons fini avec nos assiettes, cria Kulbertus, les mains en porte-voix, à l'adresse de Nicolas Tèque, je vous propose de nous retrouver à côté, dans le musée. Je suis sûr que nous avons des choses à nous dire. »

Nicolas eut un sourire.

« Si vous êtes d'accord, poursuivit Kulbertus, soulevez votre pinte de bière et videz-la d'une seule traite. Je comprendrai le signal. »

Il leva lui-même sa chope, comme pour montrer l'exemple. Et hurla à s'en faire exploser les veines du front :

« Il n'y a rien de tel que le langage des signes pour communiquer en toute discrétion ! »

Nicolas vida sa bière d'une seule aspiration. Il aimait encore assez bien boire, de temps en temps. Même trop, s'il le fallait. Il y a des moments où l'excès met un peu de grandeur dans les petitesses de l'existence.

« Je vous ai compris ! » cria encore Kulbertus en changeant sa voix.

Tout en ayant l'air fort absorbé par cet échange de vues qui passait au-dessus de la tête des dîneurs, il glissait des regards en biais vers la porte de la cuisine où il avait remarqué le retour de Thérèse. Il n'était pas d'une nature mesquine et s'en flattait. Il fut donc tout de suite intimement convaincu qu'une professionnelle de l'hôtellerie, comme l'était Thérèse Londroit, ne mettait normalement, à faire les commissions, jamais moins d'une demi-douzaine d'heures. Il décida de ne pas lui en parler. C'était une femme respectable. D'une grande classe. Et dont la fille bien-aimée venait de disparaître dans des circonstances mystérieuses.

Aussi, lorsque Thérèse vint auprès de lui s'enquérir de ce qu'il avait ou non apprécié les brochettes de viande hachée, il voulut se montrer aimable et dit, sur le ton de la flatterie :

« Comme vous avez bonne mine, ce soir, madame Londroit ! »

Puis il disserta longuement sur la qualité des brochettes de viande hachée. Thérèse l'écoutait avec un sourire niais, navrée de ce qu'il lui eût trouvé bonne mine. Peut-être avait-il lancé cela sans malice. Mais elle le sentait bourré d'astuces et de stratagèmes.

« Savez-vous pourquoi, chère madame, j'aime les brochettes ?

– Vraiment, je ne sais pas, inspecteur.

– Parce qu'elles offrent une bonne prise en main. Voilà pourquoi j'aime les brochettes. On les a bien en main. On les tient. Quand une viande grillée est trop chaude, car la viande grillée est souvent trop chaude, c'est un fait avéré, eh bien, je la saisis par le manche de la brochette sur laquelle elle est disposée et je la plonge dans mon verre de bière afin de l'amener à la température idéale pour une consommation sans risques. Il n'y a que la brochette qui offre cette commodité. Le soir, après une rude journée d'enquête, le policier est fatigué, il a perdu quelques-uns de ses moyens et beaucoup de sa vigilance thermique. Le soir, le danger est donc grand de se brûler la langue. La langue, je ne vous apprends rien, étant l'instrument primordial de l'interrogatoire et de la recherche de la vérité, c'est par un accroissement de sa conscience professionnelle que le policier que je suis met tout en œuvre afin d'épargner à sa muqueuse linguale les brûlures qui pourraient nuire à l'investigation. Aussi ai-je plus d'une fois proclamé que la brochette est, avant tout, un auxiliaire de police. Merci, madame Londroit, pour votre belle coopération. »

Elle se demandait quel jeu il jouait avec elle et de quelle manière il fallait comprendre son boniment. Dans le flot de la loufoquerie, elle croyait percevoir des allusions, des sous-entendus, des avertissements, des menaces. Elle pouvait se tromper. Peut-être était-il vraiment démentiel, qu'il ne prenait son plaisir que dans le spectacle qu'il donnait. En tout cas, il était mû par une infatigable énergie verbale. Dès l'aube, elle l'avait entendu brailler dans sa chambre, pousser des cris forcenés, comme s'il déclamait des tirades classiques.

Elle s'excusa, en s'inclinant, de ce qu'elle se devait aussi au reste de la clientèle et alla visiter les autres tables, une par une, en se retenant de tourner la tête vers Kulbertus dont elle sentait qu'il suivait chacun de ses mouvements.

Reugny. Hôtel du Grand Cerf.
Musée. Soir.

« Je sais, cher monsieur Nicolas Tèque, commença Kulbertus, je sais les raisons de votre présence dans ces lieux. Dieu, vous avez de la chance. Enquêter sur une affaire vieille de quarante ans et qui concerne des comédiens célèbres, c'est un rêve. Alors qu'à moi, qui n'ai jamais eu de chance dans ma carrière, on n'accorde que le corps décapité d'un douanier mesquin et mal-intentionné.

– Pas seulement, inspecteur. Il y a aussi le jeune Brice Meyer.

– L'idiot, ah oui ! Mais qui le regrette, monsieur Tèque ? Personne ne le regrette. Comme personne ne regrette Jeff Rousselet. C'est laborieux d'enquêter sur des morts que personne ne regrette. Ça ne stimule pas le policier. Non.

– Il y a la vérité, murmura Nicolas en soufflant sur la mousse de sa bière.

– Bien sûr, il y a la vérité. Mais la vérité ce n'est jamais qu'une façon d'organiser le mensonge. La vérité n'est presque jamais vraie. C'est un pis-aller. Le criminel a ses raisons. La voilà la vérité. Le reste, c'est quoi ? Une sorte de volonté de vengeance, un règlement de comptes.

– Vous ne dites pas ça sérieusement.

– Non. Mais par moments, je me pose des questions. »

Ils avaient l'un et l'autre décidé de boire un peu plus que leur contenance respective. De la bière, exclusivement. Avec mousse pour Nicolas Tèque, sans mousse en ce qui concernait Vertigo Kulbertus.

« Savez-vous, monsieur Tèque, que Rosa Gulingen fut mon premier amour ? J'avais quinze ans quand je l'ai rencontrée dans ce film merveilleux *Le Carré sans bord*. Quelle œuvre ! À la quarante-septième minute, dans un clair-obscur qui montait de l'étoile qu'elle était, on aperçoit, derrière des rideaux gonflés comme de la pâte à pain, on aperçoit son corps nu ou, peut-être, le reflet de son corps nu. C'est un film qu'elle a tourné à Paris, peu après son retour d'Amérique. Vous le connaissez ?

– J'avoue que je n'ai pas encore eu le temps de visionner tous ses films.

– Si vous avez l'occasion, n'oubliez pas : *Le Carré sans bord*. Cette image de Rosa révélée dans sa nudité m'a poursuivi pendant des années. On peut considérer que j'ai eu une liaison avec elle. Principalement sexuelle, bien sûr. Vous savez ce que c'est quand on a quinze ans. On a beau être fou de la plus grande actrice du monde, on ne lui porte jamais que les sentiments que la main peut contenir. Tout ça pour vous dire que mon amour tout actif qu'il était ne fut jamais partagé par ma préférée. Mais encore aujourd'hui, je songe à elle avec nostalgie. Évidemment, la tendresse a succédé à la frénésie charnelle. Quand lundi, j'ai mis les pieds dans cet établissement et que j'ai découvert que c'était le lieu d'un culte à la mémoire de Rosa, j'ai senti monter en moi de bien doux souvenirs. »

Un instant, il s'abîma dans ce passé lointain, qu'il recouvrit d'une gorgée de bière.

« Qu'est-ce que vous lui voulez, exactement, à Rosa ? demanda-t-il brusquement.

– Moi je ne lui veux rien, inspecteur. Je ne fais que gagner ma vie. Comme vous, je suppose. Il y a un producteur à Paris qui prétend que Rosa a été assassinée par Armand Grétry.

– Vous le pensez aussi ?

– Je pense que ce n'est pas impossible. J'aurai peut-être besoin de vos services, inspecteur.

– Moi je m'occupe de Jeff Rousselet, monsieur Tèque.

– Je me demandais si vous ne pourriez pas me fournir les rapports d'enquête concernant la mort de Rosa, le détail des interrogatoires d'Armand et de Léontine Londroit. »

Vertigo inspira en soulevant ses épaules.

« Monsieur Tèque, je suis rentré dans la police à vingt-quatre ans. Quelques années auparavant, j'avais suivi l'affaire dans les journaux. Vous comprenez, la mort de Rosa me consternait. Dire que je souffrais serait sans doute excessif, mais j'avais mal, j'étais déçu. Je n'avais pratiquement aucune chance de faire l'amour avec Rosa de son vivant, vous pensez bien, mais alors une fois morte je n'en avais plus aucune, c'était la fin d'un rêve. Dès que j'ai pu, je me suis procuré le dossier. Je ne devrais pas vous confier cela, car vous allez me croire morbide comme un curé d'Uruffe, mais j'ai conservé chez moi certaines pièces, par exemple les photographies de Rosa dans la baignoire. Son visage est détendu, elle n'a pas ce regard exorbité qu'ont les morts. Non, à la voir, on croirait qu'elle pose pour l'objectif. »

Le garçon apporta deux nouveaux bocks de bière.

« J'ai peut-être quelque chose qui peut vous plaire, inspecteur. Excusez-moi deux minutes.

– Je vous en prie, cher ami », modula avec cérémonie l'inspecteur en le regardant disparaître dans le couloir.

Reugny. Hôtel du Grand Cerf.
Premier étage. Soir.

À peine Nicolas, qui remontait dans sa chambre, posa-t-il le pied sur le palier du premier étage que son attention fut attirée par une voix fâchée qui venait de la chambre de Léontine. Il reconnut Thérèse Londroit et s'approcha de la porte.

« Quelqu'un est entré dans cette chambre, maman ! Je te dis que quelqu'un est entré dans cette chambre ! Je veux savoir qui ! Et je ne sortirai pas tant que tu ne m'auras pas dit qui est entré dans cette chambre !

– Personne ! jura Léontine.

– Ne mens pas ! Je le sais. Je le sais, maman.

– Écoute, Thérèse, si quelqu'un est entré pendant que je dormais je n'ai pas pu m'en apercevoir.

– Maman ! »

Thérèse avait élevé le ton. Nicolas l'imaginait au pied du lit, les bras croisés, la mine sévère, bien calée dans l'axe de vision de la vieille femme.

« Je n'ai vu personne. Essaie de me prouver le contraire.

– Quand je suis partie cet après-midi, soupira Thérèse, j'ai coincé entre tes doigts un grain de chapelet. C'était le Pater. Et ce soir, à la place du Pater je retrouve le grain du septième Ave. »

Sur le moment, Léontine ne trouva rien de plausible à répondre à cette accusation parfaitement circonstanciée.

« Alors ? la pressa Thérèse.

– Quand on croit en Dieu, ma fille, on croit au miracle.

– Ce qui signifie ?

– Ce qui signifie que le grain aura glissé, Thérèse. Ou alors tu fais erreur. Tu as cru me mettre le Pater et tu m'as mis le septième Ave. Souviens-toi, tu n'étais pas dans ton assiette. Je l'ai remarqué. Tu as sorti la voiture du garage à deux heures et demie. Tu es revenue à près de neuf heures du soir. Tu m'as dit que tu allais faire des commissions. Je n'ai jamais vu qu'en quarante ans on n'ait fait une seule fois les commissions le mardi après-midi.

– Avec le crime, maman, il y a du monde à l'hôtel. C'est un cas de force majeure.

– Je te crois sur parole, Thérèse. Mais six heures pleines pour faire des commissions, avoue que tu as pris ton temps. On en fait des choses en six heures, pas vrai ? Je ne te demande pas lesquelles. Je ne te pose pas de questions. Ne me pose pas de questions non plus.

– J'ai compris.

– Thérèse, tu sais toi-même qu'on ne peut pas tout dire.

– J'ai compris, je te dis. »

Elle savait qu'elle n'en tirerait rien. C'était une vieille femme entêtée. Trop bavarde. Et qui de son lit ou de son fauteuil roulant trouvait encore le moyen de régner sur l'hôtel du Grand Cerf.

« Je ne voudrais pas que tu nous attires des ennuis, maman.

– Ce serait bien la première fois. Je ne suis pas comme toi, Thérèse, moi je sais ce que je fais. J'ai toujours su.

– Le policier est venu t'interroger ?

– Non.

– C'est le Parisien, alors.

– Qu'est-ce que tu vas imaginer ?

– C'est seulement que je suis inquiète, maman.

– Personne, Thérèse. Je te le jure. Je te le jure sur la tête de Dieu. Est-ce que je jurerais d'aussi bon cœur si je te mentais, Thérèse ? »

Thérèse rétorqua par un marmonnement d'incrédulité. Puis elle changea de conversation. Nicolas glissa vers sa chambre, en essayant de ne pas faire grincer le plancher.

Reugny. Hôtel du Grand Cerf.
Musée. Soir.

Kulbertus en oubliait de sécher sa bière. Ce qu'il voyait sur l'écran l'avait pétrifié. C'était extraordinaire. Bouleversant. Nicolas Tèque commentait brièvement les images qui défilaient. La cassette tournait avec un grincement de matière plastique frottant contre de la matière plastique.

« C'est incroyable, s'extasiait l'inspecteur. Je la retrouve. C'est elle. Magnifique. La plus belle femme qu'on puisse imaginer. Moi je me serais coupé un bras pour passer une heure avec elle, seulement pour la regarder.

– Ici, inspecteur, c'est un bout d'essai qui a été tourné dans la salle où nous avons dîné. À peine une heure avant sa mort. »

Après le clap, l'image partait de la fenêtre, déroulait une partie de la salle, s'arrêtait un à un sur des tableaux suspendus aux murs et qui, à cause de la distance et de la pénombre, n'apparaissaient pas dans leurs détails. Nicolas reconnaissait quelques peintures qu'il avait eues sous les yeux en mangeant. La caméra passait devant un miroir dans le reflet duquel il y avait un paysage avec des moulins. Le miroir et le tableau – une reproduction habile d'une œuvre de Brueghel le Jeune – étaient toujours en place quarante ans plus tard. Puis la cheminée occupait la plus grande partie de l'écran, avec ses blasons et ses chandeliers. Le champ s'élargissait, comme si la caméra avait reculé vers l'accueil et le hall d'entrée de l'hôtel, et Rosa Gulingen apparaissait, calme, hautaine, le regard fixant le spectateur dans les yeux. Puis le noir reprenait la salle, la cheminée et l'actrice.

« Je veux une copie de cette cassette, couina l'inspecteur, au bord des larmes. Maintenant que je l'ai vue, j'y penserai sans cesse, je n'en dormirai plus. Il me faut une cassette. Dans treize jours, je suis à la retraite, monsieur Tèque, les journées me paraîtront moins longues si je les occupe en compagnie de mon premier amour. Vous êtes un envoyé du ciel. Ma vie se boucle. Promettez-moi de me faire une copie.

– Vous pouvez prendre celle-là.

– Je n'oserais jamais vous priver.

– Je connais cette cassette par cœur, inspecteur. Je l'ai étudiée plan par plan. Je n'en ai plus besoin. Prenez-la.

– Ne me tentez pas, monsieur Tèque. Ne me tentez pas. Je ne suis qu'un fonctionnaire de police sensible à l'extrême aux petits cadeaux. Mais à si peu de jours d'une retraite aussi peu méritée que possible, je ne voudrais pas aggraver mon cas en donnant l'impression de céder à une sorte de corruption. Cette cassette, je la veux. J'en ai un appétit furieux. Mais je suis homme à maîtriser mes cupidités sentimentales. J'attendrai donc encore treize jours, monsieur Tèque.

– De toute façon, inspecteur, je la range ici, dans le placard du musée, avec les cassettes des films de

Rosa. Si les treize jours vous paraissent un peu longs, vous pourrez vous installer devant le téléviseur et vous passer ces images.

– Vous n'avez pas peur qu'un indélicat organise son enlèvement ?

– Il ne vient pas grand monde dans ce musée. Des amoureux, quelquefois. Mais c'est pour faire au calme ce qu'ils ont à faire. Les amoureux ne s'intéressent qu'à eux-mêmes. Je ne suis même pas certain qu'ils savent qui était Rosa Gulingen.

– Ils ont tort. »

Nicolas rangea la cassette parmi d'autres dans la vitrine et referma la porte. Il constata que Vertigo Kulbertus n'avait toujours pas soif et que son bock de bière à moitié plein s'éventait doucement par bulles minuscules, dans la tiédeur du soir.

Dinant. Rue Sax. Soir.

Jérôme avait hésité à répondre aux coups qu'on frappait à la porte. Mais comme le visiteur insistait, il avait tourné la clef dans la serrure et repoussé le verrou. L'homme souriait.

« Jérôme Doussot, je suppose.

– Oui, souffla Jérôme en dévisageant le visiteur.

– Pardonnez-moi de vous déranger. Je suis envoyé par l'inspecteur de police qui enquête sur la disparition d'une jeune fille, à Reugny. »

Il exhiba son portefeuille ouvert. Une carte attestait qu'il était bien de la police. Jérôme s'effaça contre le mur et le fit entrer.

« Je peux vous poser quelques questions ?

– À quel sujet ? s'inquiéta Jérôme.

– Au sujet de la jeune fille disparue.

– Pas au courant.

– Ne dites pas ça, Jérôme. Pas au courant, ce n'est pas une réponse digne d'un garçon comme vous.

– Je ne suis pas au courant. »

Le visiteur avait précédé Jérôme dans la pièce où un petit téléviseur posé à même le sol était allumé.

« Vous êtes forcément au courant, Jérôme.

– Non.

– La jeune fille s'appelle Anne-Sophie Londroit. Des témoins vous ont vu, aujourd'hui même, à Dinant, dans cette rue, devant cette maison. Vous aidiez sa mère, Mme Thérèse Londroit, à la transporter dans une voiture. Tout cela est inscrit noir sur blanc dans les rapports que je viens de consulter. Noir sur blanc. »

Jérôme sentait que l'homme mentait. Son visage lui rappelait quelqu'un. Il essaya de chercher dans ses souvenirs.

« Ce que nous voulons savoir, Jérôme, c'est pour quelle raison cette jeune fille a disparu. Elle a bien dû vous raconter quelque chose.

– Je ne sais pas.

– Jérôme, ce n'est pas bien. Cette jeune fille a séjourné ici. Chez vous.

– Non.

– Vous vous méfiez de moi ?

– Non.

– Vous vous dites, il n'a qu'à interroger Mme Londroit et sa fille, qui sont à Reugny.

– Je ne me dis rien.

– Pourquoi ne téléphonez-vous pas à Mme Londroit. Pour vérifier. Voulez-vous que je compose le numéro pour vous ? »

L'homme ne savait pas tout. Il avait reconstitué les événements de ces trois jours, en avait établi une chronologie, en avait tiré des probabilités. Jérôme en était sûr. Comme il était sûr aussi maintenant que ce n'était pas un policier. Il connaissait les policiers.

« Tout ce que je veux savoir, c'est ce que cette jeune fille vous a dit.

— Je ne l'ai pas vue.

— Elle est arrivée la nuit dernière. Elle est repartie vers la fin de l'après-midi. »

S'il n'avait pas bluffé, il aurait précisé les heures, il aurait donné des détails, la manière dont la voiture de Thérèse Londroit s'était garée, le petit incident qui s'était produit lorsque Anne-Sophie qui marchait, soutenue par eux deux, s'était brutalement affaissée, effrayant un gros chat tigré blotti contre le mur. Le chat avait bondi, toutes griffes dehors, et s'était planté dans la cuisse de la jeune fille, qui n'avait pas réagi.

« Oui, oui, dit Jérôme.

— Je vois que vous devenez raisonnable. Dites-moi alors...

— D'abord, il y a le chat...

— C'est vrai, Jérôme, il y a le chat. J'oublie toujours le chat.

— Quand vous m'aurez parlé du chat, je vous parlerai de tout ce que vous voudrez.

— Est-ce bien le moment de parler du chat ?

— C'est le moment ou jamais. Parlez-moi de ce chat noir.

— Vous aimez les chats noirs, Jérôme ?

— Ce sont mes préférés.

— Moi aussi. »

Il hocha la tête, toujours souriant.

« Est-ce que vous ne seriez pas en train de jouer au plus malin avec moi, Jérôme ? Soyez simple. Dites-moi ce que vous savez et tout se passera agréablement pour vous comme pour moi.

– Je veux être interrogé au poste de police. »

Il s'était levé d'un bond, avait reculé de plusieurs pas vers la chambre. Le visiteur marqua à peine sa surprise.

« Vous n'êtes pas raisonnable, Jérôme. Asseyez-vous. Je vais vous parler du chat. Un de nos témoins évoque le chat, effectivement. J'ai dû lire trop vite. Mais je me souviens bien du chat. Ah oui, il y avait une histoire de chat. »

Il s'était détendu comme un ressort et avait saisi Jérôme à la gorge. Le garçon voulut se débattre, mais l'homme le maintenait comme dans un étau.

« Dis-moi ce que Mlle Londroit t'a raconté. C'est une jeune fille qui a vu des choses qu'elle n'aurait pas dû voir. »

La pince des doigts, terrible, se referma plus fermement sur la gorge du garçon. Il commençait à étouffer. Chaque mouvement qu'il produisait pour tenter de se dégager lui arrachait une longue douleur dans le cou et dans la colonne vertébrale.

« Cette jeune fille est en lieu sûr, maintenant, continuait l'homme. Je pense qu'elle se trouve à Reugny, à l'hôtel du Grand Cerf. Ton silence la condamne, évidemment. »

L'étreinte se desserra assez pour que Jérôme puisse articuler quelques mots :

« Elle n'a rien dit.

– Rien ?

– Elle est comme muette.

– Ah oui.

– Prostrée. En état de choc.

– J'aime mieux ça, tu sais, Jérôme. »

Il poussait Jérôme contre le mur, sans lui lâcher la gorge. Le jeune homme sentait un goût de sang dans sa bouche.

« Est-ce que tu aimes Anne-Sophie ? »

Il fit oui, de la tête.

« Est-ce que tu pourrais vivre sans elle ? »

Il fit non, de la tête.

« Alors, je vais arranger ça, Jérôme. Ne me remercie pas. Tu le feras dans un autre monde. Quand nous nous reverrons. »

Le dernier bruit que Jérôme entendit fut celui de sa trachée-artère que la poigne du visiteur écrasait lentement. Il crut d'abord que ses yeux allaient exploser. Ses oreilles se mirent à bourdonner. Il avait envie de crier. Il sentit encore nettement sa tête basculer en arrière, les vertèbres de son cou le faisaient souffrir, sa nuque frappa une fois le mur, il se dit encore qu'il était en train de mourir, mais il n'y croyait pas vraiment.

Le visiteur se promena dans tout le logement, examina la chambre et le lit, ouvrit les armoires, les tiroirs. Puis il revint près du corps sans vie du jeune homme, prit le téléphone, composa le numéro de l'hôtel du Grand Cerf. Thérèse décrocha.

« Madame Londroit ? C'est fait. »

Reugny. Centre de Motivation.
Nuit de mardi à mercredi.

Même quand il prenait des somnifères, Richard Lépine était tourmenté par le même rêve. Il avait tout essayé pour s'en délivrer, sans résultat. Ses nuits se transformaient en calvaire. Au début, il avait l'impression de flotter dans un paysage de neige épaisse, à travers une brume givrée. L'air avait des craquements étranges. Il n'avait pas froid tout de suite. Il regardait longtemps le ciel où il n'y avait rien à voir, pas un oiseau. Et s'il tournait la tête, il ne voyait que de la neige, pas d'arbres, pas de maisons, pas de routes, comme s'il était perdu dans une immensité sans limites. Puis le vent se levait. Le froid se faisait plus présent. La femme apparaissait. Son visage dans les cheveux. Un de ses bras semblait avoir été détaché de son corps. Mais on pouvait regarder cela comme une illusion d'optique. Le rêve n'en disait pas plus à ce sujet. Le corps étendu était roulé dans de la fourrure. La fourrure était assez largement ouverte à la hauteur du ventre et il en jaillissait tout l'intérieur d'un corps, avec de la chaleur, de la buée, une odeur douce et coulante. Parfois, un murmure s'élevait de cette forme presque immobile. Des mots qu'il ne comprenait pas. Il se mêlait à ce flot de fourrure. Il se sentait mieux. Quand il avait faim, il se penchait vers ce tas rouge que la neige commençait à refroidir, et il mangeait à sa faim, enfin il avait sommeil et il rampait à l'intérieur de ce ventre béant et qui respirait encore, il s'endormait dans cette drôle d'odeur et dans cette nuit dont il percevait le battement.

Mercredi

Reugny. Hôtel du Grand Cerf. Matin.

Dans le hall, ils étaient une douzaine de villageois qui piétinaient à attendre le policier. Il les avait fait convoquer la veille par son chauffeur, avec la recommandation impérative de s'organiser par ordre alphabétique : Caminage, Charbane, Frelin, Louesse, Maillard, Reudon, Tinclet, Walmourt. Sans en parler, presque comme s'ils commettaient une malhonnêteté, ils s'arrangeaient discrètement pour obtempérer à la distribution prescrite par Kulbertus. Louesse Fernand s'était naturellement installé entre les Frelin (Bob, Maxime et Laurent) qu'il n'appréciait que moyennement et le grand Maillard qui bricolait au Centre de Motivation et contre lequel il avait une dent. Frelin Bob aurait choisi de bavarder avec Caminage Lucien, l'épicier à tout faire, marié à Mathilde Tinclet, plutôt que de supporter la présence taciturne de Charbane. Walmourt, qui était le dernier de la liste, lorgnait vers sa montre, car de tous il voulait paraître le plus pressé, et il s'agaçait du fait que, pour la première fois, un Tinclet le devançait quelque part.

Thérèse leur avait proposé du café, qu'ils avaient refusé. L'horloge n'avait pas encore sonné huit heures, mais ils ne se déclaraient pas contre une petite bière.

De la légère. Justement, pour abréger le désagrément des renvois de café ou de café au lait.

« Qu'est-ce qu'on nous veut ? avait demandé Reudon sans regarder les autres.

– Pas que ça à faire, ronchonnait Walmourt.

– Où qu'il est, d'abord ? s'inquiétait Charbane.

– J'aime pas laisser Mathilde toute seule au magasin », se tracassait Caminage.

Ils s'exprimaient avec cette modération des gens qui ne tiennent pas à se faire remarquer. Tous en ligne à peu près droite, de la porte de l'hôtel au comptoir de la réception. Sur la place, le soleil battait déjà la feuille des arbres et allongeait sur le bitume des ocelles de lumière. À cette petite heure de la matinée, l'air portait des odeurs de chèvrefeuille, auxquelles on s'habituerait trop vite et qu'on finirait par croire dissoutes dans les profusions du jour. Deux gendarmes étaient installés sur la terrasse et deux autres sur un banc, près de l'église. Les stagiaires du Centre étaient sortis en troupe, harnachés comme des soldats, en treillis, chargés comme des baudets, le visage noirci ou dissimulé dans une cagoule. Les habitants du village ne prêtaient plus attention à ce cirque. Sauf, peut-être, Maillard qui par la vitrine les regarda s'éloigner vers la rue Haute et disparaître au coin de l'église. Il songeait qu'il y aurait du bras cassé ou de la jambe fracturée avant le soir.

Dans la salle du restaurant, les tables du petit déjeuner avaient été dressées à la hâte par Thérèse Londroit, les deux jeunes gens que Richard Lépine avait détachés à l'hôtel ne commençant leur journée qu'au milieu de la matinée. Vers sept heures, elle avait vu Kulbertus descendre de sa chambre et quitter l'hôtel aussitôt pour se rendre au Centre de Motivation.

« J'ai rendez-vous avec M. Lépine, avait-il expliqué. Il y a des gens qu'il faut travailler le matin, d'autres le soir, d'autres avant manger, d'autres après manger. Pourquoi je vous dis ça, au fait ?

– Je n'en sais rien, inspecteur.

– Ah si ! C'est parce que j'ai convié quelques personnes à une petite sauterie. Ne vous effrayez pas si vous devez faire front à un afflux brutal de clientèle. Je leur ai fait dire d'être là avant huit heures. Ils poireauteront, bien sûr. Mais n'est-ce pas la vocation des gens qui savent ce qu'est un potager ? »

Il paraissait comblé par un bonheur dont la cause demeurerait obscure. Toutefois, comme il ne se sentait pas encore, disait-il, « le cœur d'un héros », il jugea le moment opportun pour fortifier sa bravoure d'une pinte de breuvage sans mousse. Et se la tira lui-même, en rigolant.

« Je lubrifie la quincaillerie judiciaire, madame Londroit », lança-t-il en montrant sa langue.

Puis il avait disparu, vraiment par enchantement, car le volume qu'il déplaçait occupait le théâtre des opérations entièrement, quelle que fût l'ouverture de la scène.

Les nuits d'après boire confinent le sommeil dans des digestions si redoutables qu'elles échafaudent des matins où le plus innocent des buveurs songe que la guillotine seule serait à même de le débarrasser des migraines qui lui saccagent la cervelle. Nicolas avait égaré quelques-uns des souvenirs de la veille. Il revoyait Kulbertus, stoïque, liquidant d'une gorgée placide des masses de bière d'un kilo et plus. Ils s'étaient quittés très amis, sur le palier, avec des embrassades et des larmes qui devaient presque tout à ce qu'ils avaient bu. Se donnant du « Vertigo » et du « Nicolas », comme de vieilles connaissances. D'une voix déjà nocturne, Kulbertus avait chanté les airs des films de Rosa Gulingen. Et les chansons. Il connaissait le répertoire par cœur. Comme ils étaient saouls tous les deux, Nicolas plus visiblement que Vertigo, l'idée leur était venue de visionner un des films que le musée mettait à la disposition des amateurs. C'était une mièvrerie du début des années cinquante, avec de l'amour et du malheur, de la lutte sociale et des croûtons de pain dur, des trottoirs rentabilisés par des individus sans moralité, mais qui avaient à cœur de trouver un emploi à de jeunes chômeuses dans le besoin. Il y avait un méchant qui calait ses cigarettes entre l'oreille et la casquette et un gentil qui fumait, assis sur le rebord de la fenêtre, en suivant des yeux le nuage de sa fumée s'élevant vers la pleine lune. Sensible comme une péritonite sous le doigt d'un médecin maladroit, Kulbertus pleurait à grands cris, en se tenant le ventre, en grimaçant, n'en pouvant plus, tant d'années après la sortie du film, de voir souffrir sa belle. La bière aidant, Nicolas s'était laissé émouvoir également. Le chagrin est communicatif.

Il avait à faire. D'abord à se nourrir d'aspirine. Le café lui levait le cœur. Il donna plusieurs coups de téléphone, à l'évêché, à un journal catholique, à des presbytères dont il avait relevé les numéros dans l'annuaire. Il essayait de se renseigner sur la procédure à suivre pour retrouver la trace d'une religieuse. Sœur Marie-Céleste ne pouvait qu'être quelque part, sur la terre ou au ciel. Si elle était morte, il tenait à se recueillir sur sa tombe. Mais si elle était vivante, il voulait la rencontrer.

Dans un village, les religieuses collectent un nombre incalculable d'informations. Elles ont leurs entrées chez les gens. Sœur Marie-Céleste faisait les piqûres. Plus d'une fois elle était venue à l'hôtel du Grand Cerf, quand Baudouin Londroit, le mari de Léontine, était tombé malade. L'autre soir, sous les arbres, Albrecht Lauwerijk lui avait raconté tout ça. C'est de cette façon, et comme par glissement d'une anecdote à l'autre, qu'il avait appris que sœur Marie-Céleste avait par deux fois administré des piqûres à Rosa Gulingen, durant le séjour de cette dernière au village.

La question était de savoir pour quel genre d'affection l'actrice était soignée. Les journaux de l'époque n'avaient jamais fait allusion à un quelconque trouble de santé au sujet de Rosa. Peut-être par discrétion. Peut-être parce qu'elle cachait sa maladie. Peut-être seulement parce qu'elle souffrait d'une indisposition passagère, une bronchite, une laryngite, un mal bénin, et que ce sont des choses qui ne méritent pas d'être divulguées. Il laissa un message sur le répondeur de Charles Raviotini, lui demandant de contacter les journalistes, du moins les survivants, dont les signatures apparaissaient au bas des articles consacrés à Rosa et de les interroger à propos de l'éventuel traitement médical auquel elle aurait été soumise.

Ensuite, il appela Arnaldof, le délégué syndical.

« Tout est bloqué ! répondit ce dernier. Nous, par ici, quand on bloque on bloque. Mais on ne durcit plus. On a durci pendant deux jours. Aujourd'hui, on marque une pause. Attention, la lutte ne mollit pas. On ne durcit plus, mais on reste durs. La revendication demeure fébrile. La volonté est intacte. Où est-ce que tu voulais aller, camarade ?

– À Larcheville. En plusieurs endroits. Mais si tout est bloqué, je reporterai à plus tard. Je suis pour la séquestration des patrons.

– Je sais, camarade. Ce que tu peux faire, c'est te présenter au barrage de Montcy. C'est une petite route. On s'en prend surtout aux grands axes, nous, tu vois. Quand on veut faire mal aux patrons, on vise les camions. À l'égard des petites routes, on est plus magnanimes. C'est normal, le riverain est souvent un gars de chez nous.

Faut comprendre. Quand c'est pour faciliter le travailleur, on ne regarde pas trop à l'étanchéité du barrage.

– Je comprends, Jipé.

– Ce qui faut comprendre, c'est que ce qui emmerde le patron ne doit pas emmerder l'ouvrier. Excuse-moi pour le vocabulaire, le verbe emmerder, c'est pas un mot qui va avec le thé, mais des fois il faut se montrer, même quand on cause. Alors, passe à Montcy. Si c'est bloqué, tu te fais connaître. Je vais les mettre au courant. »

Enfin, Nicolas convint d'une heure avec Sylvie Monsoir. Elle le chargerait devant l'hôtel, pour l'emmener à Larcheville :

« C'est bloqué, protesta-t-elle, non sans hargne. Ils l'ont encore dit aux informations ce matin. Je n'ai pas envie que mon taxi prenne des coups. Il n'est pas fini de payer. »

Il la rassura. À cause de la migraine qui lui martelait la conscience, il se laissa aller à l'audace de lui roucouler une allusion un peu aimable. Qu'elle ne prit pas avec la jubilation escomptée.

« Neuf heures et demie devant l'hôtel, dit-elle. Je klaxonne une fois. J'attends une minute. Soyez prêt. »

Manifestement, elle n'avait guère envie de le véhiculer jusqu'à Larcheville.

Reugny. Centre de Motivation. Matin.

« Je suis sûr que vous dormez peu, grasseya Kulbertus en montrant Richard Lépine du doigt.

– Je dors ce qu'il faut.

– Vous et moi, nous sommes des forces de la nature. Moi non plus je ne dors pas beaucoup. D'ailleurs, je dors assis. À cause de ma corpulence. Quand je suis allongé, je respire mal. Nous devons avoir à peu près le même âge, tous les deux. Vous êtes de quelle année, vous, monsieur Lépine ?

– 1943.

– Bravo. C'est vous le plus jeune. Je suis de 41. Deux ans, c'est peu. Mais c'est quelque chose. Vous mettez un nouveau-né à côté d'un enfant de deux ans, la différence saute aux yeux. Et pourtant, deux ans c'est peu. »

Richard Lépine avait mal dormi. Encore plus mal dormi que d'habitude. Plus il vieillissait et plus ses nuits devenaient compliquées. Il se tenait debout derrière son fauteuil, sans s'appuyer sur le dossier. C'est presque toujours debout qu'il recevait ses visiteurs. À l'exception du personnel et d'Élisabeth Grandjean, qui depuis vingt ans était sa plus proche collaboratrice, aucun inconnu ne l'avait jamais vu assis. Personne ne pouvait non plus se vanter de l'avoir vu autrement que soigné de sa personne, lavé, rasé de près, impeccable dans son costume. À n'importe quelle heure du jour et de la nuit, il affichait la même apparence.

« Vous ne voulez pas vous asseoir ? s'étonna le policier.

– Non.

– Vous avez des hémorroïdes, peut-être, monsieur Lépine. Excusez-moi. J'ai l'esprit de déduction. Et les hémorroïdes ne sont pas des choses qu'on cache longtemps à un policier qui connaît son métier. »

Sans doute que Richard Lépine s'attendait à tout de la part de cet inspecteur, mais pas à être attaqué d'une manière aussi grossière. Il accusa le coup. Vertigo Kulbertus enregistra que la morgue naturelle de Lépine n'avait pas suffi à masquer le trouble que ses propos avaient suscité chez ce dernier. Il était resté sans voix, à court de réplique.

« Je n'en ai pas, moi, continuait Kulbertus. C'est une chance, hein ? Voyez-vous, je grossis depuis que je suis

177

vivant. J'ai grossi toute ma vie. Je grossis encore. C'est incroyable. Je grossis de partout. Du ventre, bien sûr. On commence toujours par grossir du ventre. Mais je grossis aussi des genoux et des oreilles. J'ai de grosses oreilles. J'ai grossi des pieds. Je gagne une pointure tous les cinq ans. De partout, je vous dis. Je suis gros de partout. Eh bien, je vais peut-être vous épater, mais je n'ai jamais grossi de l'anus. Voilà quarante ans que mon anus est stable, qu'il a cessé sa croissance, qu'il n'a pas pris un gramme. C'est presque toujours le cas chez les obèses. Le problème, c'est que je mange de plus en plus. Par conséquent, j'ai de plus en plus de déchets à éliminer. Vous voyez le calvaire. J'ai grossi de la bouche et du coffre, mais mon anus ne s'est pas adapté à cette évolution. Elle est là, monsieur Lépine, la souffrance de l'obèse, son déséquilibre. C'est pour ça que je vous ai dit que, pour un homme comme moi, c'est une chance de ne pas avoir d'hémorroïdes. Une chance. »

Il laissait traîner avec mélancolie et sans ordre son regard autour de la pièce, comme un homme qui voyage dans ses pensées. Richard Lépine s'était repris.

« Inspecteur, j'ai une sainte horreur de la vulgarité », déclara-t-il avec une fermeté dégoûtée.

Kulbertus fit celui qui avait reçu un coup sur la tête. Sa figure fut traversée de tressaillements bizarres. Il se dandina, se gratta dans le cou et serra les poings, avant de s'énerver :

« Vous parlez de vulgarité, monsieur Lépine ? Vous osez parler de vulgarité alors que je me penchais avec compassion sur vos hémorroïdes ? Est-ce que vous savez au moins ce que c'est, la vulgarité ? Comment pouvez-vous accuser de vulgarité un fonctionnaire de police qui enquête sur la mort d'un homme ? Où est la vulgarité, monsieur Lépine ? La recherche de la vérité est-elle vulgaire ?

– Je suis aussi attaché que vous à la recherche de la vérité, inspecteur.

– Alors vous êtes aussi vulgaire que moi.

– Je vous en prie.

– Dites-vous une chose, monsieur Lépine, annonça-t-il en se calmant, vos hémorroïdes vous donnent peut-être le droit de me regarder de haut, mais en aucun cas elles ne constituent une supériorité dont vous pourriez vous prévaloir en vous comparant à moi. C'est compris ? »

L'autre avait vacillé.

« Votre conduite est scandaleuse, inspecteur, articula-t-il d'une voix qui commençait à trahir quelque chose.

– Vous pouvez vous plaindre auprès de mes supérieurs.

– Je n'y manquerai pas.

– Mais dépêchez-vous : dans douze jours, je fais valoir mes droits à une retraite certes imméritée, mais réglementaire. »

Kulbertus ne le laissa pas reprendre ses esprits.

« Nom, prénom, date de naissance, profession. Nom, prénom, date de naissance du père. De la mère. Adresse. Et dépêchez-vous, la recherche de la vérité n'attend pas. »

Larcheville. Sur la route. Matin.

Ce fut Nicolas qui rompit le silence. Sylvie conduisait lentement. Elle avait déjà effectué une course le matin, menant un stagiaire du Centre à l'arrêt d'autobus, à Bouillon. Elle l'avait pris devant la porte du Centre, juste au moment où le policier rendait visite à Richard

Lépine. La vision de ce gros homme avait suffi pour la mettre de mauvaise humeur.

« Quelque chose ne va pas ? demanda Nicolas.

– Si, ça va », dit-elle en affectant un surcroît d'application, car le taxi abordait une courbe assez prononcée.

Il lui avait expliqué la route à suivre, et son arrangement avec le délégué syndical. Elle n'avait pas bronché. Il laissa filer plusieurs kilomètres et s'absorba dans la contemplation du paysage. Il vit qu'ils franchissaient la frontière parce qu'au milieu de la route la ligne blanche se décalait brusquement de vingt centimètres vers la droite.

« À Larcheville, j'aimerais que vous me conduisiez aux endroits où vous aviez l'habitude de conduire Jeff Rousselet. C'est possible ? »

Elle consentit enfin à desserrer les dents, mais ce fut pour invoquer le « secret professionnel ».

Mais elle tourna son visage vers lui, et lui sourit.

« C'est possible ? répéta-t-il.

– Je ne sais pas. Peut-être. »

Comme le taxi stoppait à un embranchement pour laisser le passage à un engin forestier qui manœuvrait sur le bas-côté, elle rejeta sa tête en arrière, tendit ses bras contre le volant et soupira :

« C'est le gros flic qui m'a fichue en pelote.

– Qu'est-ce qu'il vous a fait ?

– Rien. Il m'a énervée, c'est tout. Il m'a parlé de ses fémurs. Qu'il avait de la bière dans les fémurs. Et il voulait absolument me faire dire que Rousselet riait dans sa barbe. Il est fou, cet homme-là. Il me fait peur. Et puis, il a insinué des choses qui ne m'ont pas plu.

– Quelles choses ?

– Je n'en sais rien moi-même. Il prenait des airs bizarres. On lui avait raconté que le dimanche après-midi de sa mort j'avais conduit Rousselet à la Fourche noire.

– Et c'était vrai ?

– Bien sûr. Je le montais régulièrement en voiture jusque là-haut. Cet imbécile de flic a eu l'air de croire que j'en savais plus que je n'en disais.

– Il fait son métier, plaida Nicolas. Il prêche le faux pour trouver le vrai. Non ?

– J'ai surtout compris qu'il pensait que j'avais quelque chose à voir avec la mort de Rousselet. Que j'étais de mèche avec celui qui l'a abattu. Peut-être que je le connaissais, que je l'avais vu. Des idées de flic.

– Vous le connaissiez bien, Rousselet.

– Comme un client.

– Il n'avait pas de voiture ?

– Si. Mais il s'est fait enlever son permis il y a trois ans. À Pâques. Il revenait de je ne sais où, rond comme un tonneau. Il a perdu le contrôle et il est rentré dans une église. Par la porte, je veux dire. En pleine messe. Il a fichu une pagaille terrible. C'est un miracle qu'il n'y ait pas eu de morts. Il s'est arrêté à trois mètres de l'autel. Le curé a fait un malaise cardiaque. On n'avait jamais vu ça par ici. »

La scène réjouissait Nicolas.

« Après un coup pareil, Rousselet a été mis sous surveillance chez les fous. Par la suite, il a eu des ennuis. Ça l'a rendu encore plus mauvais.

– Il buvait encore ?

– Oui. Quand je venais le rechercher à Larcheville à deux trois heures du matin, il ne tenait pas toujours sur ses pattes.

– Il vous aimait bien.

– Je ne suis pas de Reugny. J'ai rencontré Freddy Monsoir à Amiens. Je suis née à Saint-Quentin, si vous voulez savoir. À ce moment-là, Freddy était forain. Ou plutôt, il était employé par des forains. Des gens dont il avait connu le fils ou le frère quand il était à la légion. Il travaillait sur deux attractions. Dont un train fantôme. C'est là que je l'ai connu, au train fantôme. Il ramassait les tickets et calait les barres de sécurité. Mais je ne vais pas vous raconter ma vie. Tout ça, c'était pour vous dire que Rousselet, il n'avait aucune raison de m'en vouloir, puisque je n'étais pas du village. Il haïssait les gens de Reugny, tous, sans exception. Mais les autres, il les aimait bien. »

Ils arrivaient en vue de Montcy. Le barrage avait été amélioré. Les grévistes de Bating Larcheville avaient récupéré une vieille barrière de passage à niveau et l'avaient montée sur des plots en béton enchâssés sur le bord du fossé. L'ensemble en jetait. Nicolas songeait au délégué qui s'imposait de boire du thé.

Reugny. Centre de Motivation. Matin.

« Monsieur Lépine, disait Kulbertus, vous allez me dire exactement quelles étaient vos relations avec le défunt douanier Jeff Rousselet.

– Aucune », assura Lépine.

Kulbertus avait prévu cette réponse. Il émit un rot, en essayant d'en maîtriser le souffle.

« Quand on me ment, j'ai une tendance à l'aérophagie. C'est une réaction.

– Vous êtes répugnant.

– Je peux faire mieux, monsieur Lépine, certifia le policier en se soulevant d'une fesse. Ne me poussez pas à bout.

– Je vous demanderai de respecter l'endroit où vous vous trouvez, inspecteur. C'est une maison honorable.

182

– Parce qu'on n'a pas le droit de péter dans une maison honorable ? Vous n'êtes pas un ami de la nature, vous.

– Je n'aime pas votre manière de conduire un interrogatoire.

– Je suis flic, j'envisage mon métier comme je le sens et vous n'avez pas votre mot à dire. Je n'ai pas de conseil à vous donner, je ne suis pas médecin, mais si vous me demandiez mon avis, je vous répondrais que vous devriez péter plus souvent. C'est une activité humaine comme les autres. Une fonction, je dirais.

– Je ne sais pas ce qui me retient de vous jeter dehors.

– Ce qui vous retient, monsieur, c'est que je suis flic et qu'on ne jette pas un flic dehors aussi facilement qu'un stagiaire. Vous voulez que je vous dise, monsieur Lépine ? »

L'autre était figé dans une pose aristocratique, le menton surélevé, le sourcil indolent, la bouche merveilleusement tordue.

« Monsieur Lépine, avez-vous déjà essayé de vous empêcher de respirer ?

– Je ne réponds pas à ce genre de question.

– Eh bien, monsieur Lépine, si vous vous empêchez de respirer pendant dix minutes, vous mourez. C'est pas vrai ce que je dis ?

– Vous avez le droit de penser ce que vous voulez.

– Il paraît même qu'on peut mourir à partir de trois minutes. Trois minutes sans respirer, monsieur Lépine, et vous êtes mort. Avez-vous conscience de cela ?

– Aucun intérêt.

– Donc, il ne vous viendrait pas à l'esprit de vous empêcher de respirer, monsieur Lépine. Alors, je vous pose la question : pourquoi vous acharnez-vous à vous retenir de péter ? Laissez-vous aller, que diable ! Respirez ! Pétez ! Faites que votre vie soit une fête ! »

Richard Lépine s'était tourné vers la fenêtre et exposait l'un de ses profils, dont le policier, n'ayant encore rien vu de l'autre, se refusa à conclure qu'il était le meilleur.

« Vous m'avez menti, au sujet de vos relations avec Jeff Rousselet », clama-t-il en secouant le sac de supermarché.

Il plongea la main dans le fouillis de documents et, du premier coup, en sortit un papier froissé.

« Voilà le relevé des communications téléphoniques de M. Jeff Rousselet. Il m'a été faxé cette nuit. Qu'y vois-je ? Que M. Jeff Rousselet vous a téléphoné trois fois la semaine dernière.

– Il a pu appeler n'importe qui au Centre. Il y a une douzaine d'employés.

– Non, non, non, monsieur Lépine. Il a appelé sur votre ligne personnelle. Celle de ce bureau. La plus longue des communications a duré treize minutes. La plus courte trente secondes. Si vous voulez le détail, les heures, les jours, je peux vous les fournir. »

Kulbertus songeait que Richard Lépine s'offrirait sans doute le culot de prétendre que son bureau était ouvert à tous les vents, que les employés du Centre y circulaient comme dans un moulin et que le hasard avait fait qu'ils avaient trois fois en une semaine reçu ici un coup de téléphone de Rousselet. Mais le directeur du Centre demeura figé dans un silence méprisant.

« Ce que j'en pense, monsieur Lépine, c'est que Jeff Rousselet vous faisait chanter.

– Je ne vous permets pas.

– Il vous faisait chanter. Il avait découvert à votre propos des choses peut-être un peu curieuses. Je dis ça, je n'en sais rien.

– Je n'ai rien à cacher.

– Vous savez, un flic moins réservé que moi imaginerait tout de suite que vous avez assassiné ou fait assassiner l'homme qui vous faisait chanter. C'est une pratique courante. Moi je ne joue pas à ce jeu-là. Je suis un flic circonspect et plein de retenue. Mais avouez que j'aurais la partie belle de vous soupçonner, monsieur Lépine. »

Kulbertus examina de plus près le papier qui tremblait entre ses doigts.

« Qu'est-ce que je vois ? Qu'est-ce que je vois ? Je vois qu'une heure avant de recevoir une balle dans la tête, ce pauvre M. Jeff Rousselet vous a passé un coup de téléphone. Mais je le vois. Dois-je en croire mes yeux ? »

Richard Lépine augurait mal de la suite des événements. Il sentait que ce flic s'était accroché à lui et ne le lâcherait plus. Il repensa au rêve qui le visitait chaque nuit. Il ne put s'empêcher d'esquisser une grimace, que Kulbertus remarqua.

« Alors, que vous a dit Jeff Rousselet dimanche dernier en début d'après-midi ?

– Nous n'avons pas échangé une parole. J'ai raccroché aussitôt que j'ai reconnu sa voix.

– Il s'est écoulé trente secondes, monsieur Lépine. En trente secondes, au théâtre on récite une demi-page de texte.

– Nous n'avons pas échangé une parole.

– Vous venez de me dire que vous avez raccroché dès que vous avez reconnu sa voix.

– Il a dit quelques mots.

– Lesquels ?

– Je ne me souviens plus, inspecteur. C'est sans importance. Jeff Rousselet était un aigri. Il en voulait au monde entier. Il se vengeait d'être ce qu'il était en essayant de tourmenter les gens du pays.

– Excusez-moi d'insister, mais il avait découvert un moyen de vous faire chanter.

– Pas du tout. Il me menaçait. »

Kulbertus comprit que Lépine avait trouvé sa défense. Il le voyait déjà plus à l'aise.

« Il vous menaçait de quoi ?

– De mettre le feu au Centre.

– Et pour quelle raison ?

– Aucune. Probablement qu'il était jaloux de ma réussite. Il était jaloux de tout le monde.

– Vous discutiez avec lui ? Parfois, assez longtemps. Une fois, treize minutes.

– J'essayais de le calmer. De le ramener à la raison. De le convaincre qu'il avait tort de m'en vouloir. »

Lépine était lancé. Tout ce qu'il dirait maintenant n'intéressait pas Kulbertus. Ce dernier souleva sa carcasse énorme en plaquant contre son ventre le sac en plastique.

« Ne vous fatiguez pas, monsieur Lépine, je n'écoute plus ce que vous racontez. Plus je vous entends, plus je suis obligé de ravaler mon aérophagie. C'est terrible de garder un rot sur l'estomac. Dans un sens, c'est presque pire que de refréner un gaz.

– Je voulais seulement vous expliquer, inspecteur. Vous avez mis ma bonne foi en doute.

– Je m'en vais. J'ai une douzaine de gaillards qui m'attendent depuis un sacré bon moment à l'hôtel du Grand Cerf. Quand vous serez décidé à dire la vérité, monsieur Lépine, faites-moi signe.

– Je ne comprends pas.

– Écoutez, monsieur Lépine, quand un pauvre type comme Jeff Rousselet menace de mettre le feu à ce que vous devez considérer comme l'œuvre de votre vie, en général on prévient la police. Vous n'avez pas prévenu la police.

– Dans un village, on règle ces affaires entre nous.

– Oui, oui. C'est bien. Mais il n'est pas conseillé de les régler à coups de fusil dans la tête. »

Le directeur haussa lentement une épaule. Kulbertus reculait vers la porte en tirant de son sac en plastique des froissements énervants.

« Je ne parle pas pour vous, monsieur Lépine, évidemment. »

Larcheville. Archives départementales.
Début d'après-midi.

Négligeant la jeune employée qui s'ennuyait ferme à coller des étiquettes sur des chemises cartonnées, Nicolas visa tout de suite au plus haut et réclama l'archiviste en chef. Il vit déboucher d'une porte sur la droite où étaient les toilettes une minuscule bonne femme, sèche comme une verrue, noire de crin et qui marchait en tapant du pied. Elle avait un physique impardonnable, qu'elle enveloppait dans une telle amabilité qu'elle en devenait presque séduisante.

Nicolas ne se lança pas dans des explications compliquées. Il voyait que la bonne femme était acquise à toutes les causes, et dévouée à tous les dérangements. Elle en était presque à s'excuser d'être aussi serviable.

« M. Rousselet, bien sûr. Il venait souvent. Un homme charmant. Discret. J'ai appris son décès dans des circonstances… Mon Dieu, des circonstances… Jamais, je n'aurais pu croire une chose aussi affreuse. Si près de Larcheville. Enfin.

– Je voudrais un renseignement. Deux peut-être.

– Je suis à votre disposition.

– Je voudrais avoir accès aux documents que M. Rousselet a consultés ces derniers temps.

– C'est très simple. D'ailleurs, tout est noté.

– Parmi ces documents, s'il y en avait concernant l'affaire Lépine, une affaire qui remonte à la période de la guerre, ce serait plutôt ceux-là que je voudrais voir en premier.

– C'est très facile. Mon Dieu, c'est très facile. »

Tout était facile pour cette poupée Carabosse. Elle circulait entre les bureaux avec une vélocité gracieuse, déposait une punaise dans un cendrier, compulsait un catalogue, rajustait l'alignement d'une pile de magazines, émettait des sourires menus comme les messages des abeilles, mais si sincères et si profonds qu'on les percevait comme des ondes. Elle prononçait des paroles d'une parfaite accortise. On la sentait amicale. Elle rayonnait. Peut-être pas comme un matin de printemps, mais au moins comme un sapin de Noël. Elle avait les mêmes clignotements joyeux, quelque chose de pailleté comme la fête, une allure de guirlande posée sur une bûche.

« Véronique, gazouilla-t-elle en s'arrêtant devant une secrétaire poussiéreuse. Ce monsieur voudrait consulter le fonds Harnet... »

Se tournant vers Nicolas :

« Harnet était un historien local. Il est mort, malheureusement. C'est souvent ainsi que finissent les historiens. Enfin. M. Rousselet s'intéressait particulièrement au fonds Harnet. Les voilà morts tous les deux. C'est bien triste. Enfin. »

Elle parlait tout en observant, par-dessus l'épaule de la secrétaire, l'écran de l'ordinateur où défilaient des chiffres et des lettres.

« Effectivement, le fonds Harnet contient des pièces concernant l'affaire Lépine. Une partie seulement est consultable. Enfin. Je vais vous conduire. Je passe devant. Pardon. Merci. »

C'était peu de chose, une monographie manuscrite, de la main même de l'historien. Une dizaine d'articles détachés des revues où ils avaient paru, des photos, une brochure intitulée « Le mystère Lépine » datant des années cinquante et qui contenait les plans du château de Saint-Marceau, racheté à la fin du dix-neuvième siècle par un Sébastien Lépine, drapier. Les parties hachurées avaient été rehaussées au crayon de couleur. Une page manquait. Nicolas vérifia si elle avait été fraîchement arrachée. Mais c'était difficile à dire. Rousselet aurait-il eu ce genre d'indélicatesse ? Sans doute pas. Il était trop respectueux de la loi et de l'autorité, trop tatillon avec ce qu'il considérait sûrement comme des papiers officiels, des documents d'État. Mais le sens civique, la conscience du devoir, ne faiblissent-ils pas devant les impératifs de la haine ? Était-il capable de tout, comme les gens du village le prétendaient ? Il essayait de l'imaginer courbé à cette même table, déchiffrant les mêmes lignes d'écriture. Cherchant quoi, au juste ?

Il y avait bien eu une affaire Lépine. C'était une famille d'industriels qui avait connu son heure de gloire au début du siècle et que la Première Guerre mondiale avait d'abord en partie ruinée puis rétablie dans sa fortune. Sébastien Lépine, le fondateur, était mort en 1920. Édouard Lépine avait repris la succession. Nicolas passa sur les descriptions et les déménagements d'usines, sur les longs inventaires de matériel. Il s'intéressa un peu à la liste des propriétés. Releva que le château-ferme de Reugny, en Belgique, avait été mis à la disposition de l'évêché de Liège par Édouard Lépine, père de Richard Lépine donc, et transformé en orphelinat pour satisfaire aux dernières volontés de Sébastien Lépine, lequel s'estimait une dette morale envers son plus jeune frère, Robert, ordonné prêtre en 1907 et porté disparu dans la Somme dix ans plus tard. C'était simple, mais la façon qu'avait Harnet de s'y prendre pour narrer cette saga épuisait vite le lecteur. Juste avant la drôle de guerre, Édouard Lépine avait épousé une Champenoise, de vingt ans sa cadette, née Aycard et dont le monographe disait qu'elle était d'une « grande beauté ». Un fils leur était venu en 1943. Prénommé Richard.

Nicolas fouilla dans le paquet de photographies et en découvrit une où l'on voyait une femme souriante, d'une vingtaine d'années, en manteau de fourrure, tenant dans ses bras un bébé peut-être âgé d'un an. La photo avait été prise sur la place de Larcheville. Le plus étonnant, c'était qu'à quelques pas de ce charmant tableau un groupe d'officiers allemands semblait deviser avec un homme en manteau de fourrure et portant un chapeau. On ne le voyait que de dos. Nicolas regarda plus attentivement le visage de la femme, qui était, comme l'avait justement remarqué l'historien, d'une « grande beauté » et essaya d'y déceler un trait de ressemblance avec le jeune homme qu'était Richard Lépine sur la photographie où Thérèse l'avait montré en compagnie d'une religieuse, devant l'orphelinat. Mais sa mémoire n'avait pas retenu l'image avec une assez grande précision.

Le monographe était discret sur les pratiques du père de Richard Lépine pendant la guerre. Il prenait néanmoins la peine de préciser un peu trop vite que l'industriel n'avait aucune sympathie pour l'idéologie nationale socialiste. Il avait été victime, au fond, de la logique économique, de son pragmatisme d'entrepreneur et des clauses de l'Histoire. Le seul tort que lui reconnaissait Harnet c'était d'avoir ouvert en grand les portes de son château de Saint-Marceau à l'occupant. Il n'avait pas été le seul dans ce cas. Pour lui, cela n'avait constitué qu'une opération de sauvetage de ses biens. La morale aurait voulu, toutefois, qu'il n'allât pas au-devant des désirs de l'ennemi.

À la fin de la guerre, il avait été torturé atrocement par des inconnus, jusqu'à ce que mort s'ensuive. Son corps avait été retrouvé au fond du parc, démembré, découpé en plusieurs morceaux, les yeux crevés, la langue arrachée. Sa tête coupée avait pris la place du buste en bronze de Sébastien, mis à bas de son socle. Sa jeune femme avait été abattue d'une rafale de mitraillette. Son agonie s'était prolongée. Tout laissait supposer qu'ils avaient été l'objet d'une vengeance personnelle. Les mouvements de Résistance avaient réprouvé cet acte de « haine pure » et de « barbarie ». Le mot « barbarie » était d'un colonel.

Harnet ne disait pas ce qu'il était advenu de l'enfant. Nicolas en déduisit que des personnes compatissantes l'avaient transporté et mis à l'abri à l'orphelinat de Reugny.

Larcheville. Tour Verlaine.
Début d'après-midi.

Mme Vonny était la meilleure voyante du département. Elle exerçait son art au treizième étage d'une tour qui dominait un des quartiers les plus bourgeois de la ville. On venait la voir de très loin. Sylvie Monsoir, qui connaissait la plupart des cartomanciennes de la région, estimait que Mme Vonny les surpassait toutes par la qualité de ses prédictions. Elle y était attachée comme à une drogue et ne manquait jamais l'occasion de la consulter.

Ce qu'elle lui disait aujourd'hui confirmait ce que lui avait annoncé lundi la voyante de Chepon. À savoir qu'elle rencontrerait un homme venant d'une grande ville et qu'avec lui elle vivrait « quelque chose ».

« Il est là, près de vous, dit Mme Vonny. Je vois un petit voyage. Peut-être seulement un déplacement. Il vous accompagne. Vous êtes côte à côte. Dans le train. En voiture.

– Je le connais ? demanda Sylvie.

– Oui. En tout cas, vous savez qui il est. Ça ira avec lui. Mieux qu'avec ceux qui l'ont précédé dans votre vie. Mais quelques difficultés vous attendent. Là, c'est votre mari. Jaloux. Il est en voyage à l'étranger. En même temps, il est avec vous. Regardez, il vous suit. On va vérifier. »

Elle rassembla les cartes, les battit, en étala une partie en demi-cercle devant elle, demanda à sa cliente d'en tirer trois du paquet qui restait, les aligna sous les autres.

« Au milieu, c'est vous. Et regardez vous-même, je n'invente rien. D'un côté, votre mari. D'un côté, cet homme dont je vous ai parlé. »

Du bout des doigts, elle fit glisser plusieurs cartes sur le côté et se mit à compter les autres, lentement, en réfléchissant.

« Il y a des morts autour de vous. Plusieurs. Des crimes. C'est net. Vous êtes au centre de toutes ces histoires. »

Sylvie sentit sa gorge se nouer. Elle changea de position sur la chaise, se pencha. Elle essaya de lire les cartes déployées sur la table, mais sa compétence en ce domaine était médiocre. Elle voyait du pique en abondance. C'était assez pour l'effrayer.

« Mais vous ne craignez rien, vous, continua Mme Vonny. Vous vous rapprochez de cet homme.

– Est-ce que je pars avec lui ?

– Oui. Mais seulement suite à la disparition de votre mari.

– La disparition de mon mari ?

– Il ne meurt pas. Je ne le vois pas mourir. C'est autre chose. Je ne vois pas quoi. Peut-être la maladie. Un accident. Plutôt la maladie. C'est grave, mais il ne meurt pas. Posez-moi une question précise. »

Elle ne se laissa pas le loisir de réfléchir. La question fusa, comme si elle avait été en attente sur le bord de ses lèvres :

« Est-ce que je vais être inquiétée par la police ? »

Mme Vonny joignit les mains.

« Vous aurez affaire à la police. Je peux vous dire que vous avez reçu la visite d'un policier. Et que vous l'avez mal pris. Vous n'avez pas grand mal à craindre de lui. Vous avez quelque chose à vous reprocher ?

– Non.

– Il semblerait que lui pense le contraire. Mais ça ira. Vous verrez, ça ira. »

Avec une certaine insistance, elle revint sur les crimes de Reugny. Sylvie pensa qu'elle avait sans doute lu le journal. Toutefois, sa vision était plus détaillée que la relation des journalistes. Elle dressa un portrait troublant de l'idiot, découvrant même qu'il avait l'habitude de déposer des fleurs sur le seuil des maisons et qu'il chantait. Elle évoqua une femme secrète, célibataire ou veuve, souvent vêtue de noir et qui dissimulait quelqu'un chez elle.

« Vous ne connaissez pas de femme qui pourrait ressembler à ce que je vous dis ? »

Le seul nom qui vint à l'esprit de Sylvie fut celui de Thérèse Londroit. Elle était célibataire. On pouvait croire aussi qu'elle était veuve, en quelque sorte, parce que le père d'Anne-Sophie était mort. Elle était toujours en noir, avec un corsage blanc. Mais c'était sa tenue professionnelle.

« C'est une femme qui reçoit du monde, qui s'occupe des gens, qui s'active beaucoup. Elle n'arrête pas une seconde. Elle a des responsabilités.

– Elle pourrait tenir un hôtel ?

– Tout à fait. Oui, elle tient un hôtel. Je la vois en compagnie du policier. Et de l'homme dont je vous ai parlé. Elle leur explique quelque chose. C'est important. Il y a encore la mort. »

Sylvie livra quelques renseignements au sujet de Thérèse Londroit.

« Il y a un lit, murmura Mme Vonny. Un lit et de l'ombre. Sur le lit, la forme d'un corps étendu. Cette femme se penche vers le lit. C'est une femme qui cache quelqu'un qu'elle aime. Il y a des sentiments. C'est la nuit. Il y a un secret. Personne ne sait. Sauf cette femme et cette personne étendue sur le lit. Ce sont les deux seules à savoir. Ce que savent ces personnes est terrible. Elles parlent. Elles parlent beaucoup. Il y a eu des crimes. Elles savent. Elles savent. »

La scène s'était déroulée sous les yeux de Mme Vonny, comme sur un écran, à travers les cartes. Sylvie frissonnait.

« Il ne faut pas avoir peur pour vous », lui dit Mme Vonny.

Larcheville. Bar de la Mère Dodue.
Après-midi.

Nicolas avait suggéré à Sylvie de profiter de ce qu'ils se trouvaient à Larcheville pour passer en revue les endroits fréquentés par Jeff Rousselet. Le taxi garé sur la grand-place, ils déambulèrent à pied dans les rues. Sylvie indiqua un vieux photographe dans la rue piétonnière, où Rousselet était venu deux ou trois fois. Nicolas nota l'enseigne et l'adresse. Puis elle le conduisit jusqu'à la bibliothèque municipale. Le douanier y empruntait quelquefois des ouvrages d'histoire locale. Enfin, ils se rendirent au bar de la Mère Dodue où Nicolas constata que Sylvie avait ses entrées.

« Si Freddy me voyait, il me tabasserait, dit-elle sans rire.

– Vous veniez souvent ici ?

– Non. Je suis venu y rechercher Rousselet une demi-douzaine de fois. Toujours assez tard dans la nuit. Presque à chaque fois, il était saoul comme un cochon et pas tellement pressé de s'en aller. Vous savez bien, les ivrognes ont toujours le temps. Il m'offrait un verre. Des types m'invitaient à danser. Je profitais un peu. Je n'ai pas une vie amusante. De temps en temps, je me dis que c'est pas grave, de se prendre du bon temps. »

Elle ne lui avait pas dit où elle avait passé les deux heures pendant lesquelles il consultait les archives. Ce devait être en bonne compagnie, car elle était redevenue joyeuse comme lorsqu'elle l'avait ramassé, lundi après-midi, sur la route de Reugny. Dans la rue, elle s'était même appuyée de l'épaule contre lui.

Ce fut la Mère Dodue en personne qui les accueillit. Elle tricotait des chaussons pour son chien. Quand elle vit Sylvie, elle jeta ses aiguilles sur la banquette et explosa de bonheur. C'était une femme qui avait une emphase commerciale inattaquable. Elle embrassa Sylvie et salua Nicolas avec la déférence qu'elle réservait aux hommes quand ils étaient debout.

« J'ai vu que ton vieux s'était fait faire la peau, dit-elle.

– Mon vieux, mon vieux…, protesta Sylvie.

– Un client, c'est un client, argua la Mère Dodue.

– Ah, si on parle du point de vue client…

– Il ne venait pas souvent, le verrat, mais il s'en prenait pour la semaine. »

Elle les installa dans un coin de la salle, au bord de la minuscule piste de danse, le plus près possible du comptoir.

« Ce monsieur, commença Sylvie, prépare un film sur une actrice qui s'appelait Rosa Gulingen…

– Rosa Gulingen ! s'exclama la Mère Dodue. Mais ils ont passé un de ses films à la télé, quoi, y a pas un an. C'était comment déjà ? *Les Sentiers de l'amour* ! C'était d'un tarte. Plus tarte que ça, je te jure c'est de la tarte à la galette, comme on dit ! Mais j'aime bien. Même : j'adore ! Dans le métier que je fais, les sentiments c'est l'article introuvable. On a beau mettre du cœur à l'ouvrage, l'amour reste court sur pattes. L'homme du soir, il cherche la délivrance, pas plus. Les sagas le laissent de glace. Il est partant pour l'illusion, mais en bon comptable de son argent de poche, il n'aime pas quand le compteur tourne trop longtemps. Ils ne sont pas tous pingres, je veux. Y en a qui offrent la roteuse. Même deux, quand ils sont pincés par la dépendance éthylique. Mais les autres, c'est à la bière qu'ils appellent le paradis. Je vois ça vulgaire, moi qui suis dans la carrière depuis le début des années fric, sous

Mitterrand. Ah, les temps ont changé ! L'homme s'est laissé corroder par la crise. Le voilà qu'il se projette dans l'avenir, qu'il économise pour les lendemains, qu'il a la prétention de voir loin, qu'il se vante de spéculer à la Bourse. Moi je leur dis, à ces blaireaux, est-ce que vous croyez que le bonheur vous attend quelque part dans l'avenir ? L'avenir, ça n'existe pas. Même quand on a des enfants. C'est les miroirs qui ont raison : Ils ne reflètent que le présent. Et encore, quand y a de la lumière. »

Elle se voulait grandiose. La limonade et la philosophie ont toujours eu des affinités. Nicolas approuvait. La Mère Dodue leur avait administré une « coupette ». L'amitié est sensible aux bulles, disait-elle. La bulle de champagne, c'est du vide avec du vin autour. Un exploit vinicole. Quasiment un miracle, vu qu'il n'y a pas de bulles dans le raisin.

« J'aurais voulu parler de Jeff Rousselet, avança Nicolas, entre deux tirades de la dame.

— Un cœur d'or, Jeff. Il passait sa vie avec le pourboire au bout des doigts. Il ne connaissait que le papier. La monnaie, il n'aimait pas. Vous avez le client qui fait l'appoint avec des pièces de vingt centimes. C'est des mœurs de voyageurs de commerce, pardon pour eux. Jeff, lui, il arrondissait en papier. Si c'était du cent, c'était du cent. Mais si c'était du deux cents, c'était du deux cents. Le compte était toujours bon. Il avait la volonté de ne pas faire la différence. Qu'est-ce que vous voulez savoir ?

— Est-ce qu'il parlait ? Est-ce qu'il vous faisait des confidences ?

— L'homme du soir est bavard. Jeff, la vie ne lui sortait plus que par la bouche. Il aurait bien voulu se faire cajoler le goulu, mais physiquement c'était un être sur son déclin. J'ai moi-même essayé de lui être agréable. J'ai pas de prétention, mais j'en ai vidé plus d'un qui se croyait à sec depuis des lustres. Jeff, y avait plus rien à en tirer. Il n'en avait plus une goutte. Triste, hein ? Ah, le crépuscule des hommes n'est pas enviable ! Cela dit, il payait l'essai au prix de la réussite. J'en étais quasi gênée, parce que j'ai de la déontologie. Mais bon. »

Il y eut un client pour du vin rouge. Un habitué. La Mère Dodue lui servit sa dose, en lui demandant « s'il allait bien, Tatave ».

« Tant que la soif me coûte plus que la faim, je me plains pas », lâcha Tatave en progressant d'une main tremblante en direction du verre à pied.

La Mère Dodue l'abandonna à son passe-temps et revint choir à la table dans un ensemble de soupirs et de gémissements.

« Jeff, il avait tout son bled contre lui, dit-elle. Vous me demandez, je vous dis. Les gens de Reugny sont fourbes. Il m'a raconté les misères qu'ils lui avaient fait subir. C'est presque hallucinatoire, d'en entendre de pareilles !

— Il paraît qu'il avait enquêté sur certains d'entre eux.

— Tous. Il avait les moyens de les flanquer tous dans le déshonneur. Je dis « déshonneur » pour rester convenable. Moi je ne faisais pas trop attention à ce qu'il racontait. Dans le commerce, il faut faire la part des choses. Quand l'homme du soir a bu, sa sensibilité est exacerbée. Il a tendance à broder, à dramatiser, à noircir. Si on se met à croire, alors la foi n'a plus de limite.

— Il avait établi des fiches. Vous les avez vues ?

— Il faisait ça sur les cartons de bière. Pensez si je l'ai vu. Il lui arrivait de travailler ici. Il passait son temps à recopier des écritures. Il avait des dossiers qui lui faisaient dix, vingt cartons. Il en avait toujours plein les poches. Mais je crois pas qu'il ait eu l'intention de s'en servir pour faire le mal. Lui ce qu'il cherchait, c'était à se faire rendre justice. La justice, c'est plutôt le bien. Dites-moi si je me trompe. »

La Mère Dodue prenant Sylvie à témoin (« Sylvie le sait mieux que moi »), Nicolas apprit incidemment que cette dernière avait plus d'une fois tenu les fiches dans ses mains et qu'elle en connaissait la teneur mieux que personne.

« Je faisais celle qui lisait, murmurait Sylvie, un peu plus pâle. Mais je ne lisais pas.

– Il t'aimait bien, ton vieux, quand même. Il avait confiance. Il me l'avait dit, d'ailleurs.

– Qu'est-ce qu'il t'avait dit ?

– Il m'avait dit qu'il avait de la chance de t'avoir. Que t'étais pas comme les autres. Qu'il pouvait te parler, à toi.

– C'était un client du taxi, d'abord. Il ne faut pas voir le mal où il n'y a que des relations professionnelles. Moi je faisais mon travail. Il me payait, j'encaissais. »

Mais elle était troublée. Elle fixait le fond de sa coupe de champagne. La Mère Dodue enchaînait sur d'autres considérations, citait des noms en les écorchant, des anecdotes sordides que le douanier lui avait rapportées, mais dont le souvenir était devenu flou.

« Tout ça pour en revenir au sujet qui vous amène : Rosa Gulingen. Je me souviens qu'il avait découvert des choses sur elle. Pas que des petites.

– Lesquelles, par exemple ? demanda Nicolas, dont l'intérêt se réveillait.

– Des choses du genre qui ne se retient pas facilement. Moi il me parlait dans le feu de mon action. Un bar comme celui-là, c'est peuplé le soir et faut être aux soins de tout le monde. On ne peut pas retenir tout ce qui se dit, une tête n'y suffirait pas. Pour Rosa Gulingen, je peux dire qu'il m'a dit qu'elle a été assassinée. C'était sa marotte. Mais vous dire par qui, je ne pourrais pas.

– Armand Grétry ? interrogea Nicolas.

– Il a prononcé ce nom-là. Je veux dire que c'était un nom qui revenait de temps en temps. Mais de là à vous dire que c'est lui l'assassin, je pourrais pas. Ça te dit quelque chose, toi, Sylvie ?

– Oui et non, mais pas plus, ricana la jeune femme.

– C'est pas le tout, annonça la Mère Dodue, on va se prendre deux trois bulles. C'est pas de la qualité supérieure, mais comme rafraîchissement il va encore assez bien. »

Et elle se dandina jusqu'au frigo, derrière le bar.

Reugny. Centre de Motivation.
Après-midi.

Élisabeth Grandjean n'avait pas quinze ans quand Richard Lépine en avait fait sa maîtresse pour la première fois. Le Centre l'avait embauchée pour aider à la lingerie. Richard Lépine l'avait tout de suite repérée. C'était déjà une jeune fille réfléchie et calme, d'une beauté discrète et un peu sévère. Entre eux, les relations s'étaient établies avec une simplicité qui durait encore aujourd'hui, vingt-trois ans plus tard. Il l'avait seulement fait appeler dans son bureau et la suite s'était déroulée d'elle-même, d'évidence, sans paroles inutiles, comme si l'événement avait été inscrit quelque part, naturellement. Il n'avait pas tardé à faire sa collaboratrice la plus précieuse de cette fille d'une intelligence subtile et dotée d'un sens pratique remarquable. À vingt ans, elle en savait autant que lui et était en mesure d'organiser et de diriger les stages avec une compétence rare. Elle ne manquait ni d'idées, ni d'énergie, ni d'autorité. Richard Lépine était fier d'elle. Comme il était fier de Jack Lauwerijk, qu'il considérait comme son fils spirituel. C'était les deux principales réussites de sa vie et il se voyait comme un découvreur de talents.

Pour l'image du Centre, Élisabeth s'était fabriqué un personnage rigide, implacable, un rien mystérieux. Elle s'adressait aux stagiaires sans les regarder et les impressionnait jusqu'à l'effroi. Ils comprenaient vite que leur avenir appartenait à cette femme qui les jugeait. Elle était aussi chargée des relations avec les entreprises et voyageait régulièrement à travers l'Europe. Richard Lépine l'accompagnait de temps à autre. Moins maintenant, car le Centre tournait à plein rendement et les stages se succédaient sans un jour d'interruption. Ils se partageaient les déplacements à l'extérieur, inégalement. En fait, depuis quelques années, Élisabeth se chargeait des rapports avec les sociétés. Ses qualités, sa conviction, l'espèce de distance qu'elle installait entre elle et ses interlocuteurs, et qui était de la classe, la rendaient irrésistible dans la conduite des affaires qu'elle traitait au nom du Centre. On admirait sa détermination et son charme intransigeant.

C'était mal la connaître, pensait Richard Lépine. Lui savait quel genre de feu se cachait sous cette apparence glacée. Ils avaient vécu ensemble près d'un quart de siècle de bonheur. Il hésitait sur le mot « bonheur », qui lui répugnait un peu, l'estimant prosaïque, trivial. À défaut d'un mot plus noble, plus singulier, mieux à même de définir ce qu'éprouvent des êtres d'un certain niveau, et qui ne se compare pas avec la béatitude obscène dans laquelle baignent les couples d'épiciers ou d'employés de banque, il l'utilisait, mais du bout de la pensée, sans jamais le formuler.

Ils passaient beaucoup de temps dans ce bureau, mêlant le travail et l'amour – l'amour, c'était encore un mot qui n'avait aucune grâce à ses yeux, et qu'il méprisait.

Pendant que le policier l'interrogeait ce matin, il avait vu par la fenêtre le taxi de Sylvie Monsoir s'arrêter devant l'hôtel et prendre en charge ce type dont Thérèse Londroit lui avait appris qu'il enquêtait sur la mort de Rosa Gulingen. Il ne se l'avouait qu'à moitié, mais la jeunesse de Sylvie Monsoir l'avait attiré dès le jour où Freddy la lui avait présentée. C'est pour elle qu'il avait avancé à Freddy l'argent du taxi. Puis il avait éloigné Freddy en lui trouvant cet emploi de routier dans une des plus grandes entreprises de transport de Belgique. Il s'était arrangé pour la convoquer plusieurs fois, sous des prétextes dont elle avait immédiatement perçu l'artifice, car c'était une fine mouche, et mieux encore une fille rusée, un peu méandreuse, sans doute calculatrice, peut-être dangereuse. Freddy l'avait pêchée on ne savait où, en France. Il avait cru comprendre qu'un temps elle avait été recherchée par la police. Freddy l'aurait épousée pour l'aider à changer de nom. Mais Freddy ne se confiait jamais complètement. Il était trop stupide et trop méfiant. Un tas de muscles sans cerveau.

« Quelque chose ne s'est pas bien passé, Richard ? » demandait Élisabeth en prenant place sur le canapé.

Il haussait les épaules.

« C'est le policier ? dit-elle encore.

– Je n'ai jamais rencontré quelqu'un de plus abject. C'est de la boue.

– Les policiers…, soupira Élisabeth, sans préciser sa pensée.

– Il s'est conduit de façon ignoble.

– Qu'est-ce qu'il voulait ?

– Il m'a mis sous le nez le relevé téléphonique de Rousselet.

– Tu lui as expliqué que Rousselet te harcelait ? Qu'il menaçait de mettre le feu au Centre ? Tu n'as fait que subir la rage d'un fou. C'est très simple. Même un policier est capable de comprendre ce genre de chose. À la longue, bien sûr. Mais il faut avoir confiance. Le temps est avec nous.

– Oui. Mais ce n'est pas ce qui m'inquiète.

– Tu n'as aucune raison de t'inquiéter. Aucune.

– Je m'inquiète, parce que si ce policier a découvert que Rousselet me téléphonait, il découvrira aussi que j'ai moi-même appelé Rousselet. Il découvrira surtout que je me suis manifesté le premier.

– Je sais.

– C'est moi qui ai pris contact avec Rousselet. Pas l'inverse.

– Qu'est-ce que ça prouve ?

– Ça ne prouve rien. Mais on se demandera pourquoi j'ai téléphoné à Rousselet.

– Tu répondras qu'il était venu faire du scandale à la porte du Centre. Je témoignerai, s'il le faut.

– Je me refuse de te mêler à cette histoire. »

Il avait esquissé un crâne mouvement d'épaule, mais il y manquait l'intensité et le panache. Élisabeth n'avait jamais vu Richard Lépine dans un tel état d'angoisse.

« Qui pourrait imaginer que tu serais pour quoi que ce soit dans la mort de Rousselet… », exhala-t-elle avec une moue.

Reugny. Hôtel du Grand Cerf.
Après-midi.

Vertigo Kulbertus avait eu à faire face à une insurrection. Les témoins qu'il avait convoqués l'avaient accueilli de méchante humeur. Walmourt avait même eu des réflexions désobligeantes à l'égard de la police, sans aller jusqu'à nommer un policier en particulier. Et Louesse piaillait, les yeux hors des orbites, l'haleine empestant la bière.

Imperturbable, Kulbertus avait déclaré :

« Messieurs, gardez vos forces pour le procès. Vous en aurez besoin. Vous êtes tous mouillés. »

Puis d'un pas de cardinal à la Fête-Dieu, il était allé dans la salle voisine, se restaurer de frites et de cervelas. Avant d'attaquer le repas qui venait d'être déposé sur la nappe, il demanda à Karine, la serveuse :

« Chère mademoiselle, veuillez faire entrer ces messieurs. »

Ce qu'elle fit en trottant craintivement. Kulbertus les pria de se mettre à leurs aises. Puis il s'adressa à eux, non sans s'astreindre à des nuances cérémonieuses :

« Messieurs, votre qualité de témoins vous autorise à être, aussi, les témoins de mon repas. Observez-moi bien. Nous allons travailler sur la fiabilité du témoignage oculaire. Dans deux jours je vous interrogerai sur le combat que j'aurai livré avec la nourriture et duquel je sortirai vainqueur, il va de soi. Je vous demanderai combien de frites j'ai mangées, combien de temps j'ai mis pour avaler mon troisième cervelas, le nombre de pintes de bière appelées à pousser les aliments dans les gouffres de mon obésité. Et toutes sortes d'autres choses. »

Ils étaient sur le point de protester. Ils en avaient envie. Mais chacun attendait qu'un autre prenne l'initiative d'une récrimination. Ils continuèrent donc à se taire.

Kulbertus poursuivait :

« L'un d'entre vous a peut-être tué Jeff Rousselet, qui méritait son sort, et l'idiot, qui ne le méritait pas. Je n'oublie pas qu'une jeune fille a disparu. On continue à battre la forêt. Dans tout le pays, les gares sont sous surveillance. C'est bien. Mais nous sommes mercredi et l'espoir devient d'heure en heure plus faible. Qui vous dit qu'on ne va pas retrouver son corps sans vie dans les marais, dans une poche d'eau, sous un tas de bois. Cela nous ferait trois cadavres et pas de coupable. Je pressens que nous ne sommes pas au bout de nos surprises. Messieurs, nous nous débattons au cœur d'un drame. Dans douze jours, je prends ma retraite et cette histoire me gâche le peu de temps qu'il me reste à passer dans la police et pendant lequel j'espérais me laisser glisser en roue libre jusqu'à l'échéance. Vous comprendrez mon mécontentement. Que feriez-vous dans ma situation ? »

Il s'enfila coup sur coup deux cervelas fumants et dont la peau s'était recroquevillée en noircissant dans la friture, comme de la matière plastique.

« Distribution, s'il vous plaît, mademoiselle. »

Pendant que Karine obtempérait, Kulbertus expliqua :

« Je vous ai fait préparer du papier et des crayons. Vous êtes priés de ne pas les emporter avec vous après usage. Ce que je vous demande est d'une grande simplicité. Vous prenez une feuille de papier et à l'aide du crayon – et en lettres capitales garantie d'anonymat –, vous inscrivez, premièrement, le nom de la personne dont vous pensez qu'elle a tué Jeff Rousselet. Deuxièmement, le nom de la personne que vous souhaiteriez voir accusée du meurtre de Jeff Rousselet. Ensuite, vous plierez la feuille en quatre. Karine ramassera les copies, elle les déposera dans le sac de supermarché que voici et cette nuit ou demain j'étudierai ce sondage à tête reposée. Me suis-je bien fait comprendre ? »

Bob, un des trois Frelin, se leva à moitié sur sa chaise, en s'appuyant sur le bord de la table.

« Est-ce que tout ça est bien légal quand même ?

– C'est moi qui pose les questions », cria Kulbertus.

Bob retomba sur sa chaise. Dopé par le courage de Frelin, Caminage déclara, mais sans bouger de son assise :

« Ça a un nom, ce que vous nous demandez. Je me souviens plus lequel, mais on l'entend souvent à la télé. Je retiens pas bien les noms. Mais je sais bien ce que ça veut dire. Vous voulez qu'on dénonce.

– Effectivement. Je vous demande de vous adonner à la délation. C'est beau, la délation.

– Non. C'est pas beau, dit Louesse, qui reprenait du poil de la bête.

– Beau, pas beau, nous n'allons pas engager une discussion d'esthètes. Vous faites ce que je vous demande et c'est tout. Ou alors je considère que vous êtes tous bons à être embarqués dans le panier à salade. À Neufchâteau, mes collègues ne se montreront pas aussi accommodants que moi. Eux c'est des vrais flics, je vous le dis. Ils font rentrer sainte Bernadette dans la salle des tortures et c'est une mère maquerelle qui en ressort. Je les ai vus régler le destin de types innocents comme l'agneau qui vient de naître en les transformant en monstres sanguinaires à coups d'annuaire sur la tête. Est-ce que vous connaissez la convulsion testiculaire ? C'est une douceur exclusivement réservée au sexe fort. On l'obtient par pression digitale à froid. Vous avez entendu parler ? Vous entrez avec des prunes, vous ressortez avec des blinis. C'est vrai, vous avez le choix. Il ne tient qu'à vous. À vos copies, s'il vous plaît, messieurs ! »

Ils s'appliquèrent.

Larcheville. Fin d'après-midi.

Nicolas se demandait comment il en était arrivé là. Sylvie le regardait entre ses cils, en souriant. Un type était entré chez la Mère Dodue. Elle lui avait servi une boisson gazeuse, à base de café et d'extraits végétaux. Plus tard, elle leur avait expliqué que son client en était à sa vingt-troisième cure de désintoxication.

« Il en a fait son métier, disait-elle. Il tient quinze jours, deux mois, parfois un soir, et il replonge. Il a du mérite, finalement. »

Le gars avait mis une pièce dans le juke-box et il s'était absorbé dans l'audition d'un vieux slow de Salvatore Adamo.

« J'ai surtout de l'américain dans la machine, avait dit la Mère Dodue, mais faut laisser de quoi nourrir la nostalgie des anciens. C'est un genre qui s'éteindra de sa belle mort. »

C'était peut-être Sylvie qui lui avait pris la main et qui l'avait entraîné sur la piste. Le champagne n'y était pas pour rien. Elle répétait qu'elle avait trop bu. Elle riait délicatement, en étouffant son rire contre son épaule, à lui.

« Je crois que je ne suis pas en état de conduire », disait-elle.

Elle se blottissait, elle se serrait. Il sentait sa main contre sa nuque. Il avait bu. Juste assez pour être bien.

Avec les femmes, il avait toujours été plutôt timide. En plus, il n'avait jamais appris à danser et se sentait empoté. Il le lui avait signalé avant de poser le pied sur la piste.

« C'est en tout bien tout honneur », lui avait-elle lancé, en le paraphrasant, et en clignant de l'œil vers la Mère Dodue.

Puis, après quelques pas, elle lui avait annoncé qu'il ne se « débrouillait finalement pas si mal ».

« Adamo, ça va », avait-il bafouillé, conscient d'être ridicule.

Deux autres chansons d'Adamo avaient suivi. Il y en avait donc eu une de trop. C'est sur la troisième que leurs lèvres s'étaient rencontrées, comme on dit dans les romans d'amour.

« Il me semble que j'ai trop bu, répéta-t-elle, j'ai la tête qui tourne. Peut-être qu'il faudrait que je prenne l'air. »

Ils s'étaient retrouvés dans les rues, main dans la main, avec des mines radieuses et gentilles. Ils n'avaient pas choisi l'hôtel. Ils avaient pris une chambre dans le premier qui se trouvait sur leur chemin. Ce n'était pas prévu. Ils éprouvaient la même surprise en poussant la porte, en voyant le lit, les rideaux qui tamisaient une lumière qui stagnait, épaisse, dans une rue aux maisons hautes.

Maintenant, il faisait nuit. On entendait mieux les voitures, plus rares. Sylvie avait allumé la lampe de chevet. Elle songeait à Mme Vonny. D'autres pensées aussi l'assaillaient, mais elle les repoussait. Elle ne se demandait pas comment on peut tomber amoureux aussi rapidement. Parce qu'ils avaient parlé de ça, également. Après. Elle était sincère. Elle était prête à tout pour quitter Reugny, même à être sincère, même à se regarder en face. S'il se vérifiait que quelque chose de sérieux se préparait entre eux, elle se verrait sans doute dans l'obligation de le mettre au courant. Elle aviserait. Elle avait encore du temps devant elle. Elle avait seulement envie d'être heureuse.

« Il ne serait peut-être pas mauvais de rentrer… », suggéra Nicolas.

Reugny. Hôtel du Grand Cerf.
Nuit de mercredi à jeudi.

Il n'était pas tout à fait minuit quand Nicolas revint à l'hôtel du Grand Cerf. Kulbertus l'attendait dans un coin de la salle de restaurant, devant une table qui avait été le théâtre de la multiplication des bocks vides.

« Ah, te voilà, mon ami, mon frère, mon fils ! s'écria le policier, sans se lever. Nicolas ! Ah, mon Nicolas ! Sais-tu que j'angoissais pour ta santé ? Je m'interrogeais en comptant les heures ! Plus le temps passait, moins j'avais de goût à rien. Par chance, la bière sans mousse est une source intarissable de réconfort. Pourtant, Dieu, qui n'ignore rien de ma fatigue, me pressait de rejoindre ma litière. Mais si Dieu peut tout, il ne peut pas grand-chose contre les disciplines de l'amitié. La journée a été lourde pour un homme comme moi, dont les jambes sont recrues de handicaps, fourmillements divers, crampes à tous les étages, tendinites insidieuses, épanchement synovial unilatéral, séquelles d'entorses et prurit disparate. Pourtant, j'ai résisté au sommeil. Je voulais te voir.

– Tu me vois, Vertigo.

– Transportons-nous jusqu'à ce merveilleux petit musée que la maîtresse des lieux a consacré à notre très chère et très malheureusement disparue, Rosa Gulingen.

Allons, pendant que je cale encore sur mes pointures. Allons, te dis-je ! »

Mais Nicolas dut le soutenir. Le policier pesait son poids en hectolitres. Il avait tendance à se répandre, à s'étaler, à prendre la forme de la pièce, du couloir, comme un pur liquide.

« Sans te commander, tu mets la cassette.

— Laquelle ?

— Celle que tu as apportée de Paris. J'ai quelque chose pour toi. Je te dis que j'ai quelque chose pour toi. »

Puis il se mit à hurler à tue-tête :

« Karine ! Karine ! Karine ! »

Thérèse apparut. Elle s'essuyait les mains sur un tablier de jardinier.

« Karine est retournée au Centre, dit-elle. Je l'ai envoyée se coucher. Il faut que les journées aient une fin. »

Kulbertus s'excusait. Il se vantait d'être honteux.

« Mon ami Nicolas et moi sommes à la bière. Je ne voulais pas vous déranger, madame Londroit. Je suis au courant de tout, vous savez. Je sais votre souci. Vous vous surmenez. D'ailleurs, je vous trouve petite mine.

— Je vais vous chercher de la bière », décida Thérèse pour couper court à ce discours qui l'agaçait.

L'hôtel avait retrouvé son calme. Les journalistes étaient partis. Le chauffeur passait ses nuits à Vresse où il s'était déniché une famille d'adoption, un camarade de promotion qui s'était converti dans l'horticulture, d'après ce que Kulbertus avait compris.

« Déroule la bande jusqu'à la fin, s'il te plaît. Tu arrêtes juste avant la fin. Seules les trois ou quatre dernières minutes nous intéressent. Tu vas voir ce que tu vas voir. »

La bière arriva. Thérèse avait prévu six bocks. Dont trois sans mousse. Ce qui dénotait une grande subtilité psychologique.

« Je vais me coucher », prévint-elle.

Elle ajouta, avec un geste mou vers les verres :

« Si cela ne suffit pas, vous vous servirez vous-mêmes. Vous savez comment ça fonctionne. »

Kulbertus la remercia, lui souhaita bonne nuit, lança ses bras en l'air, comme s'il faisait ses adieux sur le quai d'une gare.

« J'arrête ici ? demanda Nicolas, quand Thérèse se fut éloignée.

– Tout juste, dit Kulbertus. Et maintenant, mon fils, tiens-toi paré pour toute éventualité. À mon signal, tu appuies sur le bouton d'arrêt sur image. »

Pendant que le film se déroulait, Nicolas tira une chaise et, la télécommande à la main, s'installa aux côtés du policier.

« Voilà, voilà, commentait Kulbertus. La fenêtre. Le premier mur. Voilà. La lumière n'est pas fameuse. Mais on reconnaît les deux tableaux, avec des oies, et l'autre, là, les sangliers. La scène de chasse. Ça vient. On y arrive. Le miroir et les moulins. La cheminée, tu vois ? Les chandeliers, les blasons. Et regarde bien : les pendulettes. Elles donnent toutes une heure différente. Elles avancent ou retardent les unes par rapport aux autres. Quarante ans après, c'est la même chose. Je me suis renseigné auprès de Mme Londroit. Les pendulettes sont remontées et remises à l'heure tous les lundis matin, à neuf heures. C'est une habitude de la maison. Intéressant, non ? »

Nicolas fit la moue. Pour lui, il n'y avait rien de nouveau. On connaissait l'heure de la mort, l'heure du tournage, l'heure où Rosa avait regagné sa chambre.

« Ça ne fait que confirmer ce qu'on sait déjà, dit-il en haussant légèrement les épaules.

– C'est rien, c'est rien, s'excitait Kulbertus. Je te montre ça en passant. Un flic, ça s'attache aux détails. Les pendulettes on s'en fiche. Ce que j'en disais, c'était seulement pour t'éblouir un peu en célébrant mon esprit de déduction.

– C'est réussi, feignait de s'épater Nicolas.

– Attends un peu. Tu n'as rien vu. La caméra recule. Stoppe, là. »

Rosa venait d'apparaître, sublime.

« Maintenant, reviens un petit peu en arrière. Stoppe ! Qu'est-ce que tu vois ? Décris-moi ce que tu vois, Nicolas. »

Il dit qu'il voyait un chromo, dans un cadre foncé, sans doute en bois, une simple moulure. C'était un paysage sylvestre. Au premier plan, à droite, deux hommes en culotte de cuir et chapeau tyrolien, à plume, l'un à l'abri derrière un rocher contre lequel jaillissait un hêtre de grande taille. Son fusil était posé sur le sol, dans l'angle de l'image. L'autre se tenait debout, le bras gauche en appui contre l'arbre. Il venait de faire feu, car au fond de l'image, dans une perspective de jeunes sapins, un homme était en train de tomber à la renverse en portant sa main contre sa poitrine.

« L'homme qui tombe, c'est un garde-chasse, dit Kulbertus. Les deux autres sont des braconniers. »

En effet, l'homme agenouillé dissimulait en partie la dépouille d'un cerf dont il finissait d'empaqueter les cuissots dans un sac en toile fermant à l'aide d'une cordelette.

« Que faut-il en penser, Nicolas ? demanda Kulbertus d'une voix gourmande.

– Je n'en sais rien.

– Depuis le tournage du film, rien n'a changé dans cet établissement. Tout est à sa place. Il ne manque qu'une chose : ce chromo.

– Ça n'avait aucune valeur. Ils l'ont jeté.

– Jeter, ce n'est pas dans la mentalité de ces gens-là. Ils gardent tout. Je suis sûr que les greniers, les hangars, les remises, les caves, tout est encombré de vieilleries.

– Le chromo a peut-être été rangé dans un grenier.

– Pourquoi ce chromo et pas les autres ? Et pourquoi pas ces scènes animalières qui ne valent pas trois francs six sous ? Et pourquoi pas les affreux chandeliers ? Des gens qui chaque lundi matin remontent et règlent des pendulettes dont pas une ne donne l'heure juste pendant plus d'une minute ne jettent rien, crois-moi ! »

Kulbertus s'esclaffait. Il paraissait plus agité que les autres soirs.

« Là où je vais te faire choir, mon ami, c'est quand je t'aurai dit que j'ai retrouvé ce chromo. Il ne m'a pas été possible de l'approcher. Mais dès que je l'ai vu, j'ai réalisé que je ne le voyais pas pour la première fois. Des images comme celle-là, on a tous été amenés à en voir un jour ou l'autre. C'est commun.

– J'en ai vu aussi. Mais sans y prêter attention.

– Eh bien, mon cher Nicolas, ce chromo se trouve maintenant sur une des étagères de la bibliothèque, dans le bureau de Richard Lépine. J'ai pensé que ça t'intéresserait. »

Il fut étonné du manque d'enthousiasme de Nicolas.

« Enfin, Nicolas, pose-toi une première question : pourquoi Richard Lépine conserve-t-il dans son bureau un chromo sans valeur ? Qui plus est, un chromo qui se trouvait à sa place dans le décor tout à fait kitsch de l'hôtel du Grand Cerf. Pourquoi ?

– Est-ce important, Vertigo ?

– Tout ce qui a tourné dans un film de Rosa Gulingen est important. Tout ce que les yeux de Rosa Gulingen ont vu est important. Et je dirais même, en ce qui me concerne, tout ce qui me rappelle Rosa Gulingen est important. Cela dit, tu en fais ce que tu veux. Mais à ta place, j'étudierais le problème. »

Nicolas réfléchissait. Il n'avait pas grand-chose à réfléchir. Vertigo Kulbertus laissait peser sur lui un regard à la fois amusé et interrogatif.

« À mon avis, commença Nicolas, c'est une image qui lui plaisait et quelqu'un de l'hôtel, Léontine ou Thérèse, la lui aura offerte pour lui faire plaisir.

– C'est exactement l'explication que fournirait Thérèse Londroit ou Richard Lépine si on les questionnait sur ce sujet. Or Thérèse Londroit ment. Richard Lépine ment. Ils mentent systématiquement. Je ne dis pas qu'ils ont fait quoi que ce soit de mal, mais ils partagent un secret qu'ils ne souhaitent vraiment pas divulguer. Est-ce que cela a un rapport avec les parents de Richard Lépine, dont on m'a dit qu'ils avaient été massacrés à la fin de la guerre ? »

En quelques phrases, Nicolas résuma ce qu'il avait appris aux archives départementales de Larcheville. Il précisa que Rousselet semblait avoir conduit des recherches assez approfondies sur la question.

« Qu'est-ce que je te dis, Nicolas ? Tout se tient. Le massacre de la famille Lépine, en France, à la fin de la guerre. L'orphelinat de Reugny, dont les bâtiments appartenaient à la famille Lépine. L'arrivée de cet enfant qui a échappé au massacre et qui, cinquante-cinq ans plus tard, possède chez lui un chromo qui était exposé à l'hôtel du Grand Cerf où Rosa Gulingen a trouvé la mort dans des circonstances qu'on oserait qualifier d'inexpliquées. Les fouineries malveillantes de Jeff Rousselet.

L'assassinat de ce dernier. Et ses conséquences : la mort de l'idiot, la disparition de la fille de l'hôtel. Et je ne te parle pas des relations téléphoniques qu'entretenaient Richard Lépine et Jeff Rousselet. Tout se tient, Nicolas. J'ignore par quel mauvais miracle, mais tout se tient. Il y a une logique dans cette histoire. Parole de flic. »

Il sautait sur son siège, battait des coudes comme un gros oiseau, lippait et grimaçait comme un masque de carnaval.

« Regarde-moi ça aussi ! s'exclama-t-il en tirant de la poche de sa veste une liasse de papiers. J'ai procédé à un sondage. Les hommes politiques se le permettent, pourquoi pas la police ? J'ai donc demandé aux gens du village leur sentiment à propos de la mort de Jeff Rousselet. Ils sont courageux, je te le jure. Pas un ne s'est mouillé. À la question : "Quel est le nom de la personne dont vous pensez qu'elle a tué Jeff Rousselet ?", tout le monde a répondu : Richard Lépine. À la question : "Quel est le nom de la personne que vous souhaiteriez voir accusée du meurtre de Jeff Rousselet ?", douze fois la même réponse : Richard Lépine. En soi, ça ne veut pas dire grand-chose, mais si on y regarde bien, à Reugny, le premier nom qui dans tous les cas vient à l'esprit des gens, c'est Richard Lépine.

– C'est le plus riche du village. Et tout le monde lui doit quelque chose. Qui ne souhaite pas la mort de ses créanciers ?

– Je suis d'accord avec toi. Mais ce Richard Lépine, il serait bon de l'examiner d'un tout petit peu plus près. Franchement, je ne le sens pas. Je ne le sens pas, cet homme. Il est très fort. Il règne sur le pays, mais il se déstabilise facilement. J'ai failli lui faire exploser le cœur en l'apostrophant au sujet de ses hémorroïdes. Un homme aussi puissant et qui se trouble pour ce genre de plaisanterie, moi, je te le dis, Nicolas, il a quelque chose à cacher. Et quelque chose de colossal. Quelque chose qui le remplit, qui veut sortir, qui lui suinte par tous les pores, qui lui injecte les yeux, qui lui coule par les oreilles en torrents d'adrénaline…

– C'est pas un peu beaucoup, Vertigo ?

– D'accord, je retire l'adrénaline. »

Il poussa cette infime défaite avec un bock entier de bière.

« Ce que je me demande, dit Nicolas, c'est comment Richard Lépine est arrivé à Reugny. Qui l'a amené ? Qui l'a recueilli ?

– Sensément quelqu'un qui savait qu'il pouvait être recueilli à l'orphelinat.

– Il y avait des orphelinats en France.

– Ils n'étaient pas la propriété de la famille Lépine. »

Il était tard. La nuit ralentissait leurs paroles. La bière leur tordait la langue. Ils mirent de la tristesse dans leur discours. Et même de la mélancolie. Ils traversèrent des périodes catastrophantes en dissertant autour de la condition humaine. Deux ou trois fois, ils eurent également l'haleine métaphysique. Et puis, quand tous les bocks furent secs, Vertigo, des larmes sur les joues, tendit la main à Nicolas et ils scellèrent ainsi un nouveau pacte d'amitié.

« Nicolas, mon ami, mon frère, mon fils, à propos de ce chromo qui nous intrigue et nous chiffonne, j'ai une stratégie à te proposer. »

Il posa son index en travers de ses lèvres.

« Écoute-moi bien », murmura-t-il.

Jeudi

Reugny. Hôtel du Grand Cerf. Matin.

Le jardin sortait à peine de la nuit. Devant la vitre
de la cuisine, Thérèse Londroit but à petites gorgées le
verre d'eau où elle avait fait se dissoudre deux aspi-
rines. Le sommeil lui manquait. Elle tendit l'oreille vers
l'étage. Le policier ronflait. Son ami de Paris avait dû
être malade peu de temps après s'être mis au lit, car
elle avait plusieurs fois entendu la chasse d'eau, puis
la douche, et encore la chasse d'eau, plus tard. Elle
prit derrière elle dans le placard une brique de lait et
un paquet de biscuits. Elle se déplaçait en chaussettes,
en jetant des coups d'œil autour d'elle. Les jours passaient, et l'inquiétude grandissait. Il y avait eu ce coup
de téléphone, dans la nuit de lundi qui disait : « C'est
fait. » Sur le moment, elle avait cru que c'était Jérôme,
mais elle n'avait pas reconnu sa voix. Elle soupçonnait
plutôt le policier. Il avait des méthodes et des manières
extravagantes. Elle avait noté des allusions, des sous-
entendus, des formules à double sens. Il voulait peut-être
lui faire comprendre qu'il n'était pas dupe. Qu'il savait
qu'Anne-Sophie avait pris contact avec elle. S'il avait
le moindre doute, s'il pensait sérieusement qu'elle avait
récupéré sa fille pour la mettre à l'abri quelque part,

pourquoi aurait-il intensifié les recherches ? Sur son initiative, les journaux avaient publié une photo de la jeune fille. Il avait fait survoler la région des marais par un hélicoptère. En même temps, il avait posté des gendarmes devant l'hôtel. Ils prenaient leur faction à huit heures du soir dans une voiture et, le matin, s'en allaient vers sept heures et demie, quand l'hôtel et le village commençaient à s'animer. Ce qui lui compliquait la tâche, à elle. Car pour rejoindre le réduit où se trouvait Anne-Sophie, elle devait passer par l'hôtel, alors qu'il aurait été plus simple de traverser le jardin et d'accéder à la buanderie par la remise. Mais un gendarme barrait le chemin de la remise. Il poussait même la circonspection jusqu'à appuyer le pare-chocs de la voiture contre la porte.

Elle se faufilait dans le couloir, s'attendant à chaque seconde à voir se dresser devant elle la massive silhouette de Kulbertus.

« J'espère, madame Londroit, lui avait-il dit, que la police retrouvera votre fille rapidement. L'assassin la recherche. Il possède sans doute des informations qui nous font défaut. Il la tuera. Voyez-vous, je suis sûr qu'il sait, lui, où la trouver. Il attend une occasion. »

Il la tourmentait ainsi, assez cruellement, et souvent.

Anne-Sophie dormait. La lampe de poche commençait à faiblir et ne répandait qu'un halo orangé qui n'éclairait rien. Thérèse changea les piles. Puis elle découvrit Anne-Sophie, tira les couvertures sur le sol, déboutonna et dégrafa les vêtements. Elle n'avait pas pensé aux choses pratiques et s'en voulait un peu. Quand la jeune fille fut nue de la taille aux pieds, Thérèse roula les étoffes souillées dans un sac plastique qu'elle ferma en le nouant plusieurs fois. À l'aide d'une éponge sur laquelle elle avait versé de l'eau minérale, elle nettoya grossièrement l'entrejambe et les fesses. Puis elle confectionna une sorte de couche, avec du coton et des chiffons, qu'elle fit tenir avec des épingles. Par-dessus, elle enfila une de ses propres culottes, en coton, solide et assez large pour contenir les quatre ou cinq épaisseurs de tissu.

Une fois Anne-Sophie rhabillée, elle lui fit travailler les jambes, puis les bras, pendant quatre ou cinq minutes. La jeune fille ne se réveillait pas vraiment, mais elle ouvrait les yeux, sa respiration se faisait plus présente. Alors, Thérèse la prenait dans ses bras, lui ouvrait la bouche et lui faisait sucer des biscuits trempés dans du lait. C'était long. Après quoi, elle lui renversait sur la langue le contenu de deux gélules de somnifère et lui faisait boire du lait, jusqu'à plus soif.

Elle n'osait pas parler. À cause du policier. Il avait des oreilles dans tous les coins. Il traînait partout. Elle l'avait surpris en train d'essayer d'ouvrir la porte de la chambre d'Anne-Sophie. Se voyant découvert, il avait pris un air dégagé, presque sifflotant et s'était refoulé vers l'escalier en esquissant des mouvements de gymnastique. Quand, d'un coup de tête, en la croisant, il lui avait montré le plafond et lui avait lancé en même temps qu'un clin d'œil : « Avec ce soleil, on ne sait plus ce qu'on fait ! », elle avait failli en laisser tomber la pile de draps qu'elle transportait.

Dès qu'elle la reposait sur l'oreiller, Anne-Sophie sombrait dans un sommeil profond. Thérèse ne s'attardait pas. Elle faisait un détour par le cellier et se chargeait d'un cageot de légumes, en cas de mauvaise rencontre.

Reugny. Hôtel du Grand Cerf.
Dans la matinée.

Kulbertus avait été catégorique.

« Vous y allez à deux gendarmes. Et vous me les ramenez ici, morts ou vifs. »

En voyant les gendarmes dans le hall, Richard Lépine était entré dans une colère considérable. Il avait d'abord refusé de leur adresser la parole, puis il les avait menacés de faire intervenir ses relations, éructant des noms de ministres, d'avocats, de procureurs.

« L'inspecteur Kulbertus a bien insisté, monsieur Lépine : C'est de la plus haute importance. Il a parlé de vie et de mort, expliquait un des gendarmes, en secouant machinalement les menottes accrochées à son ceinturon.

– J'ai du travail. Vous direz à cet énergumène que M. Richard Lépine travaille. »

Il faisait les cent pas sur le carrelage, en proférant des injures et des mises en demeure. Élisabeth Grandjean, qu'on avait fait appeler, avait pénétré dans le hall sans saluer ceux qui s'y trouvaient et s'était dirigée d'un petit pas sec vers Richard Lépine. Elle l'avait pris par le bras, l'obligeant à écouter ce qu'elle voulait lui dire. Elle lui avait parlé à l'oreille.

« Qu'est-ce qu'il nous veut ? avait grogné Richard Lépine, avec un geste de désespoir. Il m'a déjà fait perdre la matinée d'hier.

– Nous vous accompagnons, messieurs », trancha-t-elle.

Et elle précéda tout le monde, les gendarmes et Richard Lépine, les entraînant dans son sillage à travers la place de Reugny, vers l'hôtel du Grand Cerf.

« Entrez, entrez », s'écria Kulbertus.

Il était vautré au milieu de son lit, écrasant une montagne d'oreillers, en chaussettes et en caleçon large. Il portait un maillot de corps en coton blanc, sur lequel une étoile de shérif était imprimée. Pour casser l'intimité de la chambre, il avait emprunté à son chauffeur le gyrophare et l'avait fait installer sur la deuxième table de nuit. Il aimait beaucoup cette ambiance.

« Je ne peux pas me lever, geignit-il. Je suis un homme au bout de ce supplice qu'est la vie. À onze jours de la retraite, on m'impose de courir derrière d'abominables assassins. Ah, mes amis, c'est mon chant du cygne. Je vous le dis, c'est mon chant du cygne. Fermez la porte derrière vous, s'il vous plaît. »

Élisabeth Grandjean ferma la porte. Richard Lépine prenait un air dégoûté.

« Vous allez vous placer tous les deux côte à côte au pied de mon lit. Comme des jeunes fiancés à la mairie. Je ne veux pas que vous échangiez un regard. Vous ne devez voir que moi. Je vous rappelle que j'enquête sur un crime. Alors, total respect, s'il vous plaît. »

Ils obéissaient. Élisabeth Grandjean plus promptement que Richard Lépine.

« Rassurez-vous, monsieur Lépine, il ne sera plus question de la pathologie, bénigne certes, mais dégradante pour un homme de votre espèce, dont vous pâtissez par-devers vous. Quand on sait de quoi vous souffrez, on vous admire, savez-vous, de vous voir faire si bonne figure. C'est courageux. À chacun sa croix. Vu sa situation, la vôtre prend la forme d'un blasphème. Mon Dieu ! Mais toujours attentif à soulager les maux qu'endurent mes contemporains, je vous dispense de prendre un siège. J'espère que vous apprécierez cette délicatesse. »

Richard Lépine soupira.

« J'entends votre soupir comme un soupir de soulagement, monsieur Lépine. Entre nous, est-ce que vous savez pourquoi je vous ai fait venir jusqu'à moi ?

– Aucune idée, inspecteur, répondit Élisabeth Grandjean.

– Pour causer. Voilà, je vous ai fait venir pour causer.

– Causons, alors, inspecteur, dit encore Élisabeth Grandjean.

– D'abord, Jeff Rousselet. Vous m'avez dit hier, monsieur Lépine, que Jeff Rousselet tentait de vous faire chanter.

– Je n'ai jamais dit ça.

– Non, non. Je ne dis pas que vous me l'avez dit. Je dis que c'est ce que j'ai compris à travers ce que vous me disiez. J'interprète, je tire des plans, j'échafaude des hypothèses. Bref, selon moi Rousselet avait découvert des informations vous concernant. Probablement. Jeff Rousselet se passionnait pour l'histoire de votre famille, monsieur Lépine. Votre papa était un collaborateur notoire. Mieux, il s'affichait dans la collaboration. Il en redemandait. Il ne voyait que par les Allemands. Il les traitait comme des princes. Il leur caressait les bottes. Il se délectait avec eux. Il avait choisi son camp. Ça aurait pu marcher.

– C'est hors sujet, dit Richard Lépine.

– Je voudrais savoir si vous vous êtes intéressé vous-même à l'histoire de votre papa. Et à l'histoire de votre maman. Ils vous ont tout de même laissé en héritage un domaine d'une très grande valeur. Quatre mille hectares, m'a-t-on dit. D'un seul tenant. Autour du château-ferme où vous avez ouvert le Centre. Magnifique. Parlez-moi de votre papa, monsieur Lépine.

– Votre question n'a aucun rapport avec l'enquête, inspecteur, intervint Élisabeth Grandjean.

– Vous, vous parlerez quand ce sera votre tour de parler », rétorqua Kulbertus en lui décernant un sourire.

Il saisit des papiers qui traînaient à côté de lui et fit celui qui les déchiffrait silencieusement, en remuant les lèvres.

« Attention à ce que vous dites, monsieur Lépine. J'ai une arme, menaça-t-il en secouant les feuilles.

– Vous ne m'impressionnez pas, se pinçait l'autre.

– Regardez, douze lettres anonymes, et toutes vous accusent nommément d'avoir assassiné Jeff Rousselet. Je n'invente rien. J'ai horreur des lettres anonymes, vous pensez bien. La police a horreur des lettres anonymes. Elle n'en tient jamais compte. Il n'y a que les fonctionnaires du fisc pour attacher du crédit à une dénonciation anonyme. Pas un policier. C'est trop moche. »

De loin, il invita Richard Lépine à contrôler que son nom figurait bien sur chacune des feuilles qu'il faisait passer pour des lettres. Malgré lui, le directeur du Centre se pencha pour mieux lire. Le sang avait quitté sa figure. Quand il se redressa, il eut une sorte de spasme, comme un haut-le-cœur.

« Parlez-moi de votre papa, s'il vous plaît.

– Je n'ai rien à en dire. Je l'ai renié.

– Si vous l'aviez aussi complètement renié que vous le dites, vous auriez changé de nom. Ce n'est pas un peu difficile de porter le nom d'un homme réputé pour sa bassesse patriotique ?

– Tout s'oublie. Même ces choses-là.

– Si vous l'aviez aussi complètement renié, vous n'auriez pas accepté l'héritage.

– Les choses se sont faites naturellement. Je n'ai rien voulu, rien refusé. Les événements ont disposé de ma vie. Je n'y suis pour rien. Je n'ai connu ni mon père ni ma mère. J'étais trop jeune pour conserver d'eux le moindre souvenir.

– Vous vous êtes renseigné, tout de même.

– Non.

– Vous avez lu les ouvrages que les historiens ont écrits sur l'affaire Lépine. Au moins des articles. Ou vous en avez entendu parler.

– Bien sûr.

– Voilà. C'est bien. Vous savez donc quel genre d'homme était votre papa. Un bel échantillon de traître. Une crapule. Un misérable, pour être poli.

– Dites ce que vous voulez.

– Ce n'est pas moi qui le dis. C'est l'Histoire. Vous vivez en Belgique, c'est vrai, mais vous êtes avant tout un produit de l'Histoire France. Ah, votre pauvre papa a eu une triste fin ! La tête coupée. Les yeux crevés. La langue arrachée. Je crois même qu'on lui a débité en petits morceaux les parties intimes. C'est très laid.

– Vous êtes un porc, inspecteur. »

C'était Élisabeth Grandjean qui venait de s'exprimer. Elle n'avait pas forcé sa voix. À peine si elle avait appuyé sur le mot « porc », en y mettant une nuance inamicale. En son for intérieur, Kulbertus se félicitait d'avoir disloqué aussi peu que ce fût la froideur unie, serrée et lisse de cette femme. Tranquillement, il s'abandonna à la vague de ravissement qui le faisait frissonner. Il aimait bien être content de lui, c'était un délassement.

« Si vous me considérez comme un porc, mademoiselle Grandjean, à quel animal allez-vous assimiler l'homme qui a fracassé la tête de ce pauvre Jeff Rousselet ? J'attends une réponse. »

Élisabeth Grandjean s'enfermait de nouveau dans sa dignité glaciale. Toutefois, elle ne put s'empêcher d'articuler, avec une lenteur méprisante :

« Je vous répondrai quand vous me l'aurez présenté, inspecteur. »

Reugny. Centre de Motivation.
Dans la matinée.

Dès que Richard Lépine et Élisabeth Grandjean, dans la chambre de Kulbertus, avaient été avalés par la pénombre balayée par la lumière giratoire, Nicolas s'était introduit dans le Centre en s'y faufilant par les anciennes écuries. Il ne se trouvait pas là sans motif : la veille, il avait sollicité un rendez-vous à Richard Lépine et ce dernier le lui avait accordé pour le vendredi à neuf heures.

« On ne va pas attendre deux jours, s'était joyeusement lamenté Vertigo quand il avait mis au point cette stratégie. Tu diras que tu as mal compris. Jeudi, vendredi, c'est pareil. Ce qui compte, c'est que tu sois à l'heure. Il a dit neuf heures. Sois-y à neuf heures. Je m'occupe du reste. »

Nicolas ne savait pas exactement comment s'orienter à l'intérieur du Centre. C'était un dédale de passages, couverts ou non, de patios, de couloirs qui débouchaient sur d'autres couloirs, de passerelles, d'escaliers. On s'y perdait. Les stagiaires s'y perdaient. C'était fait pour. Ce qui était établi, c'est que le bureau de Richard Lépine donnait sur la place de Reugny et que de la cour intérieure on voyait le clocher de l'église et vers l'est la corniche rocheuse de la Fourche noire.

Il longea un bâtiment aux trois quarts enfouis dans la terre et qui ne s'ouvrait à l'air que par une série régulière de longs vasistas, dont certains étaient basculés. Nicolas reconnut la voix de Jack Lauwerijk. Il exaltait le cerf, animal mythique et psychopompe.

« Faudra que je regarde *psychopompe* dans le dictionnaire », songea-t-il car même dans les pires moments il conservait le respect des mots compliqués.

Il jeta un coup d'œil dans la salle. Les stagiaires se tenaient debout, les jambes écartées, les mains derrière le dos, dans une attitude martiale. Jack les haranguait sur un ton où se mêlaient une autorité suave, presque délicate, et un genre de fatuité glorieuse. Nicolas repensa que l'orateur avait promis de lui offrir son ouvrage de poèmes.

De l'autre côté de la cour, un promenoir à toiture d'ardoises bordait un mur aveugle. À une des extrémités, il reconnut Karine, la petite serveuse que le Centre avait prêtée à l'hôtel du Grand Cerf.

Elle ouvrit une porte et cria :

« Je cherche Mlle Grandjean ! Elle n'est pas par là ? »

Nicolas n'entendit pas la réponse. La jeune fille revint sur ses pas et disparut comme par magie. Nicolas accéda au promenoir et le parcourut paisiblement, sans se cacher. Il avait repéré que le personnel s'agitait dans les dépendances et dans le potager qui était séparé de la cour principale par une charmille. Une fois qu'il eut atteint le hall d'entrée, dont la porte se trouvait au milieu de ce côté de la place, il savait exactement où aller pour rejoindre le bureau de Richard Lépine. Il monta un demi-escalier et fut à pied d'œuvre. Vertigo lui avait fourni un passe-partout. Il n'eut pas à l'utiliser : la porte était entrouverte. Ce ne devait pas être dans les habitudes du maître des lieux de partir en laissant son domaine ouvert à tous les vents. La convocation de Kulbertus, se dit Nicolas, avait dû le mettre dans tous ses états.

« Ma méthode, avait expliqué le policier, c'est de ne pas avoir de méthode. Ce que je veux, c'est mettre ce village sens dessus dessous. Que personne n'y comprenne plus rien. Qu'on ne sache plus qui cherche qui, qui a tué, qui n'a pas tué. Je mets tout le monde dans le même sac. Je crée la panique. J'installe la folie dans le pays. En trois jours, j'ai réussi à semer la pagaille dans les esprits. Ils me prennent pour un dingue. Mais quelque chose en eux les somme de se méfier de moi. Je devine qu'ils essaient de me rouler, mais je leur rends coup pour coup, je me venge, je leur fais payer leur peu d'empressement à faire éclater la vérité. Parce qu'ils savent qui a tué Rousselet. Ils le savent. Et ils savent pourquoi. Alors, je fiche un coup de pied dans la fourmilière, je piétine le bon sens, la logique, la politesse. J'abuse des pouvoirs qui me sont conférés. À la fin, il sortira bien une vérité de ce sac de nœuds. En tant que puriste, j'aurais préféré que cette vérité sorte du puits. La vérité qui sort du puits est moins sale que celle qui s'échappe d'un sac de nœuds. Mais à douze jours de la retraite, je n'ai pas le temps de fignoler. »

Le bureau de Richard Lépine était immense et haut de plafond. Meublé avec raffinement et discrétion. Sans austérité. Il était organisé en plusieurs espaces. Chacun avait sa fonction. Près de l'entrée, une porte que Nicolas poussa s'ouvrait sur une salle de bains luxueuse, dont une partie était aménagée en salle de gymnastique. La fenêtre offrait une vue plongeante sur la place de Reugny. À gauche, le portail de l'église. Au fond, une rangée de maisons. La première était celle de Freddy et Sylvie Monsoir. Elle appartenait à Richard Lépine. Comme la plupart des autres.

Il ouvrit quelques tiroirs, au hasard. Tout était rangé avec un soin maniaque. Nulle part, une trace de poussière ou de désordre. Les poubelles étaient vides. La bibliothèque alignait des volumes qui avaient tous été reliés en cuir et dorés à l'or, vraisemblablement selon un modèle défini par Richard Lépine. Sur une des étagères, le chromo.

« Examine-le sous toutes les coutures », avait recommandé Vertigo.

À première vue, il n'y avait rien à découvrir que la cassette n'aurait pu révéler. C'était un sous-verre banal, encadré dans une moulure ordinaire. Le dos était constitué d'un carton gris, qui portait des traces charbonneuses et qui avait été légèrement brûlé par endroits. Des agrafes en tôle le maintenaient. Elles avaient été pliées et dépliées plusieurs fois. L'une manquait, brisée au ras de la moulure.

À l'aide de son canif, Nicolas souleva les agrafes et ôta le carton. Le verso du chromo était semé de taches brunâtres dues à l'humidité. Il y lut une mention écrite à la main et au crayon : « *Uber die Heide* ». Dans un coin, les mentions d'origine et numéros de fabrication, suivis des mots « Gulingen » et « Hanovre ».

Reugny. Hôtel du Grand Cerf.
Dans la matinée.

Le jeudi matin était réservé aux commissions. Après l'avoir levée, lavée, lui avoir donné son petit déjeuner, Thérèse installait Léontine dans le fauteuil roulant et la poussait jusqu'à la mezzanine, ce qui prenait au bas mot une heure. Ce matin, elle n'était pas en avance. Une douleur lui déchirait le dos. Par moments, elle sentait monter en elle une envie de pleurer. De la porte ouverte de la cuisine, elle avait aperçu Richard Lépine et Élisabeth Grandjean se diriger vers l'escalier. Ils avaient été convoqués par le policier. Elle n'aimait pas la tournure que prenaient les événements. Le Parisien était déjà dehors. Elle l'avait vu s'éloigner sous l'allée d'arbres. Elle regarda la pendule. Karine était en retard. Elle fit la liste des commissions. Le garçon arrivait, en bâillant, les cheveux en bataille, mais dégageant une odeur de savonnette mal rincée. Il avait mangé à la cantine du Centre, mais elle lui servit un bol de café au lait, tout en lui fixant les tâches auxquelles il aurait à s'appliquer pendant son absence. C'était un garçon très nonchalant qui donnait toujours l'impression d'être sur le point de s'endormir. Mais il travaillait avec régularité et on pouvait lui faire confiance.

« Karine n'est pas encore arrivée, constatait Thérèse.

– Elle devait voir Mlle Grandjean », dit le garçon.

Thérèse se dit que le policier semait le désordre. Depuis son arrivée à Reugny, les journées ne se déroulaient plus selon un enchaînement compréhensible. Tout devenait compliqué.

« Tu diras à Karine que l'huile de friture est bonne à changer. »

Elle établit la liste des recommandations qu'il devrait transmettre à la jeune fille.

« Faut noter, dit le garçon. Je suis pas un intellectuel. »

Reugny. Hôtel du Grand Cerf.
Dans la matinée.

Richard Lépine avait pris appui des deux mains sur le bois de lit. Il essayait de repousser les images de son rêve. En lui parlant du massacre de ses parents, le policier avait compris à quel point cette évocation le troublait. Et ce dernier prenait un plaisir sadique à s'appesantir dans la description de l'épouvante.

« Votre maman, monsieur Lépine, s'est traînée du perron où elle a été abattue jusqu'au milieu de la pelouse. Il y avait du sang partout. Elle a agonisé pendant un long moment. J'imagine qu'elle appelait au secours ses amis allemands. »

Ce rêve n'était pas un souvenir. Il le refusait de toutes ses forces. Il n'avait jamais pu le situer dans le temps, ni même déterminer à quelle période de sa vie ces horreurs avaient commencé à le tourmenter. Il ne se souvenait pas en avoir souffert durant toute son enfance. Les religieuses l'avaient protégé de cette vérité qu'elles avaient sans doute jugée insupportable. Et personne ne lui en avait parlé jusqu'à l'âge de quinze ans.

Quand il avait voulu savoir, c'est sœur Marie-Céleste qui s'était chargée de l'informer, progressivement. En justifiant le rôle de ses parents, cherchant des excuses à leur comportement pendant la guerre, brossant d'eux un tableau d'où la brutalité et l'infamie avaient été gommées. Ensuite, il en avait su un peu plus. Il se souvenait avec précision du moment où la vérité lui avait été révélée dans sa monstruosité. C'était un souvenir indissociablement lié à la présence de Rosa Gulingen à Reugny.

Dans sa mémoire, la mort de l'actrice se combinait avec la mort de ses parents. Il revoyait sœur Marie-Céleste lui remettre l'ouvrage qu'un historien nommé Harnet avait consacré à ce qu'il appelait « Le mystère de l'affaire Lépine ». Plus tard, il avait tenu à rencontrer cet homme et ils avaient eu tous les deux de longues conversations. Longtemps, il avait caressé le projet de venger ses parents. Quoi qu'ils aient fait ils ne méritaient pas une fin aussi cruelle. Harnet lui avait été un guide plein de prévenances et de sagesse. Ils avaient visité le château de Saint-Marceau, et le parc où se dressait toujours le socle sur lequel les assassins avaient fiché la tête coupée de son père. Aujourd'hui, c'était un hôtel, après avoir été une colonie de vacances jusqu'au début des années quatre-vingt. Un ami d'Harnet, photographe à Larcheville, lui avait fourni une dizaine de photographies où ses parents apparaissaient aux côtés de dignitaires allemands, lors de banquets officiels, de bals, de prises d'armes. Il s'était découvert petit enfant dans les bras d'une femme superbe, très jeune, au regard noir. Sur ces photographies, son père, Édouard Lépine, avait une quarantaine d'années et déjà des cheveux blancs. Il portait beau et grand, avec quelque chose de vaniteux et peut-être de détestable. Harnet, qui l'avait connu sans le fréquenter, le disait d'une intelligence moyenne, d'un caractère plutôt veule. Il était bavard et mondain. On lui prêtait des conquêtes faciles et des liaisons orageuses qui perdurèrent après son mariage. Pour l'argent, il était capable de toutes les compromissions. Mais contrairement à ce qui s'était raconté, jamais il n'avait accepté de se rendre à Berlin. On avait voulu en faire un nazi, c'était seulement un homme attaché à conserver sa fortune. En cela, il n'avait pas été le seul dans le pays à se conduire de cette façon. Il avait seulement eu le tort d'être un peu trop voyant.

La voix de Kulbertus s'éparpillait dans ce rêve. Les mots y perdaient leur sens. Ils se transformaient en bourdonnement, comme celui des abeilles, ou comme le bruit d'un train dans les lointains. L'air grondait et vibrait. Il y avait un balancement de l'espace, qu'il identifiait toujours comme son propre vertige. Longtemps, il avait nié cette réalité du sang tiède qui s'écoulait, et de cette chair brûlante dans laquelle il se roulait, qui pénétrait dans sa bouche, qu'il mâchait, affamé, transi de froid, mais sans peur et sans étonnement, comme rassuré par cette présence étendue dans la neige et qui lui parlait d'une voix douce et plaintive. C'était un rêve, pas un souvenir.

« Quelque chose ne va pas, monsieur Lépine ? » susurra Kulbertus.

Tout allait bien. Il se redressa. Il avait encore dans l'oreille les propos de sœur Marie-Céleste. Elle avait su le comprendre, elle. Quand elle était partie, il en avait souffert comme de perdre une mère. Deux fois par an, elle lui donnait de ses nouvelles. Une simple carte postale. Il avait reçu la dernière cette semaine, lundi, le jour de la mort de l'idiot.

« Je m'en veux, dit Kulbertus, de vous obliger à remuer des souvenirs aussi pénibles, mais il me faut reprendre les faits depuis le commencement. Quelque chose lie à travers le temps la mort de vos parents et la mort de Jeff Rousselet. Et j'ai besoin de le découvrir vite.

– Je n'ai rien à cacher, affirma Richard Lépine.

– C'est ce qu'on croit », murmura Kulbertus.

Il se cala plus moelleusement dans les oreillers.

« À propos, dit-il, j'ai une question vaguement indiscrète à vous poser. M'y répond qui veut. Soit vous, soit Mlle Grandjean, soit les deux dans un mouvement unitaire, synchronisé et harmonieux. Puis-je ? »

Ils demeuraient figés dans une indifférence dédaigneuse qui les faisait se ressembler.

« Je voudrais seulement savoir si vous couchez ensemble ? »

Richard Lépine grimaça.

« Nous nous sommes mariés au printemps, inspecteur », répondit sèchement Élisabeth Grandjean.

Bouillon. Dans la matinée.

Dans la file qui attendait à la caisse du supermarché, les gens tuaient l'ennui en parlant des meurtres de Reugny. Si le village avait un jour été réputé pour ses orphelins, puis un autre jour par la présence dans ses murs d'une équipe de cinéma, il devait aujourd'hui sa notoriété à deux crimes d'un honnête niveau d'immoralité.

« On ne voit plus que ça, disait l'un. Des gens qui se tuent.

– C'est comme les bombes, disait l'autre. Ils en sont à la combientième ?

– Ça commence à chiffrer. Il paraît qu'y en a encore deux qu'ont pété hier. À Ixelles, je crois. Ou peut-être à Malines.

– À Malines, c'était mardi soir.

– Y a eu des morts ?

– Oui.

– Beaucoup ?

– Bof, normal. Je sais pas, deux, trois.

– Ça devient inquiétant.

– Tant que ça ne se rapproche pas de par ici, ça va encore.

– Reugny, c'est pas loin. Et puis, y a pas qu'à Reugny. T'es peut-être pas au courant pour Dinant. Ils ont retrouvé un jeune égorgé ou étranglé. Mort, en tout cas.

– Y en a partout maintenant.

– Moi je dis que c'est pas marrant, marrant, tout ça.

– C'est même pas marrant du tout. »

Le sol du magasin avait tremblé sous les pieds de Thérèse. Elle pensait à Jérôme. Elle ne pouvait pas croire qu'une chose pareille était arrivée. Après avoir rangé son chariot le long d'une gondole, elle se dirigea vers le rayon des journaux en essayant de maîtriser son affolement.

Les attentats à la bombe et les hold-up monopolisaient la une. Le crime de Dinant était relégué en cinquième page. Une photo du garçon accompagnait deux courtes colonnes de texte qu'elle parcourut rapidement. Il s'agissait bien de Jérôme Doussot. Le jeune homme avait été assassiné le mardi, avant minuit ou très peu de temps après. Son corps avait été découvert le mercredi matin. Il n'était pas dit par qui. Toutefois, le journaliste précisait que le garçon était bien connu des services de police, sans préciser pour quels délits. La conclusion de l'article était ambiguë et inclinait vers l'éventualité d'un règlement de comptes entre petits voyous.

Thérèse reposa le journal dans le présentoir, en le pliant grossièrement. Elle frissonnait. La musique qui tombait des haut-parleurs coulait sur elle comme de la pluie. Elle ne savait pas ce qu'elle devait faire, ni où elle se trouvait. Le brouhaha l'enveloppait. Elle tenta de rassembler ses idées. Mais ce qui s'imposait à son esprit, c'était la voix qui l'avait appelée au téléphone. Elle ne doutait plus que ce ne pouvait être que celle de l'homme qui avait assassiné Jérôme. Il voulait la prévenir. De quoi ? Qu'il savait qu'elle avait rencontré Jérôme Doussot et qu'elle avait emmené Anne-Sophie. Elle ne parvenait pas à retrouver son calme. Une femme s'approchait d'elle, lui demandait si elle allait bien. Elle crut répondre, mais les mots ne venaient pas jusqu'à ses lèvres. Elle pensait à Richard Lépine qui se trouvait à l'hôtel ce matin. Elle pensa au flic. Sans se rendre compte de ce qu'elle faisait, elle se retrouva à la caisse, dans la file d'attente. Quand ce fut son tour, la caissière qui la connaissait un peu, de vue, et savait qu'elle tenait un hôtel, lui lança :

« Il s'en passe à Reugny ! »

Elle fit oui, de la tête. Son regard suivait les gestes d'un vigile du magasin qui était en train de scotcher une affichette sur les portes de verre. Il lui fallut un long moment pour réaliser que la jeune fille dont l'affichette reproduisait la photo était Anne-Sophie. Elle se sentit gênée, comme de voir jeter en pâture au public un secret de famille.

Saint-Jean-d'Angély. Dans la matinée.

« Comme ça, vous faites un film sur nous, dit Armand Grétry. Je ne sais pas si c'est bien. Je vous assure, je ne sais pas si vous avez raison. »

La résidence pour personnes âgées de Saint-Jean dressait ses bâtiments sans style au milieu d'un parc somptueux. C'était cossu mais sans apparat. À l'accueil, Charles Raviotini s'était renseigné sur les goûts d'Armand Grétry et de sa femme Emma et il était retourné jusqu'à La Rochelle pour acheter des gâteaux chez un pâtissier dont le vieux comédien vantait les mérites. Il avait choisi aussi avec grand soin des fleurs et une bouteille d'un très bon champagne. Plus ils vieillissent plus les artistes se laissent facilement circonvenir par les hommages, fussent-ils alimentaires. Armand Grétry était d'autant plus sensible à ces retours de gloire qu'ils se faisaient rares et qu'à Saint-Jean il s'ennuyait.

Quand Charles Raviotini avait frappé à la porte du minuscule appartement avec terrasse que le couple occupait au troisième étage du bâtiment central, il apprit qu'Emma avait dû s'absenter. Armand l'avait informée un peu tard de la visite d'un « producteur parisien » et elle s'était fâchée parce qu'elle ne voulait pas se présenter à un personnage aussi important sans se montrer à son avantage, et elle avait pris rendez-vous chez son coiffeur. C'était une méchante comédienne de seconds et troisièmes rôles, qui n'était que rarement sortie de la figuration, sauf pour se commettre dans quelques téléfilms d'inspiration agricole. Dans les années cinquante, elle avait surtout joué de ses charmes dans des œuvrettes aux coquineries à peine dénudées. Elle citait souvent les noms de grands réalisateurs inconnus avec qui elle avait tourné et s'étonnait de ne pas susciter plus d'admiration autour d'elle. Mais elle était aussi bonne et brave dans la vie qu'elle était mauvaise au cinéma.

Armand, qui était beaucoup plus âgé qu'elle, se maintenait dans une verdeur élégante composée d'un pantalon blanc, d'un blazer de yachtman, d'une chemise fine à boutons de nacre, d'un foulard en soie, d'une chevalière en or et d'une paire de lunettes de soleil comme on n'en ose qu'à Hollywood – où il avait séjourné, du reste, mais en touriste. Il avait le compliment facile et, malgré une certaine fragilité des os qui lui avait coûté un col du fémur et un bras cassé, il courait encore derrière tout ce qui portait un jupon, avec l'ambition arrêtée de séduire le contenu des plus courts. Il devait se contenter d'une pensionnaire plus souvent que d'une infirmière. Mais il espérait toujours, ce qui le conservait dans un genre de jeunesse.

« Qu'est-ce que vous voulez savoir ? demanda-t-il en croisant les mains sur ses jambes croisées.

– Je voudrais avoir votre sentiment sur la mort de Rosa Gulingen. »

238

Il aurait pu commencer plus doucement, mais le vieux comédien n'eut aucune réaction. Il baissa un peu la tête, comme s'il réfléchissait et sans relever le regard vers celui de son visiteur, il dit, peut-être avec une nuance cinématographique :

« Rosa Gulingen a été assassinée. »

Charles n'avait pas imaginé que les choses puissent se passer avec autant de facilité. Il laissa le silence absorber la phrase qu'Armand Grétry venait d'articuler.

« Vous la connaissiez bien, murmura-t-il, en tant que partenaire.

— En tant que partenaire, oui. Et en tant qu'amant, encore mieux. Il n'y a pas de secret. Nous avons joué ensemble dans six films. Pas des chefs-d'œuvre. Non. Comme on dit : des films d'époque. Aujourd'hui, on les regarde comme des curiosités.

— Pourquoi dites-vous que Rosa Gulingen a été assassinée ?

— Vous m'avez demandé mon sentiment. Je vous donne mon sentiment. Je ne prétends pas qu'il ait quoi que ce soit à voir avec la vérité.

— La police vous a interrogé.

— Ne prenez pas de gants avec moi, monsieur Raviotini. Dites que j'ai été soupçonné et tout sera plus simple. Parce que j'ai été soupçonné. Et même inquiété. Quelqu'un a témoigné contre moi. La propriétaire de l'hôtel du Grand Cerf. Mme Léontine Londroit. Elle doit être morte aujourd'hui. Ou alors, elle est centenaire.

— Elle vit toujours.

— Alors, c'est que les crapules sont aimées des dieux. Elle a soutenu m'avoir vu dans la chambre de Rosa peu de temps avant sa mort. Et qu'elle avait entendu des bruits de dispute.

— Et c'était vrai ?

239

– Pour ce qui est d'être dans la chambre, j'y suis allé. Mais nous ne nous sommes pas disputés, ce jour-là, Rosa et moi. Elle voulait que je l'accompagne. Elle s'était déshabillée. Elle se préparait à prendre un bain. Quelque chose la tracassait. Elle marmonnait des mots allemands. C'était fréquent quand quelque chose n'allait pas comme elle voulait. Moi j'étais pressé. Je lui ai dit que je n'avais pas le temps. J'avais à faire.

– Emma ?

– Emma, oui et non. C'est plus compliqué que ça. C'est vrai que j'avais loué un chalet dans un village pas très loin de Reugny, où Emma m'attendait. Vous savez, Rosa et moi nous n'avons jamais rompu. Il y avait toujours quelque chose de fort entre nous. Mais Emma me reposait de Rosa. C'était une fille qui ne voyait que le moment présent. J'étais célèbre, elle ne l'était pas. C'était assez pour qu'elle me soit dévouée. Ne croyez pas que je sois cynique. Je dis les choses comme elles sont. Du moins, comme elles étaient. J'aimais encore Rosa, mais je me sentais bien avec Emma. Mais je ne sais pas si je dois vous confier tout ça, je ne voudrais pas que vous en fassiez un mauvais usage. En tout cas, pas tout de suite.

– Je vous promets, dit Charles.

– Il y avait une troisième femme. Vous ne savez pas ce que c'est d'être attiré à ce point par les femmes. J'ai gâché beaucoup de choses à cause de cela. Je n'en suis pas navré, évidemment. D'ailleurs, j'ai écrit mes mémoires et je n'y cache rien. Si un éditeur s'y intéresse, elles me rétabliront dans une image plus conforme à la réalité. Quand je ne serai plus de ce monde.

– Et cette troisième femme, monsieur Grétry ?

– Une gamine. Quatorze ans. Quinze, au plus. C'était la fille d'un hôtelier de Membre chez qui j'avais réservé une chambre pour brouiller les pistes. Officiellement, c'était là que je passais mes nuits. En fait, je n'y ai jamais mis les pieds qu'une fois. J'avais aperçu la gamine. Sans arrière-pensée. Elle devait être assez délurée, je crois. Oui. Le jour même, je l'ai revue sur le bord de la route. Je me suis arrêté. Je voulais seulement lui proposer de la raccompagner chez ses parents. Je me souviens qu'elle m'a dit qu'elle aimait bien rouler en voiture. C'est sans doute la raison pour laquelle j'ai rejoint la grand-route et que nous avons fait un peu de vitesse. J'ignore comment l'idée m'est venue. Elle m'est venue, c'est tout. J'ai pris sa main dans la mienne. Je me disais certainement qu'elle réagirait mal. Mais elle s'est laissé faire. Tout en conduisant, j'ai remonté un peu sa jupe sur ses cuisses. Ce sont des moments où on a l'impression de devenir fou de bonheur. On n'y croit pas et pourtant les choses se font. J'ai bifurqué dans un chemin forestier. J'ai arrêté le moteur. Je me suis tourné vers elle. Et nous nous sommes embrassés. Vous ne me croirez peut-être pas, monsieur Raviotini, mais ce baiser, ce simple baiser, c'est le seul dont j'ai encore le goût dans la mémoire. Je paierais cher pour le retrouver, pour le revivre ou pour l'avoir encore à vivre. La suite est banale et je vous la laisse imaginer. Pour elle c'était la première fois.

— C'était le jour de la mort de Rosa ?

— Non. La veille. Quand nous nous sommes quittés, je lui ai dit que j'aimerais bien la revoir. Et nous nous sommes donné rendez-vous pour le lendemain. Sur le bord de la route. Là où je l'avais prise en voiture.

— Et vous y êtes allé ?

— Bien sûr. Mais les essais nous avaient fait perdre un temps fou. Rosa m'avait retenu dans sa chambre pendant vingt minutes. Le metteur en scène m'est tombé

241

dessus alors que je montais dans ma voiture et quand je suis arrivé au lieu du rendez-vous, c'était avec près de deux heures de retard et la gamine avait dû rentrer chez elle. Mais j'ai attendu sur place, jusqu'à la nuit tombée. Juste comme j'arrivais au chalet, le téléphone sonnait et j'apprenais la mort de Rosa. Une chance que je ne sois pas arrivé plus tard. »

Il inspira de l'air par la bouche, en rejetant la tête en arrière.

« Je vais vous dire quelque chose de bizarre, monsieur Raviotini. Pendant les semaines qui ont suivi et où j'ai connu les ennuis que vous savez, mais dont j'étais sûr de me sortir blanchi, tôt ou tard, puisque j'étais innocent, une seule idée me tourmentait : j'avais peur que la gamine soit enceinte. J'avais peur égoïstement, monsieur Raviotini. Je me disais que si elle était enceinte, on lui poserait des questions et qu'elle y répondrait, et que je me verrais accusé de viol, de détournement de mineure. Ce n'est pas la mort de Rosa qui m'empêchait de dormir, ni les accusations de Léontine Londroit, mais la crainte de voir ma carrière compromise pour une affaire de mœurs. C'est une lâcheté qui m'a poursuivi tout le reste de ma vie. Je suis presque heureux de vous la confier. »

Il avait l'air triste et, pour une fois, il ne jouait pas. Des doigts de la main droite il lissa le dos de sa main gauche, comme s'il voulait en réchauffer la chair en incitant le sang à y circuler plus vite.

« Emma, je dois l'admettre, m'a tiré d'une situation difficile. Je crois que dans son esprit le doute subsiste encore aujourd'hui. C'est moi qui ai pris l'initiative de lui demander de témoigner que je me trouvais avec elle, au chalet, au moment où Rosa est morte. Si Emma ne m'avait pas aidé, et si les choses avaient mal tourné pour moi, j'aurais dû me résoudre à faire appel à la gamine.

C'était une perspective qui me terrifiait. Léontine a persisté dans ses déclarations. J'étais le seul à savoir qu'elle mentait.

– Ou qu'elle se trompait.

– Ou qu'elle se trompait, bien sûr.

– Quel intérêt aurait-elle eu de mentir ?

– Aucun. Sauf si elle connaissait le coupable et voulait le protéger.

– Et si c'était un accident ?

– C'est ce que la police a conclu.

– Peut-être avait-elle raison.

– Peut-être. La mort de Rosa avait toutes les apparences d'un accident. C'est moi qui dis que ce n'était pas un accident. Je le dis parce que j'ai vu Rosa moins d'une demi-heure avant qu'elle meure. Elle n'avait pas bu. Même quand elle avait bu, elle n'était pas du genre à s'endormir dans son bain.

– Quand la police vous a interrogé, pourquoi n'avez-vous pas dit que vous pensiez que Rosa avait été assassinée ?

– Je vous l'ai dit, j'avais peur qu'on découvre mon histoire avec la gamine. La thèse de l'accident m'arrangeait, parce qu'elle mettait fin à l'enquête. Vous savez, quand la police commence à fouiller dans la vie des gens, on peut s'attendre à tout. D'investigations en contrôles, de recoupements en hypothèses, ils ont vite fait de rendre au monde des apparences un peu moins gratifiantes.

– Emma avait passé un marché avec vous ? Son témoignage contre le mariage ?

– Pas du tout. Elle n'a rien exigé. Elle ne m'a même jamais demandé d'explications. Je l'ai épousée pour la récompenser, par gratitude, parce que je lui devais bien ça.

– Et pour l'avoir sous la main, non ? Pour l'empêcher de changer d'avis.

– Il y avait de ça aussi, probablement. Après quarante ans, on ne se souvient pas de tout. »

Il eut son sourire de cinéma. Le foulard pendait hors de la chemise.

« Pour être franc, je l'ai beaucoup trompée », dit-il en baissant la voix.

Juste comme il prononçait ces paroles, la clef tourna dans la serrure et ils entendirent aussitôt le rire pointu et affecté d'Emma.

Biedenkopf, Allemagne. Jeudi midi.

La voix était un peu plus heurtée que d'habitude. Il y avait aussi une sorte de réverbération, comme si on lui parlait de l'intérieur d'une église.

« Tu as eu tort Freddy, de la laisser libre. C'est elle qui t'a poussé à prendre cette place de routier. Parce qu'elle voulait faire la putain. Si tu as téléphoné chez toi, hier soir, tu sais sans doute qu'elle a découché. Où était-elle ? Où vont les putains quand elles découchent ? Si tu savais avec qui elle te trompe, Freddy, je crois que tu serais vraiment très fâché. Ils se moquent de toi. Ils rient dans ton dos. Elle lui fait des choses qu'elle a toujours refusé de faire avec toi. Je te plains, Freddy, de te crever sur les routes pour une putain. À bientôt. Je vais aux renseignements. Je te tiens au courant. Sois prêt à décrocher. Je t'appelle dès qu'il y a du nouveau. Pauvre Freddy. »

Freddy saisit la Thermos à côté de lui et se servit un gobelet de café. Il se demandait qui lui téléphonait. Depuis trois jours, il passait en revue les différentes personnes qui pouvaient avoir envie de vouloir son bien. Des camarades d'école, des voisins, Jeff Rousselet. Le douanier surveillait tout le monde et tout le monde le craignait. Mais ce n'était pas la voix de Rousselet. Ou alors elle était déformée. C'est possible, maintenant, de modifier la voix. Il avait vu ça à la télé. Mais à la fin il écartait Rousselet de son soupçon. Il faisait le compte de ses ennemis. Nombreux. Des types qui lui avaient manqué de respect et qu'il avait corrigés. Il y en avait. C'était usant, ces pensées.

Il descendit de la cabine et alla insulter trois ouvriers qui mâchaient leur casse-croûte. Il les traita de mangeurs de saucisses, de panses à bière et de merdes peroxydées. Ils le regardèrent avec des yeux ronds, sans modifier le rythme monotone de leur mastication. De toute façon, ils comprenaient que le Français fût fâché. La marchandise qu'il devait charger ne serait pas prête avant le lendemain matin. Dans un souci de conciliation européenne, l'un d'eux brandit une boîte de bière au-dessus de sa tête, en lui imprimant un de ces mouvements qui constituent les prémices d'un langage universel. Freddy remercia et s'approcha pensivement, prit la boîte, la fit chuinter en décollant la languette et se laissa tomber sur la triple épaisseur de palettes où les gars étaient assis. Il se fendit d'un « *Danke schön* » flasque comme de la bave et se perdit dans les profondeurs de son cafard.

Il ne se sentait pas en colère. Le soleil le cuisait. Il se posait des questions graves. La voix avait affirmé que Sylvie faisait à l'autre des choses qu'elle refusait de faire avec lui. Il se demandait lesquelles, puisqu'il avait tout fait avec Sylvie. Il se vantait volontiers d'être un pervers qui avait vu du pays. Il était aussi bien au fait de la tradition que de la nouveauté. Personne

245

n'avait sans doute jamais vu autant de films pornographiques que lui. Il lui avait tout fait. Même l'inacceptable. Le réellement dégoûtant. Quasiment le bestial. En tout cas le sauvage et le primitif. Il avait même réussi à l'épater.

« Je commence à croire que les femmes sont un mystère, déclara-t-il avec quelque chose d'involontairement freudien dans le timbre.

– *Ja ! Ja ! Ja !* » firent en écho les trois Allemands, en soulevant vers lui leurs boîtes de bière.

Reugny. Hôtel du Grand Cerf. Midi.

Thérèse hésitait encore à mettre le policier au courant de la mort de Jérôme Doussot et des circonstances par lesquelles elle se trouvait probablement être la dernière personne à l'avoir vu vivant. Elle appela Karine et le garçon, pour qu'ils déchargent la voiture et, après avoir changé de tenue, se rendit dans la salle de restaurant. Kulbertus et le Parisien déjeunaient à la même table. D'un regard machinal, elle vérifia que tout était en ordre. Les jeunes se débrouillaient bien. Au Centre de Motivation, ils étaient à bonne école. Richard Lépine passait pour un patron exigeant.

« Ah, madame Londroit ! dit Kulbertus. Nous parlions justement de vous avec mon jeune collègue et ami. Je l'entretenais de l'excellence de vos frites. Je n'aimerais pas me montrer indiscret en trahissant des secrets de fabrication, mais je subodore que l'huile de friture a été changée aujourd'hui.

– C'est exact, inspecteur. Le jeudi matin, en principe, nous changeons l'huile et nous faisons les commissions. Nous sommes organisés de cette façon. »

Elle cherchait à être aimable. Elle ne savait pas ce qui la poussait à dire ce qu'elle disait. En parlant de futilités, elle noyait peut-être en elle le désir d'exprimer des choses plus urgentes. Elle eut des mots pour le ciel bleu et pour la saison qui s'annonçait grandiose. Elle se tourna vers Nicolas et lui promit un barbecue pour le soir, sur la terrasse, comme il en avait exprimé le désir la veille. Elle trouva des anecdotes sur le village. Puis lorsque Karine fut de retour, elle les pria de l'excuser car elle se devait maintenant à sa vieille mère, qui avait faim et qu'il fallait conduire aux toilettes.

« À cet âge, vous comprenez, elle a des habitudes de longue date. »

Son rire ne sonnait même pas faux. Elle ne remarqua pas que le policier la dévisageait avec étonnement.

« Je voulais un petit renseignement, madame Londroit, dit-il en la retenant par le bras, alors qu'elle faisait le mouvement de s'éloigner.

– Je ne sais pas si j'ai le temps. »

Elle avait pâli.

« Ce n'est rien du tout. Un détail puéril. Une curiosité. Ça ne demandera qu'une seconde.

– Dites toujours…

– Dans cette salle, au moment du tournage de ce film, avec Rosa Gulingen…

– Oui.

– Il y avait là, juste là, voyez-vous, un chromo représentant le meurtre d'un garde-chasse par des contrebandiers. Vous vous souvenez ?

– Bien sûr. »

Elle ressentit un soulagement.

« Il n'est plus là ?

– Il n'est pas loin. Il a été offert à M. Lépine. Il doit être au Centre. Il faudrait demander à ma mère. C'était de son temps. Ou demandez à M. Lépine.

– C'est parce qu'on pourrait en avoir besoin pour le film, expliqua Nicolas. Nous possédons une séquence où il apparaît. Ce pourrait être intéressant.

– Voyez avec M. Lépine. »

Kulbertus avala la poignée de frites qu'il avait enfournée pendant l'explication de Nicolas.

« Et d'où il venait, ce chromo ? demanda-t-il.

– Je ne sais pas. Je peux me renseigner auprès de ma mère si vous voulez. En tout cas, je l'ai toujours connu. Aussi petite que j'ai été. Et toujours à la même place. Pourquoi voulez-vous savoir ça ?

– Seulement pour savoir », dit Kulbertus après s'être complètement vidé les poumons en secouant la tête.

Thérèse fit craquer ses doigts. Elle se sentait plus détendue, tout d'un coup.

« Je peux aller ? demanda-t-elle.

– Je vous en prie, madame Londroit. »

Quand elle eut quitté la salle, Kulbertus repoussa son assiette vide et son regard se fixa sur Karine, dont il se mit à suivre les évolutions.

« Qu'est-ce que je t'avais dit, Nicolas ? Ces gens-là ont réponse à tout. Le chromo plaisait à Richard Lépine, on le lui a offert. Si tu leur demandes d'où il vient, ils te répondront : d'une brocante, avant la guerre. Une scène de chasse dans un hôtel à l'enseigne du Grand Cerf, c'est pertinent.

– C'est peut-être la vérité.

– Je ne voudrais pas te paraître pessimiste, mais la vérité n'est pas de ce monde. Il n'y a pas d'innocents. La vérité est peut-être de l'autre monde. Mais l'autre monde n'étant ouvert qu'aux innocents, je le vois vide et désert. La vérité est infréquentable. Parole de flic. »

Une rapide vérification dans la biographie de Rosa Gulingen leur avait appris qu'elle était née à Hanovre, dans une famille d'imprimeurs.

« J'ai tendance à toujours croire ce qu'on me dit, confia Nicolas.

– C'est parce que tu ne t'intéresses pas aux gens qui te parlent. Tu n'as pas envie de les connaître dans leur nudité. En cautionnant les fables qu'ils te racontent, tu sauvegardes les fables que tu te racontes à toi-même sur ton propre compte. Je te donne raison, bien sûr. Sans illusions, la vie serait insupportable. Nous ne vivons que de connivences et de duplicités. »

Son œil riait.

« À ta place, Nicolas, je commencerais par interroger la vieille Léontine. Ensuite, je rendrais visite à Richard Lépine. Ou le contraire. Ils te mentiront, évidemment. Avec un peu de chance, tu recueilleras plusieurs mensonges. Ils ont chacun le leur. Comme toujours. Peut-être qu'en superposant ces mensonges, s'ils ne coïncident pas exactement, sera-t-il possible de déterminer des espaces où chercher un peu de vérité. Il n'y a pas de mensonge pur, Nicolas. Le mensonge est lié à une vérité qu'on veut cacher. Le mensonge est engendré par la vérité. Je pratique moi-même le mensonge avec une complaisance douce et opiniâtre. »

Il posa au milieu de la table un fax qu'il avait extrait de la pochette de sa veste, sans cesser de parler.

« L'autre jour, Mme Londroit m'a surpris devant la porte de la chambre de sa fille. Elle a probablement pensé que j'outrepassais mes droits d'enquêteur et que je me lançais dans des perquisitions sauvages. J'ai fait celui qui s'était trompé, tu me connais. En fait, je n'essayais pas d'entrer dans cette chambre, j'en sortais. Je n'y avais pas trouvé grand-chose. Un nom, une adresse : Jérôme Doussot, rue Sax à Dinant. Je me disais que peut-être, ne sachant où aller, la jeune fille avait trouvé refuge là-bas. J'ai faxé une demande de renseignements. Voilà la réponse. »

Nicolas lut ce qui n'était que le brouillon manuscrit d'un bref rapport de police. Nom, âge, adresse, date de la mort, trois condamnations, deux sursis, un mois ferme, pour vol et trafic de matériel vidéo.

« C'est les flics qui ont découvert le corps », murmura Kulbertus, sans orgueil excessif.

Puis il ajouta :

« L'assassin de Rousselet ne perd pas de temps. »

Reugny. Hôtel du Grand Cerf.
Début d'après-midi.

Thérèse Londroit avait poussé le fauteuil roulant dans la salle de bains, près du lavabo. C'est là qu'elle faisait manger sa mère. Il n'y avait pas d'endroit plus pratique. Elle posa l'écuelle vide sur le coin de la baignoire, prit un gant de toilette humide et débarbouilla la vieille femme qui gloussait.

« Le policier m'a parlé d'une chose dont je ne me souvenais plus. Tu sais, ce petit cadre qui se trouvait dans la salle de restaurant quand j'étais petite…

— Quel cadre ? s'étonna Léontine.

— Ça représentait une scène de chasse.

— Il n'est plus là, bougonna la vieille femme.

— Je sais. Il est chez Richard Lépine. En tout cas, il y était dans le temps. Je l'ai vu.

— Tant mieux pour lui.

– C'est toi qui l'as donné à Richard Lépine ?

– Je ne sais pas. Peut-être bien. Quand il était gosse, Richard venait souvent à l'hôtel. Pourquoi tu me demandes ça ? Tu crois qu'à mon âge je n'ai pas autre chose à penser !

– Le policier va sans doute venir t'interroger. Et si ce n'est pas le policier, ce sera le Parisien.

– Il est bien, le Parisien. Mais mon Dieu, quel laid accent !

– Ils ont vu ce tableau dans un film de Rosa. D'où il venait ?

– C'est ton défunt père, Thérèse, qui l'a ramené. Il l'avait trouvé chez un brocanteur, un de ses copains. C'était pendant la guerre. Ça lui a plu, à cause du cerf. La chasse, le braconnage, il a toujours été fort là-dessus. Il aimait bien tout ce qui se rapportait aux animaux. À ce moment-là, ici, ça ne s'appelait pas encore hôtel du Grand Cerf mais *auberge du Grand Cerf*. C'est devenu "hôtel" après la guerre. Au début, le tableau était accroché dans un coin du bar, là où c'est l'accueil maintenant. Ça me fait plaisir de repenser à ce temps-là. La vie était difficile. On a travaillé. »

Thérèse passa l'assiette et les couverts sous le robinet. Elle ne prêtait plus attention au marmonnement de sa mère. Quand elle se fut séché les mains à la serviette qui pendait sous l'armoire de toilette, elle dit, se regardant dans la glace :

« Tu es fatiguée, maman. Si tu veux, je te mets au lit. Je viendrai te rechercher vers quatre ou cinq heures. »

Léontine protesta :

« Non, Thérèse. Ma place est sur la mezzanine. Je m'intéresse à tout ce que disent ces gens-là. Une enquête, c'est toujours passionnant. J'écoute. Quand

251

on est vieux, il faut s'occuper. Tu verras quand ça sera ton tour. »

Thérèse approuvait. Elle se lava encore les mains, longuement, en faisant mousser plusieurs fois le savon.

« Le policier et son ami sont des vraies petites rentes pour un établissement comme le Grand Cerf. Ils vident au moins un tonneau de bière par jour, dis-moi ?

– À peu près », répondit Thérèse, d'une voix lasse.

Après un silence, pendant lequel elle reprit son souffle en reniflant longuement, Léontine observa :

« On dira ce qu'on voudra, mais les Français c'est une race qui n'y regarde pas. »

Reugny. Centre de Motivation.
Dans l'après-midi.

Désormais, Richard Lépine s'attendait à tout. Quand il vit débarquer Nicolas Tèque dans son bureau, il se contenta de consulter la pendule :

« Vous êtes en avance, remarqua-t-il.

– Je sais que je n'avais rendez-vous que demain matin, monsieur Lépine, mais les événements se précipitent et je dois rentrer à Paris plus vite que prévu. Si vous pouviez m'accorder quelques minutes. »

Richard Lépine fit un geste de la main et se cala confortablement dans son fauteuil, avant de se prendre la tête dans les mains et de s'immobiliser dans cette position passablement méditative.

« Je voudrais aborder plusieurs points, dit Nicolas. D'abord, comme vous le savez, je suis en mission de repérage pour un film sur la mort de Rosa Gulingen.

– En quoi cela me concerne-t-il ? demanda Richard Lépine sans ôter ses mains de sa figure.

– Vous l'avez rencontrée.

– Jamais.

– Je veux dire que vous étiez à Reugny au moment des essais de ce film…

– Et puis ?

– Vous avez vu Rosa Gulingen.

– Et puis ?

– Racontez-moi dans quelles circonstances vous l'avez vue.

– Je ne suis pas obligé de répondre.

– Évidemment, non. Je ne suis pas de la police. Je vous demande cela comme un service. Dans l'intérêt du film. »

Il croisa ses mains à la hauteur de la poitrine.

« Monsieur Tèque, dit-il, je vais être franc avec vous. Je n'ai vu Rosa Gulingen qu'une fois et pendant moins de cinq minutes. C'était le jour de sa mort. Je revenais d'Ostende où j'avais animé un camp de jeunes catholiques. J'avais dix-sept ans. Comme on a dû vous le raconter, j'ai été élevé par les sœurs. Mes parents, des industriels français, convaincus de collaboration, ont été exécutés à la fin de la guerre et on m'a recueilli. Miracle. Je résume.

– Je vous remercie, monsieur Lépine.

– Ce jour-là, j'étais sorti de ces bâtiments pour apercevoir la star. Depuis le début de la semaine, les sœurs ne manquaient jamais son arrivée. Je me trouvais sur la place. Rosa Gulingen discutait avec Armand Grétry et deux autres personnes. Tout le village était là. Je me suis approché. Je me souviens que sœur Agnès s'appuyait sur mon bras. Elle avait quatre-vingts ans à l'époque. Mais elle vouait à Rosa une admiration sans bornes, parce qu'elle l'avait vue dans un film où elle avait joué

253

la jeunesse de Jeanne d'Arc. Nous nous sommes mêlés aux gens qui se trouvaient là et qui faisaient cercle.

– Il n'y a pas eu un incident, une bousculade, un cri ?

– Non. C'était tranquille. Quand Rosa s'est tournée vers nous, sœur Agnès lui a tendu son missel et lui a réclamé un autographe. C'est un caprice qui a fait rire tout le monde autour de nous. Sœur Agnès répétait : "Je m'excuse, je m'excuse." Rosa lui a souri. Elle m'a regardé. Peut-être pensait-elle que je voulais moi aussi un autographe. Mais j'étais pris de court. Sœur Agnès a dit : "J'ai une image de saint Joseph. Signez-la pour Richard. Signez-la." Rosa a demandé : "Qui est Richard ?" Sœur Agnès a répondu, en me montrant : "C'est lui, c'est notre fils." Et elle a retourné l'image de saint Joseph sur la couverture du missel. »

Richard Lépine se leva. Il était dans ses déplacements d'une élégance féline, d'une souplesse illimitée. Il se dirigea vers la bibliothèque, prit un livre, l'ouvrit et revint en tenant entre ses doigts une image pieuse.

« Saint Joseph est le patron de la Belgique », dit-il en poussant l'image retournée sur le plateau ciré du bureau, avant de se rasseoir.

Nicolas lut : « Pour Richard. Rosa Gulingen. »

« Voilà. C'est tout. Vous êtes satisfait, monsieur Tèque ?

– Oui. Mais il y a autre chose.

– Ah. Eh bien, je vous écoute.

– C'est au sujet du chromo qui se trouve sur le rayon de votre bibliothèque. »

Pour la première fois, Richard Lépine parut étonné. Il contemplait Nicolas en plissant les yeux. Quelque chose lui échappait.

« D'où vient-il ?

– Il était à l'hôtel du Grand Cerf.

– Et comment est-il chez vous ?

– C'est sœur Marie-Céleste qui me l'a confié. En me faisant promettre de ne jamais m'en séparer. Ce n'est pas très artistique, mais j'y tiens. À cause de sœur Marie-Céleste.

– Vous souvenez-vous du moment où elle vous a remis ce chromo ?

– Non. Peut-être le soir où Rosa Gulingen est morte. Ou le lendemain. Peut-être même dans les jours qui ont suivi. Ç'a été une période problématique. Le village grouillait de journalistes, de policiers. Armand Grétry avait été arrêté. Léontine Londroit faisait du scandale. Une vraie révolution.

– Pour quelle raison sœur Marie-Céleste vous a-t-elle remis cet objet ? Comment se l'était-elle procuré ? Vous en faisait-elle cadeau ou bien vous le remettait-elle de la part de Léontine Londroit ?

– Je n'en sais rien, monsieur Tèque. Je me suis évidemment posé la question. J'en ai même parlé à Léontine. Elle m'a répondu : "Donner c'est donner, reprendre c'est voler." J'en ai parlé à sœur Marie-Céleste. Elle m'a dit que c'était un cadeau qu'elle me faisait *personnellement*. Ça n'a aucune valeur. Je veux dire : aucune valeur marchande. On ne discute jamais longtemps sur ce qui ne vaut rien. Il est resté vingt ans dans une valise, au fond d'un placard, dans l'écurie. Tout a été refait à neuf dans cette ferme. Cinq ans de travaux. Quand on a inauguré le nouveau Centre et le bâtiment dans lequel nous nous trouvons maintenant, j'ai eu l'idée d'inviter sœur Marie-Céleste à la fête. C'est là que j'ai repensé au chromo. Je me suis dit que ça lui ferait plaisir de voir que je l'avais conservé. Je l'ai donc exposé sur un rayon de la bibliothèque. Depuis vingt ans, il n'a pas bougé.

– Vous permettez que je le prenne en main ? »
demanda Nicolas.

Richard Lépine permettait. C'était un homme qui
voulait montrer qu'il n'avait rien à cacher. Nicolas prenait le chromo, le déposait délicatement sur le bureau :

« Vous allez comprendre le sens de mes questions,
monsieur Lépine. »

De la pointe de son canif, il souleva chaque agrafe,
comme il l'avait déjà fait le matin. Il retira la plaque
en carton et faisant pivoter le cadre il présenta l'envers
du chromo à Richard Lépine.

« Qu'est-ce que vous lisez ? »

Le directeur du Centre se pencha en fronçant les
sourcils. Quand il releva la tête vers Nicolas, il avait
l'air confus.

« C'est le nom de l'imprimeur, dit-il d'une voix
blanche.

– Gulingen.

– Effectivement. Gulingen. C'est troublant.

– Vous ne le saviez pas ?

– Non. Je ne vois pas pourquoi j'aurais démonté ce
sous-verre. Notez, c'est peut-être une coïncidence. Des
Gulingen, il y en a sans doute beaucoup en Allemagne. »

Nicolas replaçait la plaque de carton, détordait les
agrafes.

« La vie n'est faite que de coïncidences, comme dit
le poète, avança Nicolas sous couvert de citation. Mais
Rosa Gulingen est née à Hanovre, dans une famille
d'imprimeurs. C'est une autre coïncidence, monsieur
Lépine. Loin de moi l'idée de vouloir en tirer la moindre
conclusion. Je ne fais qu'enregistrer des éléments. »

Il rangea le chromo où il l'avait pris.

« Pourquoi voulez-vous savoir toutes ces choses,
monsieur Tèque ?

– Parce que Rosa Gulingen a été assassinée.

– C'était un accident.

– Non.

– Je suis le premier surpris.

– Dans le village, vous n'avez jamais entendu des ragots ou des allusions…

– Pas vraiment. Quand Rosa Gulingen est morte, je poursuivais mes études. Je ne revenais à Reugny qu'une fois par mois. Ensuite, j'ai habité Paris pendant cinq ans. Sœur Agnès est morte en 1965. Sœur Clémence deux ans plus tard.

– Et sœur Marie-Céleste ?

– Elle est toujours en vie. Je ne l'ai pas vue depuis une vingtaine d'années. Mais nous entretenons une petite correspondance. Pour le Nouvel An. Et elle m'adresse une carte pour mon anniversaire. J'ai eu cinquante-sept ans lundi dernier.

– J'aimerais rencontrer sœur Marie-Céleste.

– Elle ne vous en dira pas plus que moi.

– Qui sait ? »

Richard Lépine admit qu'en effet nul ne pouvait savoir avant d'avoir essayé. Il fit glisser une carte de visite d'un coffret au sous-main et inscrivit une adresse au dos.

« Quand vous la rencontrerez, monsieur Tèque, remettez-lui mon meilleur souvenir. »

Reugny. Hôtel du Grand Cerf.
Dans l'après-midi.

L'hôtel tremblait de la colère de Vertigo Kulbertus. Ce dernier réclamait des renforts. Il exigeait cinquante gendarmes en armes, des officiers de la police judiciaire.

On lui promettait tout ce qu'il voulait, mais sur un ton qui signifiait que rien n'arriverait. Quand il se plaignait, on lui expliquait que toutes les forces de police étaient mobilisées à Liège et à Bruxelles, à cause des attentats. Il venait de s'époumoner pendant une heure au téléphone, sans autre résultat que des vœux pieux et de chastes considérations. Il réussit à contacter le grand patron, qu'il connaissait depuis son enfance et avec qui il avait longtemps partagé une passion pour le baby-foot :

« Je ne comprends pas ta réclamation, Vertigo.

– Je veux mettre le village en état de siège. Plus personne ne doit pouvoir remuer d'un pas sans être contrôlé par un flic. Je veux connaître tous les mouvements, les sorties, les entrées, la circulation. Avec quatre flics, je suis impuissant.

– Il est temps que tu prennes ta retraite, Vertigo. Je regarde ce que je peux faire pour toi, mais ne compte pas sur un miracle. Si je peux t'envoyer deux ou trois hommes, ce sera le bout de mes possibilités. Tout le monde est sur les dents. Écoute un peu la radio. On se fait taper dessus à longueur de journée. Lis les journaux. Regarde la télé.

– Je me fiche des bombes.

– Tu es le seul.

– J'ai de bonnes raisons de penser que le type que je cherche à coincer a tué un jeune homme à Dinant. Tu n'es pas au courant ?

– Il me semble que j'ai lu la nouvelle dans le journal. Je ne connais pas le détail. Mais écoute-moi : au mieux, si je compte bien, ton type a fait trois victimes. Mes bombes en ont déjà fait trente-quatre. Je ne parle pas des blessés. Une quarantaine. Tu vois ce que je veux dire ? »

Vertigo Kulbertus raccrocha. Toute sa vie, il aurait revécu la même vicissitude : une enquête bien engagée et soit on ne lui donnait pas les moyens de la conclure, soit on lui retirait l'affaire au dernier moment pour l'expédier, lui, vers des tâches certes utiles, mais sans attrait. Malgré les apparences, il était discipliné et raisonnable. Et le prestige le laissait de glace. Toutefois, il en avait gros sur le cœur. Il eut une pensée pour Rosa Gulingen, et cela le consola.

Reugny. Centre de Motivation.
Dans l'après-midi.

En regardant par la fenêtre de son bureau Sylvie Monsoir aider à descendre du taxi un grand-père qu'elle avait conduit chez le médecin à Vresse, Richard Lépine se disait qu'il lui fallait cette fille. Il était sûr qu'elle ne demandait pas mieux, mais elle se faisait désirer, par principe, par coquetterie ou, même peut-être, par vice.

À cause d'elle, il se sentait devenir bête. Elle avait l'air d'être dans les meilleurs termes avec ce Nicolas Tèque. C'était rageant.

Il n'avait pas le souvenir d'avoir désiré une femme avec une constance aussi lancinante. Dès qu'elle était apparue à Reugny quelque chose en lui s'était trouvé exalté, qu'il ne parvenait pas à analyser et qui était loin des sentiments qu'il avait éprouvés et qu'il éprouvait encore pour Élisabeth. Il avait érigé la fidélité en religion, et à l'exception de quelques aventures de jeunesse, des passades, et une liaison plus sérieuse avec la veuve d'un banquier luxembourgeois, il n'y avait jamais eu dans sa vie d'autre femme qu'Élisabeth. Il tenait à elle comme à la prunelle de ses yeux. Il n'avait jamais eu envie de la tromper. Ils s'étaient tous les deux établis dans une vie exigeante et harmonieuse. Elle était installée de l'autre côté de la ferme, derrière une façade Renaissance, dans un pavillon de chasse dont la construction était antérieure d'un siècle aux autres bâtiments. Il ne s'y rendait jamais sans y avoir été invité. Ce protocole qui réglait leurs relations depuis le début s'ajustait à la perfection avec l'esprit qu'il avait voulu développer dans le Centre, où chaque chose, chaque employé, chaque visiteur devait se tenir à sa place, dans un ordre sans sévérité mais sans relâchement, à l'intérieur duquel chacun accédait à sa propre liberté tout en renforçant la liberté des autres, comme les chiffres des heures autour du cadran d'une horloge.

La crainte d'un insuccès, d'une humiliation, d'un scandale, l'avait jusqu'ici, même au téléphone, retenu de dévoiler clairement ses intentions à Sylvie Monsoir. Mais si elle les avait jugés opportuns, elle aurait compris ses propos à demi-mot. La résistance de la jeune femme ou du moins son manque d'empressement à répondre à ses sollicitations l'avait incité à chercher le motif de cette indifférence et il s'était résolu à concéder que son âge constituait un obstacle insurmontable. Cela le mortifiait. Il aurait voulu se détourner de cette lubie d'homme vieillissant, mais n'ayant jamais connu l'échec dans quelque domaine que ce fût c'est presque malgré lui qu'il persistait dans son aveuglement, et il passait du temps à élaborer des stratégies de conquête, voire des pièges où elle tomberait. Ces rêveries occupaient agréablement une partie de ses journées.

Il fut tiré de son souci par Jack Lauwerijk qui s'annonçait par l'interphone. Il aimait bien Jack. Ce grand gaillard qui avait du génie et de la modestie était un enchantement. Il le considérait comme son fils. Et l'admirait.

La porte s'ouvrit sans bruit. Et Jack le salua d'un sourire.

« Je ne vous ai pas vu ce matin, dit-il en posant des formulaires sur le bureau.

– Nous avons passé, Élisabeth et moi, un quart d'heure désagréable. Tu n'as pas vu Élisabeth ?

– Je l'ai aperçue. Elle ne m'a rien dit.

– Le policier nous a convoqués. Il nous a reçus dans sa chambre d'hôtel. En caleçon. Imagine.

– J'imagine. Que voulait-il ?

– J'en suis encore à me le demander. Toujours l'enquête, je présume. Mais il a surtout été question du passé de mes parents. De ma mère, de mon père, des Allemands, de la guerre.

– Vous n'êtes pas obligé de répondre à ce genre de questions.

– Il t'a interrogé, toi ?

– Bien sûr. Avant-hier.

– Qu'est-ce qu'il voulait savoir ?

– Ce que je faisais au moment où Jeff Rousselet a été assassiné.

– Il ne me l'a pas demandé, à moi.

– C'est que vous lui inspirez confiance.

– J'aimerais bien, Jack. J'aimerais bien. Mais je crois que ce n'est pas le cas. Il a été correct avec toi ?

– À peu près. Il a tenu une suite de discours bizarres. Il a poussé des petits cris. Il m'a demandé, textuellement : "Ça serait pas vous par hasard qui auriez passé la tête du douanier dans le hachoir à viande ?" Textuellement.

– Je l'entends d'ici. Il est ignoble.

– Je lui ai répondu, du tac au tac : "Non, monsieur l'inspecteur, je me trouvais au Centre de Motivation. Je préparais le nouveau stage. Je n'en suis sorti que le soir."

– Ah.

– Il ne m'a pas cru sur parole. Il est allé chercher confirmation auprès d'Élisabeth.

– Je n'ai jamais vu un être aussi méprisable, Jack. Rien que d'y penser, je suis pris de nausées.

– Vous savez, Richard, il ne fait que son métier.

– Il pourrait essayer de le faire moins salement. »

Jack cligna de l'œil. Il était heureux. La journée avait été magnifique. Son éditeur avait téléphoné pour lui annoncer que son recueil de poèmes se verrait sans nul doute décerner à la rentrée par l'Académie royale le prix Émile Vidas, une récompense solennelle et dont les auteurs mesuraient la teneur en gloire éternelle à la durée des discours qui étaient prononcés pour l'occasion.

« Félicitations, Jack ! »

Et il lui donna l'accolade.

« Ce n'est qu'un début, vous savez, Richard. »

Ils étaient sincèrement émus. Ils se tapotaient le dos. Et ricanaient comme des collégiens.

Reugny. Chez Sylvie Monsoir.
Fin d'après-midi.

Sylvie lui avait servi une bière, mais il ne songeait pas à la boire.

« Demain, je voudrais aller à Verviers. C'est loin ?

– Pas très, disait Sylvie. En voiture, on y arrive en moins de deux heures. Par l'autobus, comptes-en trois. Si tout va bien. »

Il dépliait la carte routière qu'elle venait de lui apporter. Elle posa le bout de l'index sur un point. C'est là que sœur Marie-Céleste finissait sa vie, s'il en croyait l'adresse que lui avait donnée Richard Lépine.

« Tu pourrais m'y conduire ? demanda-t-il.

– J'aimerais bien, murmura-t-elle, mais le vendredi mon programme est chargé. Le matin, j'emmène à la gare le stagiaire retapé la veille, en face, au Centre. Mais tu es au courant, c'est tous les jours le même cinéma. À onze heures, j'emmène le père Charbane, le vieux Charbane. Il est traité par un acupuncteur français, à Sedan. Enfin, c'est un acupuncteur reboûteux. Tous les vendredis depuis six mois, le vieux père Charbane s'y fait conduire. Il n'a pas raté un vendredi depuis six mois. Il va de plus en plus mal. Ses enfants s'énervent. Surtout parce que ça coûte. En début d'après-midi, je descends l'équipe de couyon jusqu'à Membre. Ils tapent le carton pendant quatre heures. Ils boivent comme des gouffres. Je vais les rechercher à six heures. Avec la recommandation de leurs femmes d'être ponctuelle. Une fois, je les ai pris avec une heure de retard. Il a fallu les brancarder. Le joueur de couyon boit en jouant, mais pendant la partie il veille à ne pas boire plus que ses adversaires. Une fois le jeu terminé, ils n'ont plus ni contrainte ni fierté et c'est le cœur léger et la conscience en paix qu'ils se mettent à vider tout ce qu'il y a à vider, en attendant le taxi. Mieux vaut pour tout le monde ne pas les faire attendre trop longtemps. En plus, le vendredi c'est le jour où Freddy est de retour. Il va me demander des comptes. Il m'en demande à chaque fois. Il a dû téléphoner pendant que nous étions à l'hôtel à Larcheville. Tu te souviens ? Et les autres soirs, j'ai laissé sonner. Je n'avais pas envie de l'entendre gueuler. »

Elle s'exprimait avec une gravité qu'il ne lui avait pas encore connue. Il la prit par la taille, l'attira contre lui. Il se plaisait avec elle. Il ne repoussa pas d'une minute le moment de le lui déclarer.

« Je voudrais m'en aller, dit-elle en fermant les yeux et en s'abandonnant un peu.

– T'en aller ? Comment ça ?

– M'en aller avec toi.

– À Verviers ?

– Non. À Paris.

– Et ton mari ?

– Je ne l'aime pas. »

Elle avait prononcé ces dernières paroles sans y mettre le moindre agacement, comme si elle avait exprimé une évidence qui expliquait tout et n'avait pas besoin d'être précisée.

« Pourquoi tu me demandes ça ?

– Parce que si je dois partir avec toi, il faudra que je te dise deux ou trois choses. Je voudrais que tout soit clair entre nous. Tu n'as pas envie de partir avec moi ?

– Si. »

C'était dit. Il n'avait pas eu besoin de réfléchir.

« Tu as vraiment envie de m'emmener avec toi ? insista-t-elle.

– Vraiment. »

Il souleva sa jupe. Il se perdait dans ce corps et il avait l'impression de connaître la femme pour la première fois. Il sentait que sa vie était en train de basculer, de se remplir à nouveau d'espoir, d'émotion et de sentiments.

« Tu reviendras quand de Verviers ?

– Samedi. Au plus tard. J'espère vendredi soir. »

Elle s'écarta de lui, alla se poster à l'autre bout de la table.

« Une des choses que je voudrais te dire, c'est qu'à une époque, avant de rencontrer Freddy, j'ai eu des problèmes avec la police.

– C'est peut-être pas utile que je le sache.

– Je ne l'ai pas dit à Freddy. Mais à toi, je ne veux rien te cacher. C'était à Saint-Quentin. J'ai fait la connaissance d'un homme. Mettons une cinquantaine d'années. Très bien. Il était fondé de pouvoir dans une banque. C'est lui qui me courait derrière. Il avait une belle voiture, une gourmette en or, des dents en céramique, une femme et trois enfants. Il avait pas mal d'argent. Il se promenait toujours avec des liasses de billets dans les poches. Il me les faisait regarder, il me les passait sous le nez, il me les faisait respirer. Par discrétion, il ne m'invitait que dans des hôtels un peu anonymes, à la périphérie de la ville. Il n'était pas très disponible. Quand même, il me donnait un peu d'argent. Et puis un jour, la tentation a été trop forte, je l'ai assommé et je lui ai volé son argent. J'étais dans le besoin. Je ne mangeais même pas tous les jours à ma faim. Et ce cochon m'excitait avec tout son argent. C'était pas une fortune non plus. Cinquante mille francs. De quoi voir venir, mais pas assez pour faire des projets. Je pensais qu'il s'étoufferait. Ces types-là ne se vantent pas de ce genre de mésaventure. Le lendemain, j'ai appris par le journal qu'en fait de fondé de pouvoir, il était employé au service contentieux. Petit employé. Rien du tout. Le bas de gamme. Il jouait les grands seigneurs avec l'argent de la banque. Sans en dépenser un centime. Il empruntait cinquante mille balles, le lendemain matin, il les replaçait tranquillement dans la caisse et ni vu ni connu. Le jour de la paie, il se fendait d'un billet de cent francs. Il m'invitait dans une cafétéria de super-marché. J'ai appris aussi que sa femme et ses enfants l'avaient quitté trois ans auparavant. Et qu'il avait été soigné à l'hôpital psychiatrique pour une dépression nerveuse. Le bouquet. Il s'est étalé dans les journaux. Il a raconté n'importe quoi. Je n'ai pas pu rentrer chez moi. J'ai quitté la ville. Je suis allé chez une copine, à Amiens. J'ai rencontré Freddy sur la fête foraine. Voilà. Pense ce que tu veux. C'est la première chose que je voulais te dire. Pour que tu puisses te décider en connaissance de cause.

– C'est sans importance, dit Nicolas.

– Il y a autre chose.

– Une autre fois, s'il te plaît. »

Il fit le tour de la table, lui posa un doigt sur les lèvres.

« Maintenant, sans vouloir te commander, tu te tais », dit-il gentiment.

Et il fit en sorte de lui faciliter la tâche.

Biedenkopf, Allemagne. Soir.

Freddy ne s'en était pas tenu à la boîte de bière que lui avaient offerte les ouvriers de l'usine. Sur les indications de ces derniers il avait échoué à la limite de la zone industrielle dans une gargote où il y avait de l'ombre et des rafraîchissements. Le patron y cuisinait en toute franchise sous le regard de la clientèle. Il retirait une pizza du congélateur, la débarrassait de la feuille de Cellophane qui l'emballait, l'insérait dans le four à micro-ondes et pour compter le temps de cuisson il chantait les trois premiers couplets de *Bella Ciao*. Il servait la pizza fumante avec le pot de moutarde, un vase de vinaigrette mayonnaise et un pot de Ketchup, ce qui était censé satisfaire les goûts les plus internationaux.

Freddy, qui connaissait l'étranger du nord au sud et de l'ouest à l'est, ne s'offusquait pas de ces prétentions à une gastronomie qui visait à l'universel. Il reprit de la pizza. Et de la bière.

À six heures du soir, il retourna à l'usine, voir où en était son chargement. Il trouva les bâtiments désertés et les grilles cadenassées. Il ne pouvait donc plus rejoindre son camion. Il se sentit devenir méchant et rumina contre l'Allemagne des représailles qui prenaient leur source dans un ressentiment historique. Le soleil s'inclinait, mais ses rayons ne perdaient rien de leur faculté à rôtir les pelouses et ceux qui s'y aventuraient sans casquette ou sans chapeau de paille. C'était le cas de Freddy. Après avoir traîné d'un parking à l'autre, pour prendre l'air, qu'il jugea irrespirable, il ne vit pas de solution de survie plus rationnelle que de regagner le bistrot.

Sa morosité augmentait avec sa consommation de bière. De temps en temps, en guise d'encouragements, le patron lui offrait un verre de cognac bavarois, une sorte de jus de centrale nucléaire qui sapait la lucidité, même la mieux trempée, en moins de trois gorgées calcinantes comme de la harissa. Dès que le jour commença à s'éborgner, les néons, dont les couleurs demeuraient allumées toute la journée, restituèrent progressivement l'endroit dans une ambiance plus chaleureuse. Des filles succinctement moulées dans du cuir poussaient sur les tabourets du bar. Des habitués venaient prendre leur tour de garde devant la partie de comptoir qu'un long usage avait fini par leur affecter. Freddy s'était rendu deux fois aux toilettes. La première fois, il y avait brisé un manche de balai en huit morceaux. La seconde fois, il avait enroulé comme une crêpe le couvercle métallique de la poubelle.

La voix avait promis de rappeler. Il l'avait suppliée de lui révéler le nom du traître. Les filles du bar, avec leurs façons adultères, leurs rires de gorge quand les hommes les chatouillaient d'un mot ou d'un regard, lui tordaient le cœur, et le ventre, les idées. Il imaginait Sylvie dans des lieux incompatibles avec la probité conjugale. Il la voyait aussi nettement que si elle s'était affichée devant ses yeux, au milieu de cette salle, dans cette lumière malhonnête. Non loin de lui, dans un coin, l'ombre devenait affectueuse. C'était insupportable. Il crut entendre la voix suçante de la femme. Il essaya de se camper sur ses jambes. Il projetait de leur tomber dessus, de les transformer en charpie. Le couple sortit à temps de l'ombre. Il les regarda se diriger vers les toilettes. Il en fut écœuré. Il avait beau raisonner, confronter en lui des arguments d'une cohérence supérieurement cartésienne, il ne parvenait pas à dissocier la jalousie, l'esprit de justice et la légitime défense. Il fixait le dos de sa main où le nom de Sylvie et le sien s'ajustaient dans un seul cœur. Il n'y avait pas d'autre réalité que celle-là. Il avait envie de vomir. Il se convia à aller faire un tour dans la nuit.

Dehors, il se sentit en liberté et plus calme. Il vérifia qu'il était encore maître de sa force, et sans concentration particulière, comme en passant, d'une seule attaque, il fondit sur la portière d'un véhicule et en arracha la poignée.

Reugny. Hôtel du Grand Cerf. Soir.

Thérèse Londroit versait une casserole d'eau sur les dernières braises du barbecue. L'hôtel chavirait dans la paix de la nuit, très lentement, avec les souffles infimes des arbres. Le policier s'était dit fatigué. Thérèse avait perçu de la tristesse en lui. D'ailleurs, il avait moins bu que les autres soirs. C'était un signe. Elle songea au Parisien qui était en manigance avec Sylvie Monsoir. Après le repas, il était monté dans sa chambre, il avait pris une douche. Vingt minutes plus tard, il avait annoncé qu'il allait « se promener un peu avant de se mettre au lit ». Thérèse l'avait vu se diriger vers les étangs, en bas du village. Elle en avait déduit qu'il irait chez Sylvie en remontant par les jardins. Elle eut une pensée pour Freddy. C'était une tête brûlée. Il n'avait peur de rien ni de personne. Elle glissa silencieusement à l'autre bout de la terrasse, d'où elle pouvait apercevoir les fenêtres des Monsoir. Il y avait de la lumière à l'étage. Ça ne voulait rien dire. De toute façon, ce n'était pas ses affaires. Mais elle aimait bien savoir.

Elle respira la nuit, en renversant sa tête en arrière. Les étoiles lui tombèrent dans les yeux. Elle en fut comme éblouie. Il y avait des lustres qu'elle ne s'accordait plus le temps de regarder ou de profiter des petits plaisirs de la vie, une matinée de flânerie sur un marché, une soirée dans un bal, seulement le bonheur de se coucher tôt ou de traîner au lit le matin. Entre la tenue de l'hôtel, les soins continuels qu'exigeait sa mère, les tracas que lui causait Anne-Sophie, elle n'avait pas une minute à elle. Est-ce qu'elle le regrettait ? Parfois. Anne-Sophie avait raison quand elle parlait de vendre et d'aller s'installer ailleurs, en ville. Mais tout appartenait à Léontine. Les bâtiments, le mobilier, les terrains. Quelques années auparavant, la chaudière avait lâché. Thérèse avait proposé à Léontine de se défaire d'un petit bois de chênes, sur le versant français.

« Jamais », avait dit la vieille femme.

C'était sans discussion.

Thérèse avait dû engager un crédit sur cinq ans, qu'elle avait eu du mal à payer. Une autre fois, la tempête avait occasionné des dégâts au toit. À cause de l'entêtement de Léontine, l'hôtel était resté tout un hiver sous les bâches. Thérèse avait dû solliciter Richard Lépine. Elle se souvenait maintenant que c'était ce jour-là qu'elle avait revu le chromo qui, cet après-midi, aiguisait la curiosité du policier. Il se trouvait sur une étagère de la bibliothèque. Le souvenir s'inscrivait dans sa mémoire avec précision : il était lié à une histoire d'argent. Elle avait eu des difficultés à rembourser. Mais Richard était bon. Il répétait que rien ne pressait. Il considérait cet argent comme un acompte.

« Quand l'hôtel sera à vendre… », disait-il.

Il avait l'intention d'y créer une annexe du Centre. Plus tard.

Certains jours, Thérèse essayait d'évaluer le temps que sa mère avait encore à vivre. Elle avait honte de ce calcul indigne. Mais elle souffrait également de l'existence qu'elle imposait à Anne-Sophie. Sous les clignotements de la nuit, la pensée lui vint qu'elle avait entendu dire que la lumière des étoiles qui voyage dans l'espace était tout ce qui restait d'astres morts depuis une éternité.

Elle referma la porte du hall, ôta ses chaussures, les prit à la main et se dirigea vers la cuisine. Elle n'alluma pas la lumière. Dans le noir, elle attrapa une brique de lait, un paquet de biscuits et s'avança vers la baie qui donnait sur le jardin. La lune était de ce côté.

La fraîcheur de la vitre contre laquelle elle posait le front la fit frissonner. Le gendarme fumait, appuyé contre sa voiture, dont il avait laissé la portière ouverte sur la lumière malingre du plafonnier.

Elle traversa la cuisine, puis le couloir, tendit l'oreille. Elle progressait à tâtons. Le matin, Karine avait lavé des bouteilles, et elle craignait qu'un casier vide ait été laissé dans le chemin. Elle guetta longuement dans la buanderie. Le gendarme fredonnait ou marmonnait. Hier, à cette heure il ronflait. Elle fit pivoter le séchoir, juste assez pour pouvoir se faufiler. Le matin, elle avait noté qu'Anne-Sophie allait un peu mieux. Elle l'avait interrogée, mais en vain, sur ce qu'elle avait vu en arrivant à la Fourche noire. La jeune fille avait remué les lèvres, aucun son n'en était sorti. Thérèse se disait que cela prendrait le temps qu'il faudrait, mais qu'elle finirait par apprendre le nom de l'homme qui avait mis sa fille dans cet état lamentable. Elle n'éprouvait aucune haine. Elle n'avait d'ailleurs aucune idée de vengeance. Elle attendait de savoir. Toute sa vie, elle avait été patiente. Patiente, elle le serait encore. Le moment voulu, elle aviserait.

Elle changea la pile de la lampe de poche. Anne-Sophie dormait, la tête reposant au milieu de l'oreiller.

« Je suis là… », chuchota Thérèse.

Elle s'assit doucement sur le bord du lit. Il lui venait à l'esprit tant de choses à dire, qu'elle n'avait jamais osé dire ou qui lui paraissaient difficiles à comprendre jusqu'ici. Il n'y avait jamais eu entre elles la moindre amorce de complicité. Pourtant, elle savait ce que sa fille ressentait et par quel genre d'exaspération elle était animée. Elle connaissait.

Il arrivait à Anne-Sophie de l'interroger. Sur son père, par exemple.

« Il est mort », répondait-elle.

Anne-Sophie refusait de se contenter d'une réponse aussi sommaire. Elle insistait. Se butait. Et les échanges se terminaient par des disputes. Parfois violentes. Il y avait eu aussi cette tentative de suicide. Thérèse se sentait responsable. Mais aux questions que se posait sa fille, elle n'avait jamais trouvé le courage d'opposer d'autre réponse que : « Il est mort. »

Qu'est-ce qu'elle en savait, au fond ? Elle n'avait pas trente ans à cette époque. Léontine régnait sur l'hôtel du Grand Cerf qui était beaucoup plus fréquenté qu'il ne le fut par la suite. Il y avait du monde, même en semaine. Léontine travaillait des aurores au milieu de la nuit suivante, sept jours sur sept, du 1er janvier au 31 décembre, c'était une force de la nature. Thérèse ne l'avait jamais vue fatiguée. Elle menait son monde avec une énergie âpre. Et brutale. Un soir, Thérèse en avait eu assez. Elle s'était sauvée, au hasard, sans bagages, avec peu d'argent, prenant des bus et des trains qui, sans qu'elle eût choisi cette destination plutôt qu'une autre, l'avaient conduite à Bruxelles. Elle avait cédé à un garçon de café qui avait une chambre sous les toits à Anderlecht, en face des abattoirs. Quand elle lui avait annoncé qu'elle était enceinte, il l'avait mise dehors. Elle avait traîné dans la ville pendant une semaine, avant de revenir à Reugny. Le cirque avait duré jusqu'à la naissance d'Anne-Sophie. Puis les choses s'étaient calmées. Pas complètement. Les querelles étaient rares, mais quand elles se produisaient elles avaient tendance à dégénérer. Léontine avait parfois la main lourde. Ce fut au cours d'une de ces querelles que, pour se défendre des gifles que sa mère lui portait, Thérèse avait poussé cette dernière dans les escaliers. Elle avait réellement espéré qu'elle meure. Elle se souvenait de cela avec une grande clarté. Elle n'avait même jamais voulu quelque chose plus ardemment que la mort de sa mère. Elle la voyait rebondir d'une marche à l'autre. Les os se brisaient. Le sang commençait à jaillir. Une jambe se repliait, se retournait, la chair éclatait et un morceau de fémur trouait la peau. La tête percutait un balustre, le sang giclait. Du palier, elle enregistrait chaque coup en souhaitant qu'il se révélât mortel ou que, pour le moins, la mort résultât de leur addition. Elle observait cette chute avec une froideur de comptable. Elle pensait à Anne-Sophie, qui avait seize ans. Elle pensait qu'elle vendrait l'hôtel. À ce moment-là, il n'était sans doute pas encore trop tard pour recommencer une vie, loin de Reugny.

Quand le personnel de l'hôtel, se précipitant, s'était mis à bourdonner autour du corps, qu'un garçon avait crié qu'elle « respirait encore », Thérèse réalisa qu'elle avait essayé et qu'elle n'avait pas réussi. Elle avait brûlé sa dernière chance. Léontine n'avait jamais rien dit. Elle parlait d'accident, qu'elle avait trébuché. Jamais un mot de plus, même devant Thérèse. Elle était sortie de l'hôpital trois mois plus tard, après dix jours de coma. Depuis, du haut de sa mezzanine, elle leur faisait payer. Cher.

Thérèse se disait qu'il faudrait bien un jour qu'elle raconte toute cette histoire à sa fille. Elle l'aimait. Sans être capable de le lui dire les yeux dans les yeux, simplement. Dans le silence de ce réduit, elle n'entendait battre que son cœur. Elle sentit une bouffée de tendresse lui monter dans la poitrine. Elle avança la main. Elle prit la main d'Anne-Sophie et fut étonnée de la découvrir si froide. Elle dirigea le rayon de la torche sur le visage de la jeune fille. Elle avait l'air de dormir. Elle approcha son visage et posant sa joue contre la joue glacée, elle se mit à pleurer, sans révolte.

Vendredi

Reugny. Nuit de jeudi à vendredi.
Chez les Monsoir.

Sur la table de nuit, le radio-réveil venait de passer les deux heures du matin. Ils n'avaient pas sommeil. Pas encore. Nicolas avait prévu de terminer sa nuit à l'hôtel. Le plus tard possible, l'avait supplié Sylvie.

À une heure, le téléphone avait sonné.

« C'est Freddy », avait dit Sylvie.

Elle ne se sentait pas d'humeur à répondre. Elle n'était déjà plus avec lui, disait-elle.

Ils discutaient. De Freddy aussi. De la façon dont il risquait de prendre les choses. S'il convenait de le mettre au courant. Ils étaient plutôt d'avis de s'en aller sans explications. Sylvie lui écrirait une lettre d'ici une ou deux semaines. Elle n'emportait rien, ne réclamait rien, juste sa liberté. Et d'être heureuse avec qui elle l'entendait. Freddy se consolerait. Nicolas avait joué franc jeu. Il s'était confié, sa vie fantasque, les petits boulots, les périodes de dépression, un peu l'alcool, l'argent rare, les combines aussi, les arrangements, les expédients. Quelques belles amitiés, néanmoins. Du goût pour les livres. Les heures dans les musées. Les promenades. Pas la vie belle, peut-être même pas la vie. Mais quelque

277

chose d'acceptable, avec les bonheurs d'une aventure immobile, mais sans drames, sans amertume durable, même sans déceptions véritables.

« Je pars », disait-elle.

Il avait remis ses vêtements. Sur la cheminée décorative, Freddy avait exposé son béret de légionnaire, sous un globe gravé d'une couronne de laurier. En bas, dans le salon, les murs étaient couverts d'armes.

« On est prévenus... », avait murmuré Sylvie, sans rire, en montrant l'arsenal.

Dans l'armoire, entre les slips et les chaussettes, des boîtes de munitions. Sur la tablette de la fenêtre, un poing américain qui de loin avait l'air d'un appareil dentaire.

« J'avais une autre chose à te dire », commença-t-elle.

Elle avait remonté le drap au-dessus d'elle, comme si sa nudité risquait de pondérer ce qu'elle s'apprêtait à confier.

« Je ne veux rien savoir, lui intima Nicolas.

– Tu dois m'écouter.

– Tu me raconteras tout ça à Paris. On aura tout le temps.

– Non. »

Il s'était penché sur elle, pour l'embrasser. Elle le repoussait à deux paumes et détournait le visage.

« Ce que j'ai à te dire tient en quelques mots, Nicolas. Je t'en prie... »

Il s'allongea près d'elle, la prit dans ses bras.

« Si c'est le seul moyen que tu me suives à Paris, lui murmura-t-il dans l'oreille.

– Tu sais, Nicolas, il y a déjà un moment que j'ai envie de partir, de quitter Freddy et ce village, et cette vie d'abrutis qu'on mène ici. Je t'ai raconté que je transportais Rousselet. Une nuit qu'il était plus saoul que d'habitude j'ai réussi à lui subtiliser quelques fiches. Je les ai photocopiées. Et j'ai replacé les originaux là où je les avais pris. Il ne s'est aperçu de rien.

– Et c'était intéressant ?

– C'était surtout incomplet.

– Ça concernait qui ?

– Richard Lépine.

– Tiens.

– Le hasard. Je n'ai pas choisi. Une des fiches concernait Richard Lépine. Ce devait être la première d'une série de quinze ou de vingt. Il m'avait montré le paquet un jour, en me disant : "Ça vaut de l'or !" La première fiche portait une sorte de titre, en lettres capitales : "L'histoire de Richard Lépine des origines à nos jours". Je pense que c'est à cause de cette fiche que Jeff Rousselet a été abattu.

– Par Richard Lépine ?

– Je suppose.

– Qu'est-ce qui te permet de supposer une chose pareille ?

– C'est moi qui ai adressé la copie de la fiche à Richard Lépine. Je l'ai postée de Larcheville. J'avais ajouté deux mentions : « La suite à bientôt » et « Combien ? » Rousselet m'avait dit que ça valait de l'or, je voulais partir, j'avais besoin d'argent. Je me disais que je pourrais peut-être obtenir dix ou vingt mille francs. D'autant que j'espérais soustraire d'autres fiches à Rousselet. Je ne savais pas exacte-ment ce que je faisais. Lépine a téléphoné à Rousselet. Il l'a menacé de mort. C'est Rousselet qui me l'a dit. Depuis qu'il a été assassiné, j'ai l'impression d'y être pour une part.

– Je ne crois pas que Richard Lépine ait assassiné Rousselet.

– Tous les gens de Reugny pensent le contraire.

– Ils ont des raisons de lui en vouloir.

– S'il ne l'a pas tué lui-même, peut-être qu'il l'a fait tuer par quelqu'un. Il y a bien des gens à Reugny qui savent se servir d'un fusil. Freddy le premier.

– Tu m'as dit qu'il est parti en début d'après-midi. De ce côté, le problème de son alibi est réglé. Bien. C'est tout ce que tu avais à me dire ? »

Il l'embrassa dans le cou, puis il se leva.

« Tu ne m'en veux pas ? demanda-t-elle.

– Pourquoi je t'en voudrais ?

– Tu pourrais penser que je ne suis pas très honnête, que je n'ai aucun scrupule. Tu aurais des raisons de le penser. Mais tu n'aurais pas raison de le croire. Les apparences sont contre moi.

– Tu as essayé de survivre. Tu es là. Je t'aime. Si je dois à cet abominable employé de banque de Saint-Quentin, à Richard Lépine et à Jeff Rousselet que tu sois près de moi ce soir, alors tu as eu raison de faire ce que tu as fait. Tu l'as fait pour mon bonheur. Je t'attendais. »

Elle s'était mise à pleurer.

« Tu devrais rester près de moi, cette nuit.

– Non, je dois préparer mon voyage de demain. Et je ne voudrais pas que les gens de Reugny me voient sortir de chez toi au petit jour. En plus, je vais me lever tôt. Avant de partir, je dois voir Kulbertus.

– Tu vas lui répéter ce que je t'ai dit.

– Je ne lui dirai pas que j'ai passé une partie de la nuit avec toi. Il y a des choses qui ne regardent pas la police.

– J'ai peur, Nicolas.

– Et pourquoi ? Tout va bien. La semaine prochaine, la belle vie commencera.

– J'ai peur. Je sens qu'il va se passer quelque chose.

– Il ne se passera rien. Tu vas dormir. Demain, à une heure et demie, quand tu descendras ton équipe de couyon à Membre, je profiterai du voyage, tu me débarqueras à la halte d'autobus.

– Je pourrais te pousser jusqu'à Bouillon.

– Si tu veux. »

Quand il retrouva, derrière la maison, la fraîcheur des jardins et des haies, il se jura qu'après son voyage à Verviers il ne la quitterait plus jamais d'une seconde.

Reugny. Lever du jour.

Ce n'était pas la première fois que Freddy volait une bagnole. L'idée lui en était venue en sortant du bistrot, à Biedenkopf, après avoir endommagé il ne savait plus combien de voitures en stationnement. Il avait choisi une Mercedes, un modèle déjà ancien et dont la sellerie puait la cocotte. Il avait roulé toutes vitres baissées jusqu'à Koblenz et il était monté sur l'autoroute, direction Luxembourg. À une heure du matin, le téléphone l'avertissait que Sylvie se payait du bon temps.

« Je l'ai presque sous les yeux. Je la surveille pour toi, Freddy. Elle y est retournée trois fois, la salope. Ils ne se cachent pas. Tu ne fais pas le poids, mon vieux Freddy. Ces filles-là, c'est le fric qui les intéresse. Tu es le baisé de l'histoire. Il en faut un. »

Il avait gueulé que ça ne se passerait pas comme ça, qu'il allait les planter tous les deux. Il voulait le nom du type.

« Je suis sur la route, hurlait-il. Il me faut le nom de ce type.

– Alors, Freddy, si tu es sur la route, respecte bien le code, les feux rouges et les lignes blanches. Il ne faudrait pas qu'il t'arrive quelque chose. »

La Mercedes avait fait une embardée. Dans une gerbe d'étincelles, elle avait frotté la glissière de sécurité sur une cinquantaine de mètres. Il était à bout de nerfs aussi, c'est ce qu'il se répétait. À bout de nerfs. C'est une excuse, d'être à bout de nerfs. Dans l'habitacle, les odeurs de cocotte avaient été remplacées par le bouquet atomique du cognac bavarois. C'était à peine plus supportable. Quand il eut franchi la frontière, un peu après Trèves, il leva le pied de l'accélérateur. Il avait envie de vomir. Il fit une halte pour se dégourdir les jambes et le reste. Il fonça dans les toilettes où un type tournait le dos à l'autre. C'était inhumain, comme spectacle. Il leur tordit la tête, au nom de l'humanité et en leur souhaitant bien le bonjour de la part de la légion. Et il les cisela à coups de boule. Il se sentait méchant. De pire en pire. Méchant de la tête. Oui. À la légion, ses camarades et ses supérieurs se fichaient de lui. Les garçons coiffeurs avaient ordre de ne pas le tondre aussi ras que les autres. Il s'était plaint de ce traitement spécial :

« Si le coiffeur te rase tous tes cheveux, Freddy, tu n'auras plus de tête. Où mettras-tu ton béret ? » avait déclaré le capitaine, sans démordre de sa pipe.

Freddy n'avait pas compris, mais comme c'était les ordres il avait obtempéré. À ce moment-là, il avait passé le tiers de son temps en tôle, il n'avait pas envie d'y retourner. Il y avait pourtant regoûté plus d'une fois par la suite. Finalement, c'est ce qui avait fait de lui un homme complet, pas seulement un tas de muscles : en tôle, on a le temps de réfléchir.

Il prit la direction de Bruxelles. Comme avec son camion. C'était le plus simple. Le téléphone. Il regarda l'heure au tableau de bord. Trois heures.

« Il est rentré chez lui, Freddy. Il n'a eu que la place à traverser. Je crois qu'il se repose maintenant. Avec ce qu'il a mis à ta femme, il doit être épuisé. Elle y prenait du plaisir, tu sais. Une vicieuse. J'entendais ses cris de chez moi. Je suppose que bien des gens dans le village l'ont entendue. Où es-tu, maintenant, Freddy ? »

Il avait dépassé Charleroi depuis un petit quart d'heure.

« Dans une heure, Freddy, tu arriveras sur la place de Reugny. Je te fournirai le renseignement dont tu as besoin.

– Tout de suite ! Je le veux tout de suite !

– Ça te ferait trop souffrir, Freddy. Tu seras surpris. Terriblement. Je veux t'épargner encore un peu ce calvaire. Je ne veux pas que tu deviennes fou maintenant.

– C'est pire, de ne pas savoir.

– Mais non, Freddy. Mais non. Crois-moi. Je sais tout cela mieux que toi.

– Est-ce que je le connais ?

– Sois raisonnable, Freddy. Un homme ne connaît jamais l'homme qui couche avec sa femme. Jamais. »

La Mercedes pénétrait dans la nuit ardennaise comme dans du goudron. La route s'enfilait sous une double rangée d'arbres, comme dans un tunnel. L'humidité rendait le macadam poisseux. Dans une courbe plus prononcée, la voiture dérapa et partit en travers, dans le fossé, avant de s'immobiliser contre un chêne. Freddy ne se laissait pas impressionner. Il eut quand même l'idée d'avoir trop bu. Il enclencha la marche arrière, enfonça le pare-chocs dans la couverture de fougères qui jaillissaient du talus, repassa en première. Les roues patinèrent sur l'herbe.

Il aurait pu y aller en douceur, la voiture serait sortie du trou majestueusement. Mais il voulait l'avoir par la force, quitte à faire exploser le moteur. Après plusieurs essais, les roues s'accrochèrent de nouveau au bitume.

« Faut pas que je déconne », se dit-il en tâtant le siège passager, à la recherche du téléphone.

Il tourna vers la rue Haute. Une ligne droite d'un kilomètre qui débouchait directement sur la place. Il écrasa l'accélérateur. Il allait faire une entrée en fanfare. À la hauteur de l'église, il freina de tout son poids, en se cramponnant à deux mains sur le volant, presque debout sur les pédales. La voiture se mit en vrille et traversa une partie de la place. Il s'était annoncé par un boucan infernal. Il n'avait rien à cacher, lui. Le téléphone sonna.

Reugny. Lever du jour.

Derrière la fenêtre de sa chambre, Sylvie voyait Freddy tourner sur lui-même au milieu de la place. Sa chemise était déchirée. Il lui sembla qu'il regardait vers la fenêtre où elle se tenait. Elle ne bougea pas. Elle avait eu l'intuition qu'il se passerait quelque chose. Freddy titubait. Il s'effondra sur le capot de la voiture. Quand il se releva, elle vit qu'il avait du sang sur le visage. Elle eut un coup d'œil vers le téléphone. Sur la table de nuit, elle avait posé un revolver. Chargé. Freddy hurlait. Le jour blanchissait déjà un peu.

Reugny. Lever du jour.

Tout devait aller très vite. Il n'avait pas de précautions particulières à prendre. Le cerf ne baisse pas la tête dans le sous-bois. Il casse toutes les branches qui se trouvent sur son passage. Il sauta un mur, puis un autre. Il savait où aller. Il traversa une cour. De la terre montaient des chants martiaux et un piétinement d'armée au pas. Il connaissait ces foutaises. Mépris. Le hall. Le couloir. Il fit tomber la porte. Il se sentait irrésistible. Il ne songeait pas qu'il pouvait être attendu. Il commettait des imprudences. Non, c'était de l'audace, il était sûr de son bon droit. Il poussa le bouton de la lumière. Richard Lépine était assis, en costume blanc, comme un crétin, sur son espèce de lit. Il ne lui laissa pas le temps de prononcer une parole.

La chaise se brisa sur la tête. Freddy empoigna un bronze et se mit à frapper méthodiquement. Il entendit des pas, des bruits et des cris dans son dos, mais personne n'osa le contrarier. Il frappait à une bonne cadence. La tête s'éparpillait sur le drap. Coulait comme de la bouillie. Une belle tache, bien ronde et dense, pilée avec soin. Quand un morceau de crâne roulait sur le côté, il n'avait que le bras à tendre pour le broyer en deux ou trois coups bien ajustés. Il avait la volonté d'anéantir par le menu. Quand il jugea satisfaisant le résultat, il posa le bronze avec délicatesse au centre de son œuvre. Il ne se retourna pas. Il savait qu'il y avait derrière lui au moins une demi-douzaine de types prêts à le ceinturer. Peut-être armés. Sans doute armés. Il avait l'oreille.

De l'index, il donna une pichenette au bronze :

« Merci, camarade. C'est du bon boulot. »

Il était sûr que c'était du panache, une phrase comme celle-là, pour finir. D'ailleurs, il l'avait entendue dans un film. Une référence.

Reugny. Lever du jour.

Dans un demi-sommeil, Nicolas avait collé le téléphone contre son oreille. Il avait reconnu la voix étrangement calme de Sylvie. Elle lui disait qu'il s'était passé quelque chose et que Freddy était arrivé à Reugny.

« Dans un état bizarre », avait-elle ajouté.

Sur la place, des gens criaient. La cloche de l'hôtel sonnait, on frappait dans le bois des portes, la terrasse était martelée par des pieds impatients. Quelque part dans l'hôtel, le téléphone n'arrêtait plus de sonner.

Il s'habilla en hâte et courut dans le couloir. Thérèse Londroit émergeait de sa chambre, le visage effaré. Il nota qu'elle était déjà tout habillée. Elle s'appuya contre le mur et attendit avec l'air de quelqu'un qui essaie de se réveiller. Kulbertus apparut, en caleçon et en chaussettes.

Une dizaine de personnes, des employés du Centre pour la plupart, surgissaient dans la salle de restaurant et appelaient :

« Monsieur l'inspecteur ! Monsieur l'inspecteur ! »

Kulbertus tendit le cou vers Nicolas.

« Font chier ! » dit-il.

En bas, du grouillement tapageur monta une information identifiable :

« Richard Lépine a été tué ! »

Kulbertus soupira :

« Ils ne se lassent pas des conneries. Ça doit être l'air du pays qui veut ça. »

Reugny. Centre de Motivation.
Lever du jour.

Freddy avait été ligoté serré, le cou garrotté par une lanière en cuir, et transporté dans le hall où on l'avait placé sous la surveillance de Louesse et d'un des trois Frelin. Deux gendarmes annonçaient l'arrivée imminente de l'inspecteur. Ils prirent la tête des opérations. Le premier se campa devant Freddy et parce qu'il avait envie d'épater les badauds il dit avec une sorte de despotisme éclairé :

« Alors, comme ça, c'est vous. »

Son collègue somma Élisabeth Grandjean de le guider jusqu'au lieu du crime. Et, s'encadrant dans l'embrasure de la porte, main à la ceinture sur la crosse de son arme, il fit de son corps un rempart interdisant toute intrusion intempestive dans le bureau de la victime.

« Circulez, s'il vous plaît », gronda-t-il, comme pour se remettre en bouche et en mémoire une réplique de bon théâtre.

Entouré d'une grappe de visages graves, Kulbertus traversa le hall sans un regard vers Freddy.

« De l'ordre ! recommanda-t-il. Les morts avant les vivants. »

Élisabeth Grandjean se présenta.

« Je vous ai dit : les morts avant les vivants », articula l'inspecteur.

La femme recula d'un pas. Kulbertus s'expliqua :

« Tant qu'ils sont chauds, les morts continuent à nous parler. »

Walmourt et Maillard dirigeaient la manœuvre. C'était les plus anciens employés du Centre. Élisabeth Grandjean se joignit au groupe. Elle n'avait pas l'air de réaliser l'ampleur du drame qui venait de se produire et se déplaçait comme un automate, le regard vide, les joues un peu creuses.

Le gendarme qui avait pris l'heureuse initiative de se mettre en faction devant la porte s'effaça devant cette marée qui déboulait.

« Personne ne rentre dans cette pièce », cria Kulbertus en étirant son index en chandelle au bout de son bras tendu à la verticale.

Il s'engouffra dans le bureau, suivi par un troisième gendarme.

Le factionnaire barra de nouveau le passage.

« Circulez, s'il vous plaît », répétait-il, non sans une pointe de fierté.

Kulbertus examina le cadavre de Richard Lépine.

« Il est bon à ramasser à la cuillère, commenta le gendarme.

– La cuillère, c'est un instrument encore trop grossier pour ce genre de travaux. Vous le ramasserez à l'éponge. »

Il fit le tour de la pièce, regarda par la fenêtre et vit que le village s'était réuni sur la place. Un peu à l'écart, Sylvie Monsoir et Nicolas Tèque se tenaient côte à côte, très près l'un de l'autre, à se toucher. Le gendarme fouinait avec l'impression de conduire des investigations vétilleuses. Il ouvrait les tiroirs avec des précautions exagérées, se déplaçait à pas de loup, levait les yeux au plafond pour manifester qu'il pensait. Kulbertus le suivit un moment d'un regard navré.

« Essayez de ne pas trop foutre le bordel, conseilla-t-il.

– Je respecte les procédures, se targua l'autre.

– Je vois ça », soupira Kulbertus.

Il quitta la pièce. Élisabeth Grandjean attendait dans le couloir. L'inspecteur la prit par le coude et lui présenta ses condoléances. Il alla jusqu'à évoquer le « grand malheur » et le « peu de chose qu'est la vie, quand on y pense ». La veuve le remercia et rappela les vingt ans de bonheur commun, de complicité quotidiennement réitérée, de confiance mutuelle.

« C'était un homme de génie », affirma-t-elle pour parachever son oraison funèbre.

En abordant au demi-escalier dont le palier dominait le hall, elle eut une hésitation. Kulbertus crut qu'elle n'était pas loin des larmes.

« Je ne comprends pas, confia-t-elle en fixant Freddy de loin. C'est un garçon que nous avons beaucoup aidé. Il était légionnaire. Il a commis quelques bêtises. Quand il a voulu s'assagir et qu'il est revenu s'installer à Reugny, mon mari lui a trouvé un travail, un logement. Il lui a avancé de l'argent. Je ne sais vraiment pas ce qui a pu se passer. C'est terrible. »

Elle chancela, en reculant jusqu'au mur, accablée par l'immensité de son chagrin. Kulbertus prononça de ces bonnes paroles dont il avait le secret. Puis, l'abandonnant brusquement, il dévala l'escalier et dépêcha son obésité notoire vers Freddy. Ce dernier ne chercha pas à se dérober. Au contraire. Il accueillit l'inspecteur en ricanant :

« Du beau boulot, hein !

— J'avoue mon admiration, Freddy. Tu ne l'as pas manqué. C'est un crime qu'il faudra enseigner dans les écoles du crime. Un modèle. Un exemple. Une leçon.

— Il m'avait foutu la rage.

— C'est souvent comme ça, tu sais, Freddy. La rage nous inspire de bien jolis mouvements d'humeur. Est-ce que tu veux me raconter ? »

La narration de Freddy demeura dans les limites de la modestie. Il reprit les choses depuis leur début. Son retour à Reugny avec une femme splendide et jeune. Le soutien de Richard Lépine à leur installation. L'argent prêté.

« J'avais remarqué qu'il aimait bien Sylvie. Il voulait toujours la voir. Il disait que c'était pour le travail, les histoires de transport, de taxi. Elle ne voulait pas. Il téléphonait pour la convoquer à des réunions. Elle disait que ça ne l'intéressait pas. Mais elle ne pouvait pas non plus le rabrouer trop brutalement. Il nous tenait quand même par la gorge. On lui en devait un paquet. Il avait beau dire qu'on avait le temps, ce qu'on devait on le devait. Où il a été fort, c'est quand il m'a trouvé ce boulot de chauffeur international. Il m'a dit, j'invente pas : "Freddy, si tu as été dans la légion, c'est que tu es né pour l'international." Je l'ai cru. C'était une intelligence. Un cerveau. Tout dans la tête. C'est par là que je l'ai châtié, d'ailleurs.

– C'était fort bien pensé, Freddy, admit Kulbertus

– Il avait calculé pour me couper de ma base. C'est ça. Dans un couple, quand l'homme passe des semaines loin de la maison, il perd la maîtrise de la situation conjugale, il n'a plus d'influence sur son épouse. Les femmes ont des besoins. J'ai été aveugle. Je me suis laissé manœuvrer.

– Ah, les femmes ! souffla Kulbertus, dans un soupir de pure nostalgie.

– Ils ont commis l'irréparable.

– Toi aussi, Freddy.

– L'irréparable appelle l'irréparable. Je ne pouvais pas faire moins.

– Le principal, c'est que tu sois content, Freddy.

– Vous savez, inspecteur, c'est jamais qu'un crime passionnel. »

Il plaidait déjà. Du haut des escaliers, le gendarme appelait Kulbertus.

« Inspecteur ! Pouvez-vous venir un instant, s'il vous plaît ? »

Freddy rouspéta qu'on n'était jamais tranquille, qu'on ne pouvait jamais parler sérieusement. Il bomba le torse, s'ébroua ou frissonna.

« Je ne parlerai qu'en présence de mon avocat », annonça-t-il d'une voix crâne.

C'était encore un souvenir de cinéma. Ou de série télévisée. Il trouvait que ça rendait bien.

Kulbertus se traîna jusqu'au bureau de Richard Lépine. Il n'aimait pas enquêter avec le ventre vide et rêvait de ses frites du matin avec des boulettes à la sauce tomate industrielle, miracles de la chimie européenne et des gastronomies de l'instantané. Le gendarme se tordait au centre de la pièce, figé dans une position de chien d'arrêt. Il voulait se faire bien voir et on le voyait bien.

« Inspecteur, mon flair me disait… », dit-il en parlant du nez.

Le cadavre était en tas au pied du lit. Les laborantins ne viendraient pas avant la fin de la matinée. Kulbertus détourna le regard.

« Alors, votre flair ?

– Je l'ai senti, vous savez, inspecteur. Par ici, s'il vous plaît… »

Il le guida vers un placard dont la porte n'avait pas été complètement repoussée.

« C'était fermé. Au départ, c'était fermé.

– Au fait. Allez droit au fait.

– Voyez-vous, je me trouvais devant cette porte de placard, disons "banale".

– Disons-le : "banale"…

– J'ai même failli ne pas regarder ce qu'il y avait derrière. C'est vous dire à quel point elle était banale. Tout d'un coup j'ai eu l'illumination judiciaire. Comme je vous le dis. Et ç'a été plus fort que moi. J'ai pensé : "Cette porte est trop banale pour ne pas cacher quelque chose de sensationnel." Et voilà le travail, inspecteur. »

Il ouvrit le battant de porte, en regrettant que cela ne produise pas un léger grincement. Un fusil à canon raccourci apparut, partiellement couvert de chiffons.

« À deux cents pour cent, inspecteur, que c'est l'arme qui a tué le douanier Jeff Rousselet. »

Reugny. Hôtel du Grand Cerf. Matin.

« Du nouveau, ce matin ? marmonna Léontine. J'ai entendu du bruit. Sur la place. Dans l'hôtel. Qu'est-ce qui se passe ? »

Thérèse prit le chapelet, le fit couler dans le tiroir entrouvert de la table de nuit.

« Alors, quoi ? râlait la vieille femme. Je vois bien que ça ne va pas. De toute façon, je le saurai.

– Richard Lépine a été tué.

– Tiens donc.

– Par Freddy Monsoir.

– Ah ? Pauvre Richard ! Pauvre Freddy ! »

Elle attendait des précisions. Thérèse la bascula sur le fauteuil roulant.

« Tu ne me fais pas ma toilette aujourd'hui, Thérèse ? »

Thérèse s'excusa. Elle était perdue dans ses pensées. Elle remit sa mère sur le lit, alla chercher à la salle de bains une bassine, un gant de toilette, un peigne, une petite glace et de l'eau de Cologne.

« Pourquoi Freddy a-t-il fait cela ? demanda Léontine.

– Est-ce que je sais moi ? J'ai entendu dire que c'était par jalousie.

– Richard couchait avec la femme de Freddy ?

– Je ne sais pas. C'est peut-être ce que Freddy croyait.

– On l'aurait su bien avant Freddy, Thérèse. Voyons, dans un débit de boissons…

– Ils se montraient peut-être particulièrement discrets.

– À moins que ça. Mais ça m'étonne. Freddy n'est pas de taille à lutter contre un Richard Lépine. Freddy, c'est un fou. Il ne sait rien. Il n'a jamais rien fait de bon. S'il a tué Richard, ça ne peut être que par erreur. »

Quand elle en eut fini avec la toilette, Thérèse prit le miroir et, d'une main, le bras tendu, l'avança vers le visage de sa mère.

« C'est bon », estima la vieille femme.

Puis, elle remarqua :

« Qu'est-ce que tu as, Thérèse ? Tu trembles. »

Thérèse saisit la bassine où elle avait rangé les accessoires de la toilette et se précipita vers la salle de bains où elle se mit enfin à pleurer. Elle s'assit sur le bord de la baignoire, les mains croisées dans la cuvette de sa robe. Léontine s'époumonait à l'appeler.

« Thérèse ! Thérèse ! Ne m'oblige pas à crier ! Qu'est-ce qu'il y a ? J'entends bien que tu pleures ! Viens ici tout de suite ! Tu entends ? Tout de suite ! »

Elle se mettait en colère, comme autrefois.

« Je la boufferais, moi, cette fille ! » fulminait-elle.

Puis elle se résolut à prendre patience.

« Anne-Sophie est morte », murmura Thérèse, en s'appuyant contre la porte de la salle de bains.

Léontine fixait le plafond. Sa colère retombait doucement. La nouvelle lui déplaisait sans la désoler. Elle n'avait jamais pu aimer Anne-Sophie, qui lui avait posé un vrai problème. S'il n'avait tenu qu'à la raison et au bon sens, jamais elle n'aurait même vu le jour. Thérèse s'était entêtée. L'hôtel avait besoin de tous les bras à cette époque. Et Thérèse travaillait comme quatre. Mais elle avait son caractère. Des coups de folie. Cette fugue, par exemple. Idiot. C'était impardonnable. Même vingt ans plus tard. Où était-elle allée ? Elle n'avait jamais voulu en parler. Sur ce point, elle avait de qui tenir. Mais tout de même, garder un enfant attrapé dans la rue, comme une maladie, c'était trop. Il ne manque pourtant pas de moyens pour guérir de ce genre de dérangement. Quand on a le rhume, on se mouche.

« On l'a retrouvée, alors…, dit-elle avec une certaine résignation dans la voix.

– Non. C'est moi qui l'ai retrouvée. Et je l'ai ramenée à la maison. Je l'avais cachée dans l'ancien réduit.

– Tu veux toujours n'en faire qu'à ta tête, Thérèse. Tu vois où ça te mène.

– Je crois qu'elle a été étranglée. Hier, pendant que j'étais partie faire les commissions.

– C'est pas bon pour toi, ça, Thérèse. C'est pas bon. »

Elle rabâcha vingt fois que ce n'était pas bon, en enveloppant Thérèse dans un regard farouche.

« Il ne faut rien dire, Thérèse. Pas un mot. Tu jetteras le corps de ta fille dans le puits. C'est le plus simple. Ce sont des affaires qui ne regardent pas la police.

– Je devrais peut-être…

– Non, Thérèse. Pour une fois, tu vas faire ce que je te dis. Tu me dois bien ça. »

C'était la première fois qu'elle faisait allusion à sa chute dans l'escalier. Thérèse eut le sentiment de la voir jubiler. Mais non.

« La police court derrière ta fille depuis une semaine, reprit la vieille femme. Ils te poseront des questions. Ils te demanderont des explications. Qu'est-ce que tu vas leur dire ? Que tu as laissé des centaines de gens chercher pour rien ? Ils ont déplacé un hélicoptère. Ils ont organisé des battues dans les bois. Ils ont diffusé le signalement de ta fille dans tout le pays et dans tout le nord et l'est de la France. Tout ce remue-ménage pour rien. Ils ne vont pas te donner la médaille, crois-moi. Sans compter que, si on y regarde de près, c'est toi qui as livré ta fille au meurtrier, en la ramenant ici. Tu devras t'expliquer là-dessus aussi et ça ne sera pas le plus facile. Je comprends que tu aies de la peine, mais n'ajoute pas des ennuis à ta peine. »

Elle tourna les yeux et tordit la bouche vers le fauteuil roulant. Thérèse la prit dans ses bras, la plaça dans le fauteuil, lui arrangea une couverture sur les genoux et un châle sur les épaules, puis sans un mot elle la conduisit contre la rampe de la mezzanine.

Reugny. Dans la matinée.

Kulbertus se laissa distraire par le chant d'un merle. Il s'arrêta au milieu de la place. Les laborantins étaient arrivés plus tôt qu'il ne l'espérait. La mort de Richard Lépine n'était plus une préoccupation pour lui. Quand il avait demandé à Freddy comment il en était arrivé à la certitude que sa femme le trompait avec le directeur du Centre, il n'avait pu obtenir d'autre réponse qu'un bafouillage fastidieux d'où il ressortait que Freddy avait obéi à des voix tombant du ciel, à des incantations d'anges ou d'archanges justiciers, à des appels venus d'une réalité ignorée par le commun des mortels.

Le chant du merle avait varié sept fois et Kulbertus s'émerveillait qu'un oiseau aussi rudimentaire pût, en si peu de temps et sans presque reprendre son souffle, donner plusieurs versions de la même vérité. Sylvie se dirigeait vers lui, d'une démarche dont la vivacité ne ruinait pas complètement le déhanchement si peu raisonnable qui en faisait le charme habituel. Il la laissa venir, en se tenant de biais, pour mieux entendre le merle.

« Qu'est-ce qu'on va lui faire, inspecteur ? demanda-t-elle.

– Soit un peu de prison, soit un peu d'hôpital psychiatrique, énonça-t-il avec placidité. Vous vous inquiétez pour lui ?

– Quand même.

– Il ne faut pas. Il a fait son choix sans vous demander votre avis.

– Qu'a-t-il dit ?

– Rien qui puisse vous concerner désormais. Quittez ce pays, ma petite dame. Je n'ai pas pour habitude de donner des conseils à qui que ce soit, et ce n'est pas un conseil que je vous donne en disant de partir, c'est juste un sentiment. L'air d'ici n'est pas respirable pour des gens comme nous.

– Oui, c'est difficile, approuva Sylvie.

– Tenez, moi, Vertigo Kulbertus, obèse devant Dieu, devant le roi et devant la balance, depuis que je suis échoué dans cette campagne je n'ai même plus le cœur de décompter les jours qui me séparent d'une retraite dont mes collègues m'assureront, un verre de mousseux à la main, qu'elle est bien méritée, mais dont je pense qu'elle n'est peut-être que la punition d'une longue vie de labeur et de contraintes. Comment une retraite peut-elle être « bien méritée » ? Cela voudrait dire aussi que la mort est « bien méritée ». Il n'y a aucun mérite à prendre sa retraite, ma petite dame, comme il n'y a aucun mérite à mourir. Ce sont des grades qu'on acquiert à l'ancienneté. Un jour arrive où on y a droit. Voilà. »

Passablement satisfait de sa péroraison, il majora sa déjà fière stature d'un accroissement, à proprement parler *mussolinien*, du menton. Le merle lui faisait la fête. Grand moment.

« Avant de vous quitter, ma petite dame, est-ce qu'il serait outrecuidant de ma part de vous demander où vous pensez que je pourrais trouver M. Nicolas Tèque.

– Il est parti pour Verviers.

– Déjà ?

– Je devais le descendre à Bouillon cet après-midi, mais vu les circonstances, j'ai annulé toutes les courses de la journée. Il est redescendu avec les croque-morts.

– Les croque-morts ?

– Ou les pompes funèbres, je ne sais pas. Ils ont ramené le corps de Brice Meyer, vous savez : l'idiot. On l'enterre lundi matin.

– En voilà au moins un qui sait où il va », constata Kulbertus, sans préciser s'il parlait de l'idiot ou s'il parlait de Nicolas.

Verviers. Début d'après-midi.

L'expédition avait été moins ardue qu'il ne le crai-gnait en l'entreprenant. La camionnette des pompes funèbres l'avait conduit jusqu'à une halte d'autobus au milieu des champs, au-delà de Bouillon, sur la route de Libramont. De là, les étapes s'étaient enchaînées comme des figures à peu près libres, sans difficultés, sans attentes de correspondances, comme si tout le réseau des transports s'était mis, par décret de la chance, à sa disposition. Un taxi l'avait déposé devant une maison de brique sombre dont le jardinet qui la séparait de la rue débordait de roses et d'hortensias.

« Sœur Marie-Céleste ? dit-il en saluant la petite femme au visage rond qui venait de répondre à son coup de sonnette.

– Oui.

– Je viens vous annoncer une mauvaise nouvelle... »

Elle le fit entrer dans un couloir étroit et dont la fraîcheur surprenait. Le papier peint multipliait les otaries et les ballons de couleur. Elle le précéda dans un salon encombré de meubles qui avaient voulu être vieux avant l'âge, des Henri II de chez Levitan et du style rustique. Elle s'avisa tout d'un coup qu'elle lui avait ouvert en blouse de ménagère, et s'en excusa.

« J'oublie de plus en plus », murmura-t-elle, en rougissant de confusion.

Elle justifia sa tenue en confiant qu'elle faisait les poussières dans l'escalier quand la sonnette avait tinté. Elle le pria de prendre le siège de son choix et ôta la blouse en cotonnade bleue, qu'elle plia et replia avant de la ranger sur une chaise vite repoussée contre la table.

« Je suis à votre disposition... »

C'était une très petite femme, moins âgée qu'il ne l'avait imaginé, avec un visage lisse, un peu rosé, et un regard d'une limpidité d'azur. Rien n'indiquait qu'elle ait pu être religieuse, sinon une croix minuscule qu'elle portait en broche au revers de son chemisier.

« Je vous écoute... », dit-elle encore.

Pendant tout le voyage, Nicolas avait préparé une entrée en matière et la liste des questions qu'il souhaitait éclaircir. Maintenant, il hésitait.

« C'est Richard Lépine qui m'a donné votre adresse…

– Ah, Richard ! C'était son anniversaire la semaine dernière.

– Il a reçu votre carte. Il était très ému. J'ai parlé avec lui, hier. »

Il ne savait plus comment s'y prendre.

« Richard est le plus brave garçon qui soit, s'exclamait sœur Marie-Céleste. Le plus brave. Vraiment le plus brave. Je vous assure, le plus brave.

– Ce que j'ai à vous apprendre, ma sœur, est assez difficile à exprimer…

– Dites.

– Richard Lépine est mort ce matin.

– Richard ?

– Il a été assassiné. Par un fou. Je veux dire, un homme qui avait certainement bu. Enfin, c'est plus compliqué que ça. »

Elle s'était redressée sur son siège, le dos très droit, c'était sa manière à elle de faire face. Nicolas voyait que les larmes lui mouillaient les yeux, mais elle ne leur permit pas de déborder.

« Expliquez-moi, monsieur. »

Il résuma les événements de la semaine qui venait de s'écouler, sans rien en omettre, ni la raison pour laquelle il séjournait à Reugny, ni la mort de Jeff Rousselet, ni celle de l'idiot, ni celle de Jérôme Doussot à Dinant, ni la disparition d'Anne-Sophie Londroit. Il parla des recherches que le douanier menait à propos de la fin des parents de Richard Lépine. Du chromo. Du film documentaire que son ami Charles Raviotini envisageait de produire en hommage à Rosa Gulingen.

« Tout cela est très compliqué, dit-il, pour s'excuser de ne pas se montrer plus clair dans son exposé.

– Compliqué pour vous, sans doute, monsieur... Monsieur... ?

– Tèque. Je m'appelle Nicolas Tèque.

– Toutes ces histoires se tiennent et n'en font qu'une, monsieur Tèque. Peu de gens connaissent la vérité. Et je ne suis pas certaine que c'est une vérité qui vaut d'être divulguée. Mais si Richard est mort, tout cela n'a plus la même importance. »

Un rayon de soleil traversa la pièce, libéré par le rideau qu'un léger courant d'air venait de remuer.

« Par où voulez-vous que nous commencions, monsieur Tèque ?

– Je ne sais pas. Où vous voulez. Le jour de la mort de Rosa Gulingen ?

– Comme vous voudrez. En fait, Rosa Gulingen était bien la femme charmante et humaine que les journaux décrivaient. Elle buvait, oui. Sans doute avait-elle des raisons. J'ai été appelée plusieurs fois pour lui faire des piqûres. Dans sa chambre, il y avait des bouteilles entamées sur toutes les tables. Elle avait besoin de sentir qu'il lui suffisait de tendre la main pour en saisir une. C'était une façon de se rassurer. Elle prenait ses repas au lit. Peut-être que je rentre trop dans les détails...

– Pas du tout, ma sœur.

– Je crois que l'équipe de tournage est arrivée à Reugny le jeudi ou le vendredi. Rosa est arrivée le dimanche après-midi. Elle avait voyagé avec le metteur en scène et Armand Grétry. Je les revois descendre de voiture. C'était la voiture d'Armand Grétry, si je me souviens bien. On a su plus tard qu'il avait loué un chalet dans un village voisin. Je ne sais pas comment on tourne un film. Mais là, tout le monde s'agitait, se disputait, criait.

Il y avait des employés qui sélectionnaient les figurants. C'était une sorte de folie. Du matin au soir, la place était noire de monde. Il y avait même des Français qui venaient par cars entiers. Je passe là-dessus. Le jour de sa mort, Rosa devait faire des essais dans la salle de restaurant de l'hôtel. Au début de l'après-midi, elle est venue repérer les lieux, se rendre compte, je ne sais pas. C'est à ce moment-là que son regard a été attiré par le chromo dont vous m'avez parlé tout à l'heure. Son père était imprimeur. En Allemagne. À Hanovre, exactement.

– C'est lui qui avait imprimé ce chromo.

– Oui. Il en avait imprimé bien d'autres. C'était une des spécialités de son imprimerie. Mais celui-là, c'était une sorte de bien de famille. C'est lui qui l'avait dessiné. En souvenir de je ne sais plus quelle anecdote.

– Il a été diffusé à des milliers d'exemplaires, non ?

– Le chromo, oui. Mais pas celui-là. Celui-là possède une particularité. C'est Rosa qui me l'a dit. À droite de l'image, on voit un braconnier appuyé contre un gros hêtre. Si vous regardez bien, l'écorce de cet arbre porte une double gravure : deux traits horizontaux, l'un au-dessus de l'autre, et des initiales. Sur le trait le moins élevé, la lettre A. Sur le trait du dessus, la lettre R. Est-ce que je vous ai dit que Rosa avait une sœur ?

– Pas encore.

– Elle était d'un an plus jeune qu'elle et s'appelait Anelore. Elle est morte pendant la guerre. Le père avait offert ce chromo à ses filles. L'arbre qu'il avait pris comme modèle était un arbre du parc de la propriété où la famille Gulingen était installée. Quand les fillettes ont découvert le chromo, elles ont fait remarquer à leur père qu'il y manquait quelque chose. C'est que l'arbre du parc servait de toise. À chacun de leur anniversaire, le père, c'était une tradition, mesurait la taille de ses filles en les adossant contre l'arbre et il traçait une ligne avec son couteau. Ce sont des choses qui se font partout.

– Ma mère, dit Nicolas, gravait des encoches sur la porte de la cuisine.

– Comme les traits n'apparaissaient pas sur le chromo, le père les a rajoutés, à la main et à l'encre de Chine. Il faut le savoir pour le remarquer.

– Je n'ai pas fait attention.

– C'est discret. Mais quand on l'a vu, on ne voit plus que ça. Quand Rosa a découvert le chromo à l'hôtel du Grand Cerf, c'est la première chose qu'elle a vérifiée. Elle n'en croyait pas ses yeux. Aussitôt, elle a interrogé Léontine Londroit.

– Elle lui a demandé comment ce chromo était arrivé jusqu'au Grand Cerf...

– Oui. Léontine lui a répondu que son mari l'avait trouvé chez un antiquaire ou chez un brocanteur. Elle a demandé où. Léontine ne savait plus. Elle a répondu : "En France, à Larcheville." Pour se débarrasser. Une demi-heure plus tard, Rosa a interrogé Baudouin, le mari de Léontine. Il a dit : "Dans une brocante, du côté de Bouillon." Rosa s'est fâchée.

– Elle se fâchait vite.

– C'est ce qu'on dit. Elle a voulu racheter le chromo. Ça c'est Léontine qui me l'a raconté. Léontine a donné un prix. Cher. Des milliers de francs. Enfin, elles se sont arrangées. Rosa a payé. Ensuite je ne sais pas exactement comment les choses se sont passées. Ce qui est sûr, c'est que Rosa voulait que pendant le tournage du film le chromo reste où il était. On m'a raconté même qu'elle avait insisté auprès d'un technicien pour qu'on le voie à l'image. Je suppose qu'elle voulait rendre hommage à sa sœur. Quand je lui ai parlé, elle m'a dit qu'elle pensait que sa sœur était venue à Reugny. À l'hôtel du Grand Cerf. Et qu'elle y avait séjourné. Elle se trompait. Elle était même très loin de la vérité. Je vous ai dit que sa sœur est morte pendant la guerre ?

– Vous me l'avez dit.

– Ce qui est sûr c'est que Rosa a dû prendre le chromo en main. Peut-être pour l'examiner à la lumière de la fenêtre. En le retournant, elle a remarqué un petit morceau de papier, le coin d'une feuille. Ça dépassait légèrement entre la moulure et le carton du dos. Elle a démonté le cadre. Et c'est là qu'elle a découvert quelque chose. Que je vais vous montrer tout de suite. Si vous me permettez.

– Vous étiez où, vous, ma sœur, à ce moment-là ?

– Sur la place, probablement. Il y avait de l'animation, on en profitait.

– Hier, Richard Lépine m'a montré une image pieuse, un saint Joseph…

– Le saint patron de la Belgique.

– C'est sœur Agnès qui l'a tirée de son missel et qui a demandé à Rosa Gulingen d'y mettre son autographe pour Richard.

– C'est vrai. Sœur Agnès avait fait signer son missel. Elle est morte depuis près de trente ans maintenant. Au moment où Rosa signait l'autographe pour Richard, elle avait déjà découvert le document que je vais vous montrer. Elle avait replacé le chromo sur le mur de l'hôtel. Le tournage de l'essai s'est fait vingt minutes après.

– Nous avons trouvé les bobines de cet essai. Le chromo y apparaît, effectivement.

– Dès que la scène a été tournée, Rosa a récupéré le chromo, qui lui appartenait maintenant, et elle est venue à l'orphelinat. C'est moi qui l'ai reçue. Elle n'avait pas bu, mais elle était très excitée. Elle a posé le chromo sur

303

la table et sur le chromo une feuille de papier. Je lui ai demandé ce qu'elle voulait. Elle m'a dit qu'elle voulait voir le jeune homme à qui elle avait signé un autographe et qui se prénommait Richard. Il n'était pas là.

– Où était-il ?

– Il était parti cueillir des framboises avec le curé, au presbytère de Vresse.

– Qu'est-ce que Rosa lui voulait ?

– Je vais chercher le document, vous comprendrez mieux. »

Mais elle se dirigea vers la cuisine en disant qu'elle allait préparer du thé.

Reugny. Après-midi.

Kulbertus n'avait pas perdu son temps. En moins de six heures, il avait appris auprès de la compagnie des téléphones que Richard Lépine avait régulièrement appelé Freddy, de portable à portable. On avait retrouvé celui de Freddy dans la Mercedes volée en Allemagne et celui de Richard Lépine dans le tiroir de son bureau. Deuxièmement, c'est Richard Lépine qui avait le premier contacté Rousselet. Troisièmement, d'après les premières constatations l'arme découverte dans son placard était bien celle avec laquelle le douanier avait été abattu. Elle appartenait à Richard Lépine et portait ses empreintes. Selon l'inspecteur, cette accumulation d'indices accablants plaidait plutôt en faveur de l'innocence de Lépine. Ce dernier était trop ostensiblement désigné, comme montré du doigt. Ça ne tenait pas debout. Aussi avait-il convoqué Élisabeth Lépine, la veuve, que tous les employés au Centre continuaient d'appeler « Mlle Grandjean ».

« Qui avait accès au bureau de Richard Lépine ? avait demandé Kulbertus.

– Théoriquement, personne. Pratiquement, tout le monde.

– Vous ?

– Moi comme les autres.

– Plus ?

– Compte tenu de ce qui nous liait l'un à l'autre, évidemment que j'y venais souvent.

– Vous auriez été en mesure de vous servir de son téléphone portable.

– Bien sûr.

– Et vous ne l'utilisiez pas.

– Non.

– Jamais ?

– Pourquoi l'aurais-je fait, inspecteur ? Il y a vingt-quatre postes téléphoniques dans le Centre. Quatre lignes directes. J'ai moi-même deux téléphones portables. Un dans la boîte à gants de la voiture et un dans mon cartable. C'est tout ce que vous vouliez savoir ?

– Oui. »

Cependant, il l'avait félicitée, assez pesamment.

« Pourquoi me félicitez-vous, inspecteur ? s'était-elle étonnée.

– Vous allez faire valoir vos droits de veuve comme moi je vais faire valoir mes droits à la retraite. Tout ça vous appartient maintenant. Les murs et ce qu'il y a dedans. Il y en a pour une fortune. Bravo.

– Je savais que vous manquiez de délicatesse, inspecteur, mais je n'étais pas certaine que vous iriez jusqu'à offenser la mémoire d'un mort.

– C'est pour discuter. Seulement pour discuter. Personne ne savait que Richard Lépine vous avait épousée.

Si vous ne me l'aviez pas dit l'autre jour, dans ma chambre, ce n'est certes pas lui qui en aurait fait état.

– Nous avons construit ce centre à deux. Richard commençait à prendre de l'âge. Il a seulement voulu que les choses soient en règle et qu'en cas d'accident je ne me retrouve pas dépouillée de ce qui m'appartenait autant qu'à lui.

– Je vais vous avouer quelque chose, madame. Richard Lépine n'avait pas l'intention de me dire que vous étiez mariés. C'était un homme qui aimait le secret et les habitudes. Il n'avait pas la moindre idée de ce qui l'attendait. Pas la moindre idée.

– Où voulez-vous en venir ?

– Nulle part. Je discute. Je pense à voix haute. Vous continuez à vous faire appeler Mlle Grandjean. Je me demande si vous ne m'avez pas dit que vous étiez mariés parce que vous saviez que de toute façon c'est une chose que la police découvrirait rapidement, en cas de décès inopiné de M. Lépine. Vous présumiez que le secret n'avait pas à être protégé.

– Si je comprends bien, vous voulez dire que je savais que mon mari allait être assassiné ce matin.

– Je discute, c'est tout. Moi, vous savez, je suis content. J'ai une victime, j'ai un assassin, j'ai un mobile. Pour moi, l'affaire est classée. Je ne vais tout de même pas me plaindre que la mariée est trop belle ! Mon Dieu, ce serait être bien ingrat envers le dieu des flics ! Oubliez ce que je viens de vous dire. Je m'en vais. Je ne voudrais pas abuser de votre chagrin. »

En sortant du Centre, il avait croisé Jack Lauwerijk. Le jeune homme avait les yeux gonflés. Il s'épancha un peu lâchement sur l'épaule de Kulbertus, qui le consola avec agacement.

« Je considérais Richard comme mon père. Je lui devais tout. Qu'est-ce que je vais devenir maintenant ? »

Sa peine n'était pas feinte. C'était un poète, un homme sensible, une âme raffinée. Comme il avait besoin de parler et qu'il voyait l'inspecteur comme une présence bienveillante, il évoqua des souvenirs de jeunesse, les semaines de négociation qu'il avait fallu avant que son père, Albrecht, accepte de le voir poursuivre des études. Même sa mère, Marieke, était contre cette aventure.

« Je comprends aussi leur point de vue. Mais Richard avait raison. Il m'a sorti de ce milieu sans ambition. Il l'a voulu. Je l'aimais comme mon père. Presque plus que mon père. En le perdant, j'ai tout perdu. Tout. Et le Centre, que va-t-il devenir ? Une œuvre comme celle-là !

– Madame Lépine me fait l'impression d'une personne qui sait ce qu'elle veut.

– Elle est très compétente, bien sûr. Elle se battra.

– Vous vous battrez aussi, Jack.

– Maintenant…

– Vous vous battrez, Jack. Parce qu'il le faut. Quel âge avez-vous ?

– Trente-deux.

– Vous avez donc encore des choses à prouver, Jack. Croyez-en un vieil homme comme moi, il ne faut jamais baisser les bras. Ce qui arrive est abominable. Mais montrez-vous digne de Richard Lépine. De sa mémoire. De son œuvre.

– Vous avez raison, inspecteur.

– Je connais la vie, c'est tout.

– Merci. »

Ils échangèrent une poignée de main chaleureuse. Kulbertus avait failli avoir un fils, il y avait trois décennies peut-être. Il l'avait espéré. Il l'avait souhaité. Il vivait alors avec une jeune femme qui travaillait dans une librairie. Quand elle était tombée enceinte, il avait cru devenir fou de joie. Un soir, elle était rentrée à la maison et lui avait dit qu'elle s'était fait avorter le matin même.

« Mais pourquoi ? » avait-il crié.

Ç'avait été avec une certaine dureté qu'elle lui avait expliqué qu'elle n'était pas enceinte de lui, mais d'un collègue de travail, qu'elle aimait bien, sans plus.

« Tu n'aurais pas dû faire ça sans me prévenir, lui avait-il reproché. Moi je t'ai toujours prise comme tu es, je trouvais que c'était bien.

– Tu n'aurais pas été le père…

– J'aurais été un père. Je ne demandais que ça. La vie on n'a pas besoin de savoir d'où ça vient. C'est là, on prend. »

Ce soir-là, ils avaient beaucoup pleuré dans les bras l'un de l'autre, alternant les regrets, les promesses, les projets. Mais il était déjà trop tard. Il ne s'était pas passé trois mois avant qu'elle ne quitte la maison, définitivement. C'est à partir de ce moment-là qu'il s'était mis à grossir vraiment. Trente ans plus tard, il grossissait toujours. Comme quoi, on peut être inconsolable.

« Tu as compris, Jack, dit-il, en le tutoyant. Tu es jeune. Tu te bats.

– Oui, inspecteur.

– Si tu ne le fais pas pour toi, fais-le pour moi. »

Et il avait tourné les talons, essuyé ses paumes moites sur le devant de sa veste.

« Ce qu'on peut dire comme conneries, parfois… », avait-il pesté, pour lui-même.

Reugny. Hôtel du Grand Cerf.
Après-midi.

Les renforts arrivaient enfin. Il en venait de partout. Le procureur s'était déplacé. Richard Lépine était une personnalité importante. De son vivant, l'argent lui avait acquis une foule d'amitiés serviables. C'est bien le moins qu'un homme qui a réussi puisse attendre de l'argent. On ne se serait pas donné autant de mal pour l'idiot ou pour le douanier, quantités négligeables.

Mentalement, Kulbertus essayait d'établir la chronologie des événements. Il lui semblait encore plausible que Richard Lépine eût, d'une certaine façon, commandité le meurtre de Jeff Rousselet. En tout cas, qu'il l'eût envisagé. Il l'imaginait très bien en train de s'en ouvrir devant Mlle Grandjean, devant Jack, devant un de ses adjoints du Centre. Tout le monde lui était dévoué. Il était le chef incontesté, le dieu, le recours absolu. Cette petite communauté fonctionnait à la manière d'une secte. Kulbertus avait noté la brutalité expéditive des méthodes appliquées au cours des stages, les systèmes d'humiliation mis en œuvre, l'isolement dans lequel étaient retranchés ceux qui vivaient au Centre. Il avait souri de ces pratiques qui mêlaient les mythes anciens, la discipline militaire, les dispositions métaphysiques et les exercices de spiritualité. C'était ridicule et lucratif.

Il avait envie de dormir. La chaleur l'excédait. Comme il passait le long d'une voiture en stationnement à l'ombre de l'hôtel il surprit son reflet dans les vitres et il se demanda comment Dieu, qui est réputé bon, pouvait laisser vivre un tel monceau de laideur.

« C'est qu'il n'existe pas », se dit-il.

Du comptoir de l'accueil, Thérèse Londroit devait le guetter, car il la vit se diriger à travers le hall, jusqu'à la porte d'entrée, et lui adresser un petit signe de la main qu'il aurait pu interpréter comme un salut, mais dont il sut aussitôt que c'était une invitation à la suivre. Sans un mot, elle lui fit faire le tour de la terrasse, puis l'entraîna derrière l'hôtel où le paysage qui s'abaissait graduellement vers la France était blanc de soleil. Ils traversèrent le potager, dépassèrent une rangée d'acacias et, devant la porte de la remise, Thérèse se retourna et dit, très vite et à voix basse, sans le regarder :

« Anne-Sophie est morte. Elle a été étranglée. Je l'avais cachée ici après l'avoir recueillie à Dinant, chez Jérôme Doussot qui a été étranglé aussi. Je vous laisse, j'ai à faire. »

Elle regagna l'intérieur de l'hôtel en s'engageant dans la buanderie. Passant devant une porte, elle fit un geste pour indiquer où l'inspecteur trouverait le corps de la jeune fille.

Verviers. Après-midi.

« Vous le savez, Rosa Gulingen avait une sœur, Anelore. C'était une personne moins fantasque que son aînée. Elle avait épousé un officier qui avait, comme on dit, des "responsabilités" au camp de Vogelsang. Il s'appelait Wilfried Münch. C'était un jeune professeur de philosophie, brillant et ambitieux. Je n'en sais pas plus à son sujet. Ils avaient eu un petit garçon nommé Manfred, né à Euskirchen. À la fin de la guerre, il était âgé de deux ans. Son bulletin de naissance se trouve devant vous. »

Sœur Marie-Céleste but une gorgée de thé pour laisser à Nicolas le temps de lire le document, ce qu'il fit sans le toucher, en se penchant seulement légèrement en avant.

« Sur la place de Reugny, quand elle signait des autographes, Rosa a cru déceler dans le jeune homme qui accompagnait sœur Agnès une ressemblance avec l'image qu'elle conservait d'Anelore dans ses souvenirs. Et elle s'est mis en tête que sa sœur était réellement passée par Reugny et que Léontine Londroit lui avait menti au sujet du chromo.

– Elle avait des raisons de penser que sa sœur pouvait avoir séjourné à Reugny ?

– Oui et non. Ce qu'il faut savoir c'est que la famille Gulingen avait péri sous les bombardements. Rosa voulait faire sortir sa sœur d'Allemagne, à la demande de celle-ci. Elle lui avait fait parvenir un passeport suisse. À Vogelsang même. D'ailleurs avec la complicité de son mari. Il trouva la mort peu de temps après. C'est lui qui a organisé la fuite de sa femme et de son fils. J'ignore les détails de cette aventure. Je sais seulement qu'ils ont voyagé dans un véhicule de la Croix-Rouge, qu'ils ont pris un train pour Bruxelles. Le train n'est jamais arrivé. Après la guerre, Rosa, qui était de retour des États-Unis et qui avait vécu quelque temps en Suisse, a entrepris des recherches, en Allemagne, en Belgique, en France. Les premières recherches n'ont rien donné. La trace d'Anelore et de son enfant se perdait quelque part entre Saint-Hubert, Givet et Bouillon. L'année suivante, Rosa, qui avait engagé un détective, a recueilli un témoignage selon lequel des gens avaient retrouvé sur le bord d'une route du côté de Libramont le corps d'une femme jeune, de nationalité suisse, dont la description a tout de suite fait penser à Rosa qu'il s'agissait peut-être de sa sœur. Elle s'est rendue là-bas. On lui a

311

montré la tombe d'une certaine Maria Tender. C'était bien ça. Aujourd'hui, le corps repose dans le cimetière de Hanovre, dans le tombeau des Gulingen. Comme celui de Rosa.

– Comment les gens de Libramont ont-ils su qu'il s'agissait de Maria Tender ?

– Maria Tender n'a jamais existé. Ce n'était qu'un nom sur un passeport.

– Ils ont trouvé le passeport sur le corps.

– Ils n'ont trouvé que ça. Ils ont entrepris quelques démarches. Paraît que le bourgmestre aurait écrit en Suisse. Mais on ne lui a pas répondu. Les gens avaient conservé le passeport, à tout hasard. Ils l'ont remis à Rosa Gulingen. Elle ne s'en séparait jamais.

– Et l'enfant ?

– Pas d'enfant.

– Et quel rapport avec Richard Lépine ?

– Une ressemblance physique. Le même âge, à peu de chose près. Richard Lépine avait deux ans de plus que le petit Manfred Münch. La présence du chromo à l'hôtel du Cerf. Le bulletin de naissance.

– Vous voulez me dire que Richard Lépine n'était pas Richard Lépine.

– Celui que nous appelions Richard Lépine était en réalité Manfred Münch, fils d'Anelore Gulingen et de Wilfried Münch, neveu de Rosa Gulingen. »

Reugny. Hôtel du Grand Cerf.
Après-midi.

Kulbertus trouvait Karine bien faite. Il laissa rouler son œil sur la trajectoire d'une hanche, puis coupant au court il remonta vers les seins qui étaient assez gros et soutenus

312

par une excellence qui respirait la santé. La jeune fille venait de déposer deux pintes devant le policier.

« Je vous aime bien, Karine. Vous avez un très bon physique. Moi si j'avais un corps comme le vôtre, j'aimerais faire du cinéma. Vous aimeriez faire du cinéma ?

– Je ne sais pas, dit Karine en rougissant. À Reugny, c'est pas facile.

– Quel âge avez-vous ?

– Vingt-deux ans.

– Bel âge. Moi si j'avais vingt-deux ans comme vous, je sais ce que je ferais. Vous savez ce que je ferais ?

– Non.

– Je vous épouserais. »

Elle fit la moue. Puis sourit.

« Habituellement, vous travaillez au Centre ? enchaîna Kulbertus.

– Aux cuisines. Et au service. Un peu de ménage, aussi.

– Et ça vous plaît ?

– Je suis déjà contente d'avoir du travail.

– Il y a une bonne ambiance, au Centre, je crois.

– Oui.

– Vous ne pensez pas que la mort de M. Lépine va remettre les choses en question ?

– Il y a Mlle Grandjean. Elle prendra la suite.

– C'est vrai. Vous vous entendez bien avec Mlle Grandjean ?

– Oui.

– Comment elle est ? Autoritaire, exigeante, gentille ?

– C'est elle qui s'occupe de tout.

– Elle s'entendait bien avec M. Lépine ?

– Très bien.

– Jamais de dispute ?

– Jamais.

– C'est Mlle Grandjean qui vous a désignée pour venir aider à l'hôtel.

– Oui.

– Pas M. Lépine.

– Il ne s'intéressait pas à ces choses-là. Mais il était au courant.

– Pourquoi Mlle Grandjean vous a-t-elle choisie ? J'ai vu qu'il y avait quatre jeunes filles de votre âge au Centre. Comment s'est fait le choix ?

– Je suis la plus ancienne.

– Bien. C'est très intéressant ce que vous me dites. Très intéressant.

– Je ne trouve pas. »

La pinte lui paraissait lourde à soulever. Mais comme il avait soif, il fit le sacrifice de forcer son bras droit.

« Karine, je vous pose une question entre nous. Approchez-vous. Venez tout près. N'ayez pas peur. C'est entre nous. Vous n'avez rien remarqué de bizarre dans cet hôtel ?

– Non.

– Moi si. »

Elle était interloquée. Kulbertus la saisit doucement, presque tendrement, par le poignet.

« Vous n'avez pas remarqué que Mme Londroit était bizarre. Moi je la trouve bizarre, vous savez, Karine. Il me semble qu'elle cache quelque chose. Il ne vous semble pas, à vous ?

– Je n'ai rien remarqué. »

Il accentua un peu son étreinte.

« Vous devez l'avoir senti aussi bien que moi, Karine. Le jour de votre arrivée ici, j'ai noté que vous fouiniez par-ci, par-là. Vous êtes une petite curieuse, non ? Je vous ai croisée dans les étages.

– Mme Londroit m'avait demandé de monter un panier de serviettes.

– D'accord. Mais ce jour-là vous êtes allée jeter un œil au grenier, hein ?

– Non.

– C'est entre nous, n'est-ce pas ? Nous sommes amis. Vous voulez bien que nous soyons amis…

– Je ne sais pas.

– Eh bien, moi je dis que nous sommes amis. Et pour vous le prouver, je vais vous montrer un secret. »

Sans brutalité, il la remorqua, la maintenant toujours par le poignet. Quand ils furent dans la buanderie, il sentit sous ses doigts que la jeune fille tremblait.

« N'ayez pas peur, Karine, je suis votre ami. Je ne vous veux aucun mal. Savez-vous ce qu'il y a derrière ce séchoir à linge ?

– Non. Je ne sais pas.

– Du calme, Karine. À moi, vous pouvez me parler. Je suis policier. La police peut tout entendre, tout comprendre. »

De sa main libre, il écarta le séchoir assez largement. Puis d'une bourrade il poussa la jeune fille dans le noir.

« J'allume ? » demanda-t-il, en avançant la main vers le bouton.

La lumière pisseuse d'une ampoule au bout de son fil renvoya mollement la nuit dans les coins et sous les meubles bancals, les entassements de sacs, les cageots qui encombraient le local. Karine s'était pris le visage dans les mains.

« Vous pouvez regarder sans crainte, Karine. Elle est seulement morte », dit Kulbertus.

Il vint se coller derrière elle.

« Elle est morte et je suis sûr que vous y êtes pour quelque chose, Karine. À l'exception de Mme Londroit, personne ne savait qu'elle était là. Vous, vous l'aviez trouvée. Répondez-moi. Vous l'aviez trouvée ?

– Oui.

– Et vous n'en avez parlé à personne. Attendez avant de me répondre. Je ne veux pas que vous hésitiez. Je vous pose une question, vous y répondez par oui ou par non. Si vous me dites que vous n'avez parlé à personne de la présence d'Anne-Sophie dans cet endroit, je n'essaierai pas de vous convaincre, j'en aurai fini avec vous, je vous remettrai dans les mains de mes collègues et c'est tout. Alors, dites-moi.

– J'en ai parlé à Mlle Grandjean.

– Bien. Pourquoi en avez-vous parlé à Mlle Grandjean ?

– Parce qu'elle me l'a demandé.

– Quand elle vous a envoyée pour donner un coup de main à l'hôtel, elle vous a chargée de chercher quelque chose. Ou quelqu'un.

– Oui.

– Qu'est-ce qu'elle vous a dit ?

– Que c'était une mission de confiance. Je devais surveiller Thérèse Londroit. La police cherchait Anne-Sophie partout, mais Mlle Grandjean pensait qu'elle s'était peut-être cachée dans l'hôtel. »

Derrière eux, les gendarmes et les collègues de Kulbertus s'étaient peu à peu avancés dans la pièce. L'inspecteur enroula la jeune serveuse dans son bras et la serra contre lui, dont l'abondance et le volume étaient propres à absorber tous les sanglots. Sans bruit, les policiers se mirent au travail autour du lit où reposait Anne-Sophie.

« Karine, dit Kulbertus, vous ne pouvez pas retourner au Centre aujourd'hui. Ni à l'hôtel. Ce peut être dangereux. Je vais vous confier à mes collègues. Ils vous emmèneront en lieu sûr. Demain tout sera arrangé, vous pourrez revenir à Reugny. Je ne vous laisserai pas tomber. »

Il la poussa avec délicatesse vers le gendarme Ferrari, qui avait des ordres.

Verviers. Après-Midi.

« Monsieur Tèque, je ne fais que vous répéter ce que Rosa Gulingen m'a dit une heure avant sa mort. Elle m'a montré le passeport suisse. Avec la photo d'Anelore. La ressemblance était troublante.

– Où est ce passeport aujourd'hui ?

– Sans doute, Dieu seul le sait. En partant, Rosa l'a glissé dans la poche de sa veste. Il dépassait un peu. Elle m'a dit de lui envoyer Richard à l'hôtel dès son retour. Elle a oublié sur la table le chromo et le bulletin de naissance. Quand j'ai appris sa mort, j'ai plié le bulletin et je l'ai rangé dans ma cellule. En attendant de prendre une décision. Je ne savais pas quoi faire.

– Vous avez remis le chromo à Richard.

– C'était anodin.

– Il savait que Rosa Gulingen avait acheté ce chromo à Léontine Londroit.

– En fait, je lui ai dit que c'est à moi que Rosa avait offert ce chromo. Et que je le lui offrais à mon tour. La mort de Rosa nous avait bouleversés tous. Richard était heureux d'avoir un souvenir de l'actrice.

– Pourquoi ne lui avoir pas dit la vérité à propos de ses origines ?

– C'est là que les choses se compliquent, monsieur Tèque. Pourquoi fait-on une chose qu'on ne devrait pas faire ? Pourquoi ne fait-on pas quelque chose qu'on devrait faire ? C'est un enfant que nous avons élevé, mes sœurs et moi. C'était notre enfant. Nous ne voulions pas le voir souffrir. Ce sont des choses que je ne peux pas vous expliquer. Et puis c'est loin.

– C'est une décision grave que vous preniez là, ma sœur.

– Ce n'est pas moi qui ai pris la décision, monsieur. Deux semaines plus tard, quand l'enquête a conclu à la mort accidentelle de Rosa Gulingen, j'ai demandé audience à la mère supérieure dont nous dépendions et nous sommes allées toutes les deux prendre conseil auprès de l'évêque. L'évêque est mort aujourd'hui, mais la mère supérieure vit toujours. Elle est dans une maison de retraite, en France. Dans la région lyonnaise. Je vous donnerai son adresse. Si elle le juge utile, elle pourra confirmer ce que je vous dis.

– Je vous crois sur parole, ma sœur.

– Ce n'est peut-être pas prudent, monsieur Tèque.

– Quelle a été la réponse de l'évêque ?

– Il nous a demandé d'oublier tout cela, vieille histoire, fini la guerre, tout reprendre à zéro, se tourner vers l'avenir. Mais il y avait une autre raison à cette attitude. C'est que la famille Lépine avait toujours subvenu avec plus que de la générosité aux besoins de l'église. Le château-ferme de Reugny où Richard a créé son Centre appartenait à la famille, ce qui au début des années vingt avait permis à l'évêché d'y fonder un orphelinat. C'était un prêt sans conditions. Les bâtiments, les terres, le personnel qui travaillait sur le domaine, tout était financé par la famille Lépine. Au moment de la guerre, l'orphelinat a fermé. Il n'est resté que deux sœurs, déjà

318

âgées. Je suis arrivée un peu plus tard. Nous formions une petite communauté.

– Est-ce que l'église craignait de voir le domaine lui échapper ?

– Pourquoi pensez-vous à cela ?

– Finalement, le domaine revenait à Richard Lépine. S'il changeait d'identité, il perdait ses droits sur la propriété.

– Il ne faut pas voir si loin le calcul de l'évêque. C'était beaucoup plus symbolique. Je crois qu'on ne voulait pas voir disparaître le nom de Lépine. C'est une famille dont il ne subsistait rien après la guerre, mais qui avait été liée depuis peut-être trois quarts de siècle à l'église et, notamment, à notre évêché. De plus, il y avait eu un prêtre dans la famille, mort pendant la Première Guerre mondiale. Franchement, je pense que dans l'esprit de l'évêque l'essentiel c'était de maintenir quelque part le nom de la famille Lépine. À Reugny même. C'était mieux que rien.

– L'évêque avait-il eu des sympathies allemandes ?

– Je ne crois pas. Mais il était reçu au château des Lépine, à Saint-Marceau, en France. Avant la guerre. Et pendant. Cela a pu lui être reproché.

– Richard Lépine n'a jamais été au courant de cela ?

– Quoi ? Du fait qu'en réalité il était Manfred Münch ?

– Oui, par exemple…

– Longtemps après. Quand il a inauguré le Centre. Il m'avait invitée à la fête. J'étais venue et, bien en évidence sur une étagère de sa bibliothèque, j'ai vu qu'il avait exposé le chromo. Je ne sais pas si ça m'a fait plaisir. D'un côté, oui, parce que c'était de sa part une marque d'affection qu'il m'adressait. De l'autre, non, parce que toute cette affaire remontait à la surface et que c'était désagréable.

– Vous lui avez parlé ?

– Je ne lui ai pas tout raconté. Je lui ai dit qu'en le voyant Rosa Gulingen avait eu le sentiment de reconnaître le fils de sa sœur Anelore. Et je lui ai demandé ce qu'il pensait de cela.

– Qu'a-t-il répondu ?

– Il a eu une phrase étrange. Il m'a dit qu'il avait pris l'habitude de ses parents et qu'il n'en changerait pour rien au monde.

– Ce qui signifiait quoi, à votre avis ?

– Je n'en sais rien, monsieur Tèque. Il avait longuement fréquenté un historien français du nom d'Harnet. Ils étaient devenus très amis. À partir de là, on peut tout imaginer. Qu'il se soit forgé la conviction qu'il était bel et bien Richard Lépine. Soit qu'il y ait eu un doute en lui, ce qui est probable, et qu'il ait fait un choix en connaissance de cause, afin de garder le domaine. Peut-être. L'alternative était difficile. Il pouvait choisir entre être le fils d'un collaborateur et être celui d'un serviteur du Reich. On peut comprendre que son hésitation se soit prolongée jusqu'à la fin. »

Reugny. Centre de Motivation.
Après-midi.

Le souvenir était minuscule dans la tête de Kulbertus. Il ne savait plus si c'était un geste, un mot, un objet, une odeur, une lumière. Il sentait comme une voix fragile dans un brouhaha, dans une bousculade. Il voyait un remous lointain, dont se détachait une goutte de vérité. Mais le signal était trop faible.

Élisabeth Grandjean s'était montrée coopérative dès qu'elle lui avait ouvert la porte. Elle n'avait même pas eu un regard pour l'homme à la valisette qui accompagnait le policier.

« Vous êtes bien installée, s'exclamait l'inspecteur en tournant sur lui-même. C'est immense. Tout cet espace pour vous toute seule !

– Ce n'est pas si grand que ça en a l'air, souriait Mlle Grandjean. Il n'y a que cinq pièces, vous savez. C'est un petit rendez-vous de chasse.

– C'est de l'ancien.

– Dix-septième, monsieur l'inspecteur.

– Les maçons savaient y faire, en ce temps-là !

– Je vous offre quelque chose à boire ? »

Il accepta une bière à condition qu'elle fît un litre et qu'elle ne présentât aucune trace suspecte.

« Qu'entendez-vous par "trace suspecte", monsieur l'inspecteur ?

– Pas de mousse, s'il vous plaît.

– J'ai un problème, dit-elle en se mordant la lèvre.

– Si vous n'en avez qu'un, c'est que vous êtes née sous une bonne étoile.

– Aucun de mes verres ne contient un litre.

– Qu'à cela ne tienne. Servez-moi dans ce vase. À vue d'œil, il doit avoir une bonne prise en main.

– Je ne me permettrais pas.

– C'est un ordre, madame. Je n'aime pas qu'on discute mes ordres. »

Il demeurait d'une amabilité presque mondaine. Elle mit du temps avant de lui servir son vase de bière. Quand elle revint de la cuisine, le portant à deux mains, elle s'étonna :

« Vous allez boire tout ça ?

– Oui, pour commencer ! »

Elle s'inquiéta enfin de savoir ce qu'il attendait d'elle.

« Rien, dit-il en s'enfonçant dans un vaste fauteuil qui le contenait à peine.

– Rien ?

– Pas grand-chose. Je voudrais seulement savoir s'il y a un homme dans votre vie.

– À part Richard...

– Richard, c'est le mari. Je vous parle de l'amant. Est-ce que vous trompiez Richard Lépine ?

– Quelle question !

– En clair, est-ce que vous receviez nuitamment dans cette magnifique demeure un monsieur qui n'aurait rien eu de commun avec M. Lépine, sauf votre corps, évidemment.

– Bien sûr que non. Pourquoi me demandez-vous ça, monsieur l'inspecteur ?

– Il y a des gens qui ont l'air d'avoir deux airs. Vous, vous êtes une femme qui a l'air d'avoir deux hommes. Autorisez-vous mon jeune collègue à vérifier tout de suite cette question qui gâte ma bonne humeur ?

– Vérifier quoi, exactement ?

– Voir si les placards ne contiennent pas des vêtements masculins, s'il n'y a pas de mousse à raser sur l'étagère de la salle de bains ou des chaussettes sales sous le lit.

– La démarche est cavalière, je trouve...

– Libre à vous.

– Vous pouvez l'accompagner dans ses pérégrinations, n'est-ce pas ? Il y a des voleurs aussi dans la police. Qui fait le ménage, ici ?

– La petite Karine.

– Je connais. Très bien. Brave fille.

– Elle se partage entre les cuisines et le ménage ici.

– Et les missions à l'hôtel du Grand Cerf.

– C'est exceptionnel, compte tenu des circons- tances... »

Un quart d'heure plus tard, le laborantin, qui avait traversé à plusieurs reprises le salon où ils étaient, vint se planter devant Kulbertus :

« Je n'ai rien trouvé, inspecteur.

– Je vous l'avais dit, ricana Mlle Grandjean.

– Permettez, madame, que je fasse mon métier jusqu'au bout. Ce n'est pas fini. L'homme que vous voyez ici va maintenant prélever des poussières. Je vous explique. Il va passer l'aspirateur dans toute la maison, sur tous les fauteuils, dans tous les coins et les recoins. Ce serait bien le diable s'il ne trouvait pas un cheveu, une parcelle de peau, un copeau d'ongle. »

Et s'adressant à l'homme qui rangeait sur la moquette les accessoires qu'il venait d'extraire de sa valise :

« N'oubliez pas le lit, surtout. Il y a des poils. Des traces diverses. De la salive sur les oreillers. Si les draps ont été changés, allez fouiller dans le linge sale. Pour finir, vous démonterez le siphon du lavabo dans la salle de bains. Il s'y coince toujours des cheveux, des résidus de rasage. Nous allons analyser tout cela. Et nous verrons si vous m'avez dit la vérité. À savoir que vous ne recevez jamais d'homme dans cette magnifique maison.

– Je n'ai pas dit qu'aucun homme ne mettait jamais les pieds ici, monsieur l'inspecteur.

– Excepté le défunt, M. Lépine, bien sûr.

– Il y a tout de même de la circulation dans cette maison. Pour le travail. Je reçois mes collaborateurs. »

Elle cita des noms.

« Et, bien entendu, ajouta-t-elle, M. Lauwerijk.

– Lequel ?

– Jack. Albrecht, lui, ne fait pas partie du Centre.

323

– Ça ne change rien, vous savez, que vous ayez reçu qui que ce soit. Je suis sûr que dans ce salon, nous allons retrouver des traces de tous les gens que vous m'avez cités, des traces mélangées, proportionnellement au degré d'intimité qu'ils partagent avec vous. Mais au fur et à mesure que nous nous rapprocherons de la chambre à coucher, il va s'opérer une sorte de sélection naturelle. On verra qui est l'élu. Qui bénéficie de vos faveurs. Je ne vous cache pas que je compte beaucoup sur le siphon du lavabo. »

Elle avait pâli. Mais Kulbertus pensait qu'elle résisterait encore. C'était une femme qui avait de la ressource.

« Pourquoi voulez-vous savoir si j'ai un amant, monsieur l'inspecteur ? Je ne vois pas très bien quel rapport cela pourrait avoir avec la mort de mon mari.

– C'est juste histoire de satisfaire mes tendances au voyeurisme, je pense.

– Mon mari a été assassiné par Freddy Monsoir. Les choses devraient être claires, il me semble.

– Dans les affaires criminelles il y a le crime et puis il y a les à-côtés du crime. Je m'intéresse aux à-côtés.

– Qu'est-ce que vous voulez dire ?

– Que la mort de votre mari s'inscrit dans un cadre qui contient aussi la mort de Jeff Rousselet, celle de l'idiot, celle d'un jeune homme de Dinant nommé Jérôme Doussot et, bien sûr, comme vous devez être bien placée pour le savoir, celle de la petite de l'hôtel du Grand Cerf. »

Elle eut un mouvement de recul assez bien joué, selon Kulbertus qui l'épiait du coin de l'œil.

« Anne-Sophie est morte ?

– Elle a été étranglée.

– Ce n'est pas possible.

– Vous saviez que sa mère l'avait cachée au Grand Cerf.

– Mais non.

– Karine a témoigné qu'elle vous avait renseignée.

– Karine n'a pas pu dire une chose pareille. Je la connais bien. Laissez-moi m'expliquer avec elle.

– D'après ce que je sais, vous étiez donc la seule à savoir qu'Anne-Sophie était cachée à l'hôtel. J'en déduis que vous êtes donc la seule qui aurait pu l'étrangler. J'ai donc l'intention de vous arrêter. »

Le silence qui suivit leur permit d'apprécier le bruit délicat des travaux de plomberie auxquels se livrait le laborantin sous le lavabo de la salle de bains.

« J'entretiens une relation avec Jack Lauwerijk, dit Mlle Grandjean. Depuis plus de dix ans.

– Ah, Jack ! Quel brave garçon ! » soupira Kulbertus.

Au fond de lui, le petit air de la vérité balançait dans la lumière des campagnes immobiles. Il glissait de clocher à clocher, volait au-dessus de la forêt, glissait dans les vagues du ruisseau. La mémoire l'avait retenu, mais refusait encore de le rendre. Kulbertus apercevait des miroirs où les reflets ressemblaient peut-être à Albrecht Lauwerijk, peut-être à Anne-Sophie Londroit, peut-être à l'idiot, peut-être à Marieke Lauwerijk. Les visages se fondaient les uns dans les autres. Il songeait aussi à Richard Lépine, au douanier Rousselet, à Thérèse et à Léontine Londroit. Ses souvenirs n'étaient qu'une lente convulsion d'images brassées, qui se brouillaient mutuellement, et d'où s'élevait une musique minuscule.

Verviers. Fin d'après-midi.

« Monsieur Tèque, vous m'avez dit connaître la fin de la famille Lépine, dans leur château de Saint-Marceau...

– J'en sais ce qu'en a écrit Harnet, l'historien. Édouard Lépine a été torturé. Sa femme a été abattue d'une rafale de mitraillette. L'enfant ne se trouvait pas au château. On a supposé qu'il avait été recueilli à l'orphelinat de Reugny.

– Édouard Lépine a effectivement été assassiné – il n'y a pas d'autre mot. Il a été torturé par trois hommes de Reugny. À savoir Baudouin Londroit, Caminage, le père, et un cousin des Frelin nommé Max. Vers la fin de la guerre, ils profitaient du désordre et des règlements de comptes pour cambrioler des maisons, des châteaux, de chaque côté de la frontière, aussi bien en France qu'en Belgique. La plupart du temps, les propriétaires étaient en fuite. Bien sûr, ces derniers ne partaient pas sans avoir mis leurs biens en lieu sûr, mais ils ne pouvaient pas tout emporter et les pillards se contentaient le plus souvent de quelques pièces de mobilier, parfois d'un peu d'argent. Édouard Lépine avait pris ses précautions. Il n'y avait rien de très important à voler au château. Quand Baudoin Londroit, le père Caminage et Max Frelin se sont introduits dans le château de Saint-Marceau, ils ne s'attendaient pas à se trouver face à face avec le propriétaire. Ils connaissaient bien Édouard Lépine, qui possédait tout de même une grande partie des terres de Reugny. C'était le seigneur. En voyant ces gens qu'il méprisait, sans doute a-t-il eu le mauvais réflexe de se conduire en seigneur. C'était son genre. Quand on a l'habitude de gouverner, il y a des situations qu'on a du mal à admettre. Il a eu tort de les prendre de haut et de les renvoyer dans leur campagne. Ils sont devenus menaçants. Il avait sur lui un petit revolver et il a tiré une balle. Caminage a été touché au bras. À partir de là, les choses ont dégénéré. Il n'a plus été question de cambrioler le château. Mais de se venger. C'était un demi-siècle de haine rurale qui s'exprimait, voyez-vous, indépendamment des événements historiques dans lesquels cette haine trouvait l'occasion de s'exprimer. Ils ont traîné Édouard Lépine dans le parc et ils l'ont massacré. Ils ont fait ça comme on tue le cochon. Et ils l'ont découpé. Compte tenu des activités de Lépine pendant la guerre, tout le monde a estimé qu'il n'avait finalement eu que ce qu'il méritait. Il ne s'est proba-blement trouvé personne pour le pleurer.

– Et la femme, Mme Lépine ? Et l'enfant ? demanda Nicolas.

– Banal, monsieur Tèque. La jeune Mme Lépine est arrivée au moment où les trois hommes de Reugny finissaient leur besogne. Elle revenait prendre son mari. Ils devaient se rendre en Bourgogne, je crois, chez des amis, avant de s'enfuir à l'étranger. Elle avait laissé la voiture devant le château. Et elle se trouvait sur le perron lorsque les trois hommes, qui s'en allaient, l'ont aperçue, de loin. Elle les connaissait. Peut-être pas tous les trois. Frelin, certainement. Elle était montée deux ou trois fois à Reugny pendant la guerre. Frelin faisait office de régisseur sur le domaine. C'est lui qui a tiré. Une courte rafale. Mme Lépine est tombée. Elle a roulé dans les marches. Et ils ont vu que quelque chose se détachait d'elle. C'était l'enfant. Richard Lépine. Une balle lui avait traversé la tête.

– C'est abominable ce que vous me racontez là, ma sœur.

– Ils étaient conscients aussi que ce qu'ils avaient fait était abominable. Ils n'avaient pas voulu tuer l'enfant. Ils n'ont pas voulu qu'on sache qu'ils avaient tué cet enfant. Ils l'ont mis dans un sac et ils sont partis.

– Qu'ont-ils fait du corps ?

– Ils l'ont enterré quelque part dans les bois.

– Comment connaissez-vous ces détails, ma sœur ?

– Caminage me les a confiés. Il avait reçu une balle dans le bras, je vous l'ai dit. Il a essayé de l'extraire lui-même, sans y réussir. La blessure s'infectait. J'étais infirmière, il est venu me voir à l'orphelinat. Je l'ai soigné. Il était horrifié par ce qu'il avait fait. Il s'est suicidé deux jours plus tard. On l'a retrouvé dans l'église de Reugny. Il s'était pendu.

– Et les autres ?

– Max Frelin a quitté le pays. Il a suivi les Américains jusqu'en Allemagne. Ensuite, on ne sait plus rien de lui.

– Baudouin Londroit ?

– Après la mort de Caminage, je suis allé le trouver. Je lui ai rapporté ce que Caminage m'avait dit. Il a nié. Puis il a répété ce que tout le monde disait, à savoir qu'Édouard Lépine avait eu le sort qu'il avait lui-même cherché. Il a glorifié ses assassins. Il a eu des phrases patriotiques. Il a prétendu aussi que Caminage avait inventé toute cette histoire. La meilleure preuve, c'était que les journaux n'avaient jamais rapporté que l'enfant avait été tué. Il avait disparu, mais tout laissait à penser qu'il avait été mis à l'abri par des amis ou des relations de la famille Lépine. Je lui ai parlé de la balle que j'avais extraite du bras de Caminage. Il n'aurait pas été difficile de montrer qu'elle avait été tirée par l'arme d'Édouard Lépine. Londroit s'est défendu comme il a pu, en protestant qu'il n'était pas un tueur d'enfant.

– Alors ?

– Alors c'est tout.

– Et la balle ?

– Elle existe toujours.

Reugny. Maison du bûcheron Meyer.
Fin d'après-midi.

L'air fraîchissait un peu, à cause du vent d'est qui s'était levé. Kulbertus frappait à la porte du bûcheron Meyer. Quand ce dernier montra sa tête mal aimable par la fenêtre d'où jaillissaient les effluves sonores de la télévision, Kulbertus lui expliqua qu'il venait se recueillir sur le corps de Brice.

« J'arrive… », bougonna l'autre, avec une mauvaise humeur vindicative.

Il tourna la clef dans la serrure, ouvrit la porte :

« Je peux entrer ? demanda Kulbertus.

– Pas la peine, grogna le bûcheron, il est pas dans la maison. »

Et il passa en force entre le chambranle et le ventre du policier.

« Venez par ici », ordonna-t-il.

Ils firent le tour de la porcherie et de l'enclos à cochons. Le bûcheron donna un coup de pied dans la porte de la grange.

« Je l'ai mis là. »

Le cercueil était posé sur un tas de bois, au milieu des bûches stérées jusqu'à une hauteur de trois mètres.

« Vous avez besoin de moi ?

– Non, dit Kulbertus.

– Je retourne à mon ouvrage, bien le bonjour. »

Il s'éloigna en rouspétant. Il ne se cachait pas d'en vouloir à la police, aux policiers, aux journalistes et d'une façon générale à tous ces étrangers qui troublaient la vie tranquille du village. Kulbertus baissa la tête et se recueillit. Le pas qu'il entendit derrière lui ne le fit pas se retourner. Il sentit une présence à ses côtés. Il s'efforçait de retrouver une prière. Il connaissait encore un peu le début du Notre Père et le répéta plusieurs fois pour faire le compte. Puis il se redressa, tourna la tête et dit :

« Sais-tu pourquoi je t'ai convoqué, Jack ?

– Pas du tout.

– Pour t'apprendre une nouvelle qui va te bouleverser et pour laquelle j'implore ton pardon. Je me suis trouvé dans l'obligation de mettre Élisabeth en état d'arrestation.

– Comment cela ?

– Je l'ai fait arrêter, tout simplement.

– Ce n'est pas possible.

– La preuve que c'était possible, c'est que je l'ai fait.

– Il n'y a pas de raisons. Qu'est-ce qu'on lui reproche ?

– Elle m'a raconté de drôles de choses. À mon avis, elle veut protéger quelqu'un.

– Soyez plus clair, inspecteur.

– Pour tout dire, elle m'a parlé de la jeune fille de l'hôtel. Anne-Sophie. Tu sais : Anne-Sophie.

– Oui, je sais.

– Elle est morte.

– Vous me l'apprenez.

– Il semblerait qu'Élisabeth soit impliquée dans cette mort. »

Jack s'assit sur un tas de bûches. De ses index retournés, il se frottait les paupières, comme quelqu'un qui a du mal à se réveiller après une trop longue nuit.

« Tu l'aimes, Jack ? »

Il avait l'air d'émerger d'un rêve qui l'avait malmené. Il fixait la poignée du cercueil.

« Jack, je t'ai demandé si tu aimes Élisabeth. »

C'était une question qui n'avait pas à être posée, certainement.

« Élisabeth m'a tout raconté, Jack. Votre histoire depuis dix ans. Qu'est-ce que je dis : votre histoire ? Votre amour, Jack. Parce qu'un amour comme celui-là, c'est quelque chose. Et Richard qui ne se doutait de rien. Qui vous voyait comme ses enfants. Moi je comprends. Ce sont des choses que je comprends. Ce qui me rend triste, vois-tu, Jack, c'est que maintenant pour toi c'est terminé. Comme c'est terminé pour Élisabeth.

– Où est-elle ? murmura Jack.

– Mes collègues l'ont emmenée. J'ai donné des ordres pour qu'on la ménage, bien sûr. Mais je ne suis pas convaincu que ces flics-là aient déjà vécu assez pour comprendre tout ce qu'il y a de romantique dans votre couple, les grands sentiments, l'ambition, les secrets délectables, la jeunesse. C'était beau. Ils vont réduire cette beauté à une histoire de fric et de fesses. Je les vois d'ici. Enfin, qui vivra verra. Attendons. Vous avez couru votre chance et je dis que vous avez eu raison. Mais cinq morts, c'est beaucoup, tu sais, Jack. On ne peut pas passer là-dessus. Il n'y aurait eu que Jeff Rousselet, encore. Bon. Je me serais fait une petite religion. J'aurais dit : "Ça débarrasse, un méchant en moins sur le plancher de la terre." Je te promets que je me le serais dit. À la limite, la mort de l'idiot. Sa disparition ne prive personne. On est d'accord. Tu vois que j'ai les idées larges. Moi je ne suis pas contre un petit assassinat par-ci par-là, quand il est utile, quand il sert une bonne cause. Je ne dis pas que c'est bien, mais si on y trouve plus d'avantages que d'inconvénients, il faut laisser glisser, c'est de l'anecdote. Tous les jours, on ramasse des morts dans la rue et personne ne réclame jamais leur corps. On s'est habitués à traiter ça avec

résignation. Tu sais que je t'aime bien, Jack. Franchement, hein ? Je t'aime bien. C'est une sympathie qui ne
s'explique pas. Mais je t'aime bien. Et c'est parce que
je t'aime bien que je me permets de te dire qu'avec cinq
morts tu as franchi les limites du raisonnable. Je dirais
la même chose à mon fils si j'en avais un. Cinq, c'est
beaucoup trop, à mon avis. Je sais bien que quand on
met le doigt dans l'engrenage, il peut être difficile de
ne pas se laisser entraîner. Moi-même, dans une situation comme celle-là, je me demande si je n'en aurais
pas fait un peu trop aussi. Nous sommes des hommes
de tempérament, toi et moi. On va au bout des choses.
On ne sait pas toujours s'arrêter à temps. Souvent, on
peut voir ça comme une qualité. Mais quelquefois, c'est
sûrement un défaut.

— Vous parlez beaucoup, inspecteur, dit Jack.

— Je parle seulement parce que tu ne dis rien.

— Je n'ai rien à dire. Et je me demande ce que je
fais ici.

— Tu m'écoutes, Jack. C'est tout ce que tu as à faire.
Sais-tu pourquoi je t'ai fait venir jusqu'ici ?

— Je ne vois pas l'utilité de le savoir.

— Jack, ton père m'a raconté que c'est l'idiot qui
les avait conduits au corps de Jeff Rousselet. En fait,
l'idiot ne cherchait pas le douanier, mais Anne-Sophie.
Il avait plusieurs petites chansons. Mais ce n'était pas
seulement des petites chansons. C'était le langage qu'il
employait pour essayer de se faire comprendre. Quand,
sur le point de vue, il a reconnu le douanier, il a proféré
deux trois notes. Il voulait dire : lui, c'est le douanier,
je l'ai vu monter hier à la Fourche noire. Mais il se
fichait pas mal du douanier. Il voulait surtout retrouver
Anne-Sophie, qui était son amie. Pour en parler, il avait
trois autres petits bruits, différents, plus légers, plus

doux. Et puis, il répétait « ding, dang, dong ». Comme dans *Frère Jacques*. Tu entends, frère Jack ? Ça m'est revenu progressivement. Tout à l'heure, j'ai interrogé ton père. Il m'a confirmé dans cette idée. C'est lui qui a compris le premier que l'idiot ne chantait pas pour chanter.

– Ça ne mène pas loin, votre affaire, inspecteur.

– Tu as raison, Jack. Mais je me dis que l'idiot a témoigné que trois personnes sont montées dimanche après-midi à la Fourche noire : le douanier, toi et Anne-Sophie.

– Dimanche après-midi j'étais avec Élisabeth Grandjean.

– C'est ce que vous aviez convenu de dire. Elle est revenue sur sa déclaration. J'ai fait interroger tous les stagiaires. Elle les a accueillis un par un, ce qui l'a occupée à peu près jusqu'à huit heures du soir. Peut-être pas en permanence, mais à supposer qu'elle ait eu quelques instants de liberté, elle n'aurait pas pu passer beaucoup de temps en ta compagnie. Cinq ou dix minutes toutes les deux heures dans le meilleur des cas. Je mesure les sentiments que vous avez l'un pour l'autre, mais après dix ans d'amour et sachant que vous passez la plupart des nuits ensemble, je ne vous vois pas profiter de petites rencontres à la sauvette en pleine journée, quand le travail presse. Je suis un grand romantique, mais tout de même il y a des merveilles et des enchantements auxquels j'ai du mal à croire.

– Les bafouillements d'un idiot, des impressions, des manipulations, des fantasmes, tout ça ne prouve rien, inspecteur.

– Tu oublies le témoignage d'Élisabeth, Jack.

– Je le croirai quand je l'aurai entendu.

– Vous êtes tous les mêmes, vous, les coupables : méfiants et durs dans la négociation. Je voudrais bien te laisser partir libre, Jack. À la fin d'une de ses enquêtes, le commissaire Maigret renonce à poursuivre les meurtriers. Il les comprend tellement bien qu'il ne se sent pas le cœur de les arrêter. Tu sais, Jack, j'aimerais pouvoir faire pareil avec toi. Te laisser partir. Libre. Mais que veux-tu, Maigret était commissaire, je ne suis qu'inspecteur. Je ne fais pas ce que je veux. Essaie de me comprendre. Et offre tes poignets à cette misérable paire de menottes. »

Verviers. Fin d'après-midi.

« Quelques semaines plus tard, continuait sœur Marie-Céleste, à la fin de la bataille des Ardennes, Baudouin Londroit se trouvait sur la route de Libramont. Il avait neigé. C'est un plateau immense et plutôt hostile. Il y avait du brouillard. Londroit a aperçu une voiture qui avait piqué du nez dans un contrebas. Il s'est arrêté. En s'approchant, il a découvert une femme qui venait de mourir. Elle avait été éjectée de la voiture et avait le ventre ouvert. Blotti dans ce ventre qui s'était vidé de tout ce qu'il contenait, il y avait un enfant que le froid commençait à engourdir. Il l'a pris et il l'a emporté. Toutefois, il n'est pas parti sans avoir fouillé la voiture. Sous le siège, il a trouvé un sac où il y avait trois lingots d'or, deux poignées de bijoux, de l'argent suisse, des dollars, de l'argent français, et le chromo que vous connaissez.

– Il n'a pas trouvé le passeport suisse ?

– Non. Il a eu peur de fouiller les vêtements de la femme. Il avait vu que l'enfant avait mangé les entrailles de sa mère. Il a pris peur. Je ne sais pas. Ce que je sais c'est qu'en voyant l'enfant il a repensé à l'autre enfant, au petit Richard Lépine qui avait eu la tête fracassée par une balle. Ce n'est pas lui qui l'avait tué, mais il se sentait sans doute une responsabilité. La suite, c'est l'idée de Léontine. Quand elle vu l'enfant, je crois qu'elle en a voulu à Baudouin de lui ramener ça à la maison. C'est elle qui a eu l'idée de le faire passer pour le petit Richard Lépine. Elle nous l'a apporté à l'orphelinat. Elle a bien essayé d'inventer une fable, mais nous ne l'avons pas écoutée. Un enfant est un enfant, celui-là avait besoin de nous, nous nous en sommes occupées. Comme le corps de l'enfant mort n'a jamais été retrouvé, personne n'a posé de questions et le petit inconnu est devenu Richard Lépine, très simplement et parce que cela arrangeait tout le monde. L'argent, les lingots, les bijoux ont servi à transformer la petite auberge en grand hôtel. C'était le rêve de Léontine.

– Elle l'a réalisé.

– Il n'y aurait jamais eu de problèmes si Rosa Gulingen n'était pas venue à Reugny pour tourner ce film.

– Et elle n'aurait pas été tuée.

– Évidemment.

– C'est Léontine qui l'a tuée ?

– Personne ne peut le dire. On peut imaginer que si Rosa Gulingen avait eu le temps de rétablir la vérité, cela aurait fait revenir à la surface l'affaire du petit Richard Lépine. À cette époque-là, Harnet, l'historien, avait déjà enquêté auprès des gens de Reugny. Il avait interrogé Léontine et Baudouin. J'avais aussi répondu à ses questions.

– Vous lui avez donc menti.

– On n'avait plus envie de se déchirer. Et puis il y avait Richard, c'était notre raison de vivre. Il nous a seulement semblé qu'il existe des choses plus importantes que la vérité. Je ne regrette rien. Dieu jugera. Mais je dois vous avouer, monsieur Tèque, que j'avais bien souvent souhaité qu'un jour quelqu'un vienne me demander ce que vous m'avez demandé. Tant que Richard vivait, j'étais à peu près en paix avec moi-même. Je voulais seulement le préserver d'une trop grande souffrance. C'était un mal pour un bien. »

Reugny. Hôtel du Grand Cerf.
Début de soirée.

Kulbertus avait réquisitionné l'hôtel du Grand Cerf. Au milieu de la salle de restaurant dont les volets étaient fermés, Élisabeth Grandjean et Jack Lauwerijk avaient été installés dos à dos, sur deux tabourets. Chacun faisait face à un miroir où il voyait à la fois son propre reflet et, dans certaines conditions, le reflet du reflet de celui ou de celle qui lui tournait le dos.

« J'ai le goût du spectacle, s'exclamait Kulbertus avec des manières amples de metteur en scène. Je suis partisan de donner un peu d'allure et d'originalité aux interrogatoires. La lampe braquée dans les yeux, c'est de l'histoire ancienne, des méthodes de voyous. Soyons esthètes, que diable ! »

Il s'était fait servir plusieurs pintes de bière, réparties avec une fieffée préméditation.

« Regardez-vous bien dans les yeux et écoutez la magnifique histoire que je vais vous narrer. Je passe rapidement sur les mœurs des héros. À quatorze ans, Élisabeth devient la maîtresse de Richard Lépine qui est de vingt ans son aîné. Dix ans plus tard, elle devient la maîtresse de Jack Lauwerijk qui est de cinq ans son cadet. Les années passant, Jack étant devenu ce qu'il est, un homme brillant, et Élisabeth ce qu'elle est, une femme de pouvoir, ils acceptent de plus en plus difficilement de se soumettre à l'emprise de Richard Lépine, qui est leur maître à tous les deux. Il leur a tout donné. Il a fait d'eux ce qu'ils sont. Je passe rapidement aussi sur l'évolution des sentiments que l'un et l'autre portent à leur maître. Le processus est classique : l'admiration, la dévotion, tant qu'on a quelque chose à gagner, puis la concurrence, la rivalité, la détestation dès qu'on juge qu'on a dépassé le maître. Bref. Un jour, on envisage de se passer du maître. On imagine des solutions, on élabore des plans, on met au point des combinaisons. Voilà que Freddy revient au village avec une jeune et jolie femme dont il est jaloux comme une bête féroce. Lequel de vous deux a eu l'idée le premier, je n'en sais rien. J'inclinerais vers Élisabeth qui a l'esprit mieux organisé. Mais je pense que le projet s'est ébauché lentement, sur l'oreiller, lors de ces très douces et très excitantes conversations amoureuses, dont la plupart n'ont pas de sujet précis, où les mots tournent autour des idées sans jamais les formuler, mais d'une nuit à l'autre, d'un bavardage à l'autre, l'un faisant preuve ici d'audace, l'autre d'astuce, se confortant aussi bien dans leur amour que dans leurs ambitions, l'entreprise prend forme, s'établit dans une certaine réalité, devient envisageable. C'est le moment des équations, des calculs, de la réflexion pratique. Élisabeth, soutenue par Jack, décide de convaincre Richard d'aider Freddy et sa pauvre jolie petite épouse. Freddy ferait un bon chauffeur routier. Le Centre et le village dans son ensemble auraient à y gagner s'il y avait un taxi, plutôt que d'être tenus de toujours faire monter une voiture de Vresse ou de Bouillon. Ces manœuvres prennent environ six mois. »

Il boit. Il en avait besoin.

« Dimanche, Freddy s'en va au volant de son camion. Il part pour la Pologne. Le dimanche soir, tard, sur la route de Stettin, il reçoit un premier appel. La voix le met au courant de sa prétendue infortune. C'est Élisabeth qui téléphone, à partir du portable de Richard. Elle déforme sa voix. Freddy m'a dit qu'il croyait par moments entendre la voix d'un homme, et d'autres fois celle d'une femme. Ce n'est pas important. Dirigé adroitement, "drivé" comme on dit, Freddy devrait tel jour, à telle heure, fondre sur Richard et le démolir. Richard éliminé, Élisabeth héritait du Centre et Jack devenait le mari d'Élisabeth. Limpide. Mais voilà que le méchant Jeff Rousselet se réveille. Il a découvert quelque chose qui pourrait faire en sorte que Richard Lépine ne soit plus Richard Lépine, qu'il perde ses droits sur la propriété, ruinant ainsi son propre avenir et le vôtre. »

Il ne les regarde pas. Il parle comme s'il se trouvait seul dans la pièce, en train de répéter un texte de théâtre.

« Pour votre information, j'ouvre ici une parenthèse. Ce n'est pas Jeff Rousselet qui a adressé une copie de cette fiche compromettante. C'est une personne dont je tairai le nom. Après avoir reçu cette fiche, Richard Lépine a téléphoné au douanier. Ce qu'ils se sont dit, personne ne le saura jamais. Ils se sont mutuellement menacés, sans doute. Rousselet avait reconstitué presque toute l'histoire de Richard Lépine. Mais son plaisir c'était de haïr, pas de se venger. Sa haine était un loisir. Elle l'occupait comme n'importe quelle passion. Il la nourrissait. Il collectionnait des sujets de haine. Est-ce que vous avez déjà vu un collectionneur se séparer de la plus belle de ses pièces ? Tout psychologue qu'il était, Richard Lépine a cru cela possible. Et vous également. Vous en avez déduit que Jeff Rousselet risquait de contrarier vos plans. Vous avez décidé de le supprimer. C'était simple. Tous les dimanches, il se faisait monter au point de vue par Sylvie Monsoir, et il descendait à pied, promenade de retraité soucieux de se conserver le muscle dur et le souffle profond. Premier problème, Anne-Sophie Londroit débouche sur le point de vue juste au moment où Jack appuie sur la détente. Deuxième problème, le lendemain l'idiot conduit les gendarmes sur les lieux du crime. Troisième problème, Anne-Sophie disparaît. Élisabeth introduit la petite Karine, sur laquelle elle possède un fort ascendant, à l'hôtel du Grand Cerf, avec la mission de surveiller Thérèse. Quatrième problème, Anne-Sophie se réfugie chez un de ses amis, à Dinant, un certain Jérôme Doussot. »

Kulbertus se donne un long temps de réflexion. Il aimerait citer quelque chose de William Shakespeare, pour offrir une référence à sa tirade. Mais comme beaucoup de continentaux, c'est un homme qui ne connaît Shakespeare que de nom. À tout hasard, il lance « *Time is money* » en faisant le geste un peu cupide de remonter sa montre.

« Jack tue Rousselet. Il tue Anne-Sophie qui l'a vu tuer Rousselet. Il tue Jérôme dont il pense qu'Anne-Sophie lui a dit qui a tué Rousselet. Quant au meurtre de l'idiot, nous dirons que c'est un crime qui obéit à ce qu'on appelle aujourd'hui le principe de précaution. Comme a dit Freddy ce matin : c'est du beau boulot. Jack, regarde-toi dans la glace. Il n'y a que toi qui peux voir en toi si tu as oui ou non une tête d'assassin. Moi honnêtement je te donnerais le bon Dieu sans confession. Et j'irais même jusqu'à t'offrir à boire. Tu ne me fais pas horreur. Mais regarde-toi bien, Jack. Il n'y a que toi qui puisses te juger à ta vraie valeur. »

Jack se regardait. Et il se souriait. C'était un beau garçon et il se plaisait. Il examina Kulbertus de la tête aux pieds, lentement. Et il revint dans le miroir.

« Inspecteur, dit-il, j'aime tout de même mieux être dans ma peau que dans la vôtre. »

Kulbertus ne trouva rien à redire à cette impeccable profession de foi. Il toucha Élisabeth à l'épaule.

« Que dites-vous de tout cela, Élisabeth ?

— Je voudrais seulement savoir de quoi vous m'accusez, inspecteur.

— Autrefois, et encore un peu de nos jours, on essayait de déterminer à qui le crime profitait. Ce n'était pas une preuve, mais une présomption sérieuse. Je vois que le crime vous profite. Il profite à Jack aussi.

— Il ne profite qu'à moi, inspecteur. Mais je n'ai pas tué Rousselet. Je n'ai pas tué Anne-Sophie. Je n'ai pas tué Jérôme Doussot. Je n'ai pas tué l'idiot. Je n'ai pas tué Richard. Je n'ai tué personne. La voix qui a guidé Freddy jusqu'à Richard est celle de Jack. Vous trouverez ses empreintes sur le portable de Richard. Dans le bureau, tiroir de droite, en bas.

— Mais ce n'est pas moi, Élisabeth. Je n'ai jamais téléphoné à Freddy.

— Je n'ai jamais dit que tu avais téléphoné à Freddy, Jack. J'ai dit que tes empreintes se trouvaient sur le téléphone. Hier, je t'ai demandé de ranger le téléphone dans le tiroir. Tu l'as fait. La personne qui, cette nuit, a téléphoné à Freddy l'a peut-être fait avec des gants. Je ne sais pas. J'essaie d'émettre une hypothèse. Vous êtes d'accord, inspecteur ?

— Je n'écoute pas, mes enfants. Je vous laisse vous débrouiller.

— C'est toi Jack qui as replacé le fusil dans le placard.

– Mais non, c'est toi. Ce matin. Tu as demandé aux employés d'emmener Freddy dans le hall. C'est à ce moment-là que tu as remis le fusil. Tu avais pris un mouchoir pour essuyer tes empreintes.

– Mais non, Jack. Je ne sais pas comment les choses se sont passées. Tu étais dans le Centre, ce matin.

– J'étais chez toi.

– Crois-tu, Jack ? Je ne me souviens pas de ça. Attends, j'ai une idée. Il ne serait pas impossible que tu sois entré dans le bureau. Tu avais au moins dix minutes devant toi avant l'arrivée de l'inspecteur. Tu es venu avec le fusil. Tu t'es penché sur le corps du pauvre Richard. Tu as serré sa main sur la crosse du fusil. Et tu es allé cacher l'arme dans un endroit où il ne serait pas trop difficile de la retrouver. Dans ta précipitation, Jack, tu as oublié quelques-unes de tes empreintes sur le canon. J'imagine, seulement. Je ne prétends pas que les choses se soient passées de cette façon. Qu'est-ce que vous en dites, inspecteur ?

– C'est parfait.

– Élisabeth ! criait Jack. C'est toi qui as eu l'idée de tout ça !

– Je t'en prie, Jack, supplia Kulbertus, montre-toi à la hauteur des sentiments que tu portais à cette personne depuis dix ans. Prends sur toi.

– Quant à Karine, inspecteur, c'est vrai qu'elle a signalé la présence d'Anne-Sophie à l'hôtel du Grand Cerf. Elle m'a écrit le renseignement sur un papier qu'elle a déposé dans la huche à pain de ma cuisine. C'est Jack qui m'avait demandé d'envoyer Karine en mission.

– C'est faux !

– Je lui ai remis ce papier en main propre. Allez dans son bureau, inspecteur. Dans la bibliothèque, entre

Lamartine et Lautréamont, vous trouverez un volume de poésie signé Lauwerijk. Vous y trouverez le papier en question. Il l'a rangé là devant moi.

– Mais c'est faux !

– Voyez-vous, inspecteur, je ne suis pour rien dans tout cela.

– Mais c'est elle qui voulait ! Moi je ne faisais qu'obéir.

– Par amour, Jack ? demanda Kulbertus.

– Oui.

– Pour l'argent aussi, Jack. Tu voulais ta part du butin.

– C'était convenu.

– Vous entendez, Élisabeth ?

– J'entends, inspecteur. C'est difficile pour une veuve d'entendre que son amant veut la dépouiller de ce que lui a laissé son pauvre mari. Jack, tu ne devrais pas me parler comme ça. Tu sais combien je suis sensible. Tu as tué tous ces gens, prends-en la responsabilité. Aie le courage de tes actes. Moi une lourde tâche m'attend. Je vais continuer l'œuvre de Richard. Perpétuer sa mémoire. C'est mon devoir. Ce sera rude pour une femme seule. »

Maintenant, Jack ne se souriait plus dans la glace. Il avait laissé retomber sa tête sur sa poitrine.

« On croit rêver, Jack, pas vrai ? soupira Kulbertus. Tu devrais essayer de partir sur une bonne impression. Cinq meurtres, tu risques de ne pas la revoir avant vingt-cinq ans. Imagine ce que seront ces vingt-cinq ans pour elle si tu t'en vas fâché.

– C'est vrai, inspecteur, dit Élisabeth, on n'aime pas tellement quitter les gens en mauvais termes. Ça poursuit. Ce n'est pas confortable pour la conscience. Et puis c'est moche, quoi. Tu sais, Jack, tu n'es pas juste

342

avec moi. Tu me dois autant de bons moments qu'il y a de nuits en dix ans et un seul mauvais moment. La balance penche en faveur des bons moments.

– La balance pèse toujours en faveur des femmes honnêtes », jugea Kulbertus.

Il libéra Élisabeth de ses menottes.

« Bon deuil, maintenant, Élisabeth, dit Kulbertus avec cordialité.

– Il sera bon, ne vous en faites pas, inspecteur », sourit Mlle Grandjean.

Avant de sortir, elle se retourna vers Jack et le salua avec une émotion non feinte. C'est souvent à l'hommage qu'ils savent rendre à leurs outils qu'on reconnaît les bons artisans.

Quand ils furent enfin seuls, Kulbertus prit une chope de bière, la vida en grognant de bonheur. Puis il s'adressa à Jack.

« Jack, l'important c'est ton œuvre littéraire. À la rentrée, l'Académie royale te décernera son prix Émile Vidas. Si tu avais été libre, Jack, c'est une distinction qui serait passée inaperçue. Mais si le prix Émile Vidas va à un prisonnier, c'est la gloire. Des comités se formeront pour réclamer ta libération. Je les connais, les comités. Ils réclament la libération du prisonnier qu'ils défendent en faisant tout pour que leur raison d'être demeure en prison. Nous vivons l'époque des joyeux paradoxes. On essaie tous de tirer un petit bénéfice de nos activités. Toi tu as vu trop gros, Jack.

– C'est elle qui a tout manigancé, inspecteur.

– Mais tu n'as aucun moyen de le prouver. La justice n'a pas grand-chose à voir avec la vérité, tu sais, Jack. Une belle preuve fabriquée, bien adaptée à la situation, ça vaut mieux qu'un témoignage de bonne foi. On voit ça tous les jours.

– Pourquoi m'avez-vous chargé, inspecteur ?

– On ne charge jamais assez un homme qui a cinq morts à se reprocher.

– Élisabeth avait sa part de responsabilités.

– C'est vrai. Mais avec un bon avocat, elle ne risquait pas plus de quatre ou cinq ans. Peut-être seulement la moitié. À condition qu'on puisse prouver que c'est elle qui téléphonait à Freddy.

– C'est elle !

– Je le sais bien, Jack, que c'est elle. Mais je suis le seul à le savoir. Je ne t'en dis pas plus. Tu mérites d'être puni, tu seras puni. Mais, je te promets qu'elle le sera aussi. Je te le promets, Jack.

– Ça va être difficile pour moi, inspecteur. Je n'aurais pas dû l'écouter. J'ai eu tort. J'ai été fou.

– Tu vas payer.

– Oui.

– Regarde-toi dans la glace maintenant, Jack. Il faut que tu relèves la tête. Tu vas avoir besoin de toutes tes forces. Regarde-toi dans les yeux et sois juste avec toi-même. Adieu. »

Il alla ouvrir la porte et invita ses collègues à faire ce qu'ils avaient à faire. Plusieurs journalistes avancèrent un micro vers lui. Les flashes l'habillèrent d'une lumière qui le fit ressembler à un gros ange. Dans l'embrasure de la porte, il aperçut Nicolas, qui souriait.

Hôtel du Grand Cerf.
Nuit de vendredi à samedi.

Thérèse les regardait faire. C'est Vertigo qui lui avait demandé l'autorisation. Ils avaient commencé par le grenier. Il y avait là de quoi fournir dix brocanteurs pendant un an. Vertigo dirigeait la manœuvre. Il avait l'habitude. C'est un métier de fouiller. Chaque meuble, chaque tiroir, chaque panier, chaque cageot. Secouer chaque livre, chaque magazine. Examiner chaque morceau de tissu, vieux vêtements, vieux rideaux, vieux draps. Et les chapeaux. Les casiers à bouteilles. Les voitures d'enfant. Les tuyaux de poêle. Les chaussures, le fond des bottes. Les tables de machines à coudre. Les casseroles dépareillées. Les collections d'osier. Le creux des statues en plâtre. Les vieux postes de radio. Chaque lame de plancher. Chaque trou dans le mur.

Puis ils visitèrent les chambres du deuxième étage. En bas, Léontine appelait Thérèse et criait :

« Thérèse ! Thérèse ! Qu'est-ce que c'est que ce boucan ! »

Ils entendaient Thérèse répondre quelque chose, puis son pas résonnait dans l'escalier. Elle descendait au bar, soigner la pépie des journalistes et de certains policiers.

Vers une heure du matin, ils commencèrent à fouiller le premier étage où étaient leurs chambres, celle de Léontine, celle de Rosa Gulingen, celle de Thérèse, au bout du couloir.

Thérèse les attendait en haut de l'escalier. Elle tenait quelque chose en main.

« C'est ce que vous cherchez ? »

Vertigo laissa Nicolas s'approcher. Thérèse levait la main. Nicolas prit le passeport suisse qu'elle lui tendait. Il l'ouvrit, lut les noms de Maria Tender. Et à la rubrique « enfant », celui de Johan Tender.

« On ne jette jamais rien dans nos pays, murmura Thérèse. Par ici, tous les gens sont lourds. Ils portent sur eux des siècles de mauvais souvenirs, de mauvaises actions, de méchanceté ou seulement de bêtise. Toute leur vie est dans les greniers ou dans les armoires. C'est comme ça.

– Où l'avez-vous trouvé ?

– Il y a sept ou huit ans, huit ans exactement, ma mère est tombée dans les escaliers. Vous voyez le résultat. Depuis huit ans, je m'occupe d'elle. Un jour, j'ai dû chercher quelque chose dans son armoire et j'ai trouvé ce passeport. Il avait été recousu sous la doublure d'un chapeau de mon père.

– Vous savez à quoi il correspond ?

– Non. Je sais seulement qu'il appartenait à Rosa Gulingen. Le jour de sa mort, je l'ai vu. Il dépassait de la poche de sa veste. Je pense que c'est à cause de ce passeport que Rosa Gulingen est morte. Mais je n'ai pas envie d'en savoir plus. »

Kulbertus s'excusa et dit qu'il avait encore quelques travaux à terminer du côté de la pompe à bière. Le pied sur la première marche, il se retourna.

« Une petite soif, Nicolas ?

– J'arrive, dit Nicolas.

– Et je te propose qu'on se regarde un film de Rosa Gulingen. Avec une barrique de bière. Pour conclure.

– Je te suis, Vertigo », promit Nicolas.

Il rendit le passeport à Thérèse.

« Vous pouvez le garder, dit cette dernière en serrant les poings.

– Non, madame Londroit. Ce sont des vieilles histoires.

– Vous en ferez ce que vous voudrez, insista-t-elle.

– Je n'en ferai rien. Remettez-le où vous l'avez trouvé. L'avenir en fera ce qu'il voudra. »

Comme les poings de Thérèse demeuraient serrés, il glissa le passeport dans la poche du tablier blanc, qui contenait le décapsuleur à bière, le carnet et le crayon pour les commandes et un petit couteau.

« C'est mieux comme ça, je vous assure », dit encore Nicolas.

S'il lui avait demandé pour quelle raison elle tenait tant à lui remettre ce passeport, il n'était pas certain qu'elle aurait eu le courage de répondre que c'était parce que sa mère, la vieille Léontine, lui avait donné l'ordre de jeter le corps d'Anne-Sophie dans le puits.

Reugny. Hôtel du Grand Cerf.
Nuit de vendredi à samedi.

« Et la balle que sœur Marie-Céleste a extraite du bras de Caminage ? demanda Kulbertus dont les yeux pétillaient.

– Elle existe toujours, dit Nicolas. On peut la récupérer quand on veut.

– Allons-y.

– Ce n'est pas si simple, Vertigo. En fait, après avoir sauvé l'enfant dans la neige, Baudouin est devenu meilleur. C'est surtout Léontine qui le poussait au marché noir, aux trafics, aux pillages. Elle rêvait d'un hôtel. Il a tout fait pour réaliser ce rêve. Mais il s'en voulait terriblement pour l'affaire de la famille Lépine. Il ne disait rien, bien sûr. Mais il rendait souvent visite à sœur Marie-Céleste. Ils avaient ensemble de longues conversations. Il s'est mis à aller à la messe. Léontine lui a mené la vie dure. Un jour il est tombé malade. Sœur Marie-Céleste l'a soigné. Et elle s'est aperçue que Léontine était probablement en train de l'empoisonner. Elle en a parlé à Baudouin. Ce dernier l'a suppliée de ne pas attirer d'ennuis à Léontine. Il s'est confessé à un prêtre. Il a communié. Il ne souffrait pas. Il a survécu ainsi pendant une quinzaine de jours. Sœur Marie-Céleste le visitait une fois le matin, une fois le soir. Un soir, il lui a dit qu'il sentait que la fin était proche. C'est seulement à ce moment-là, après plus de vingt ans donc, qu'il a reparlé de la balle. Il a dit qu'il était temps d'enterrer cette histoire. Sœur Marie-Céleste a pensé qu'il avait raison. Elle a glissé la balle dans la bouche de Baudouin, qui l'a avalée. Il est mort la nuit suivante.

– Elle est au cimetière ! Elle est au cimetière ! Ah, si je m'attendais ! » s'exclamait Kulbertus, épaté.

Puis il s'avisa que sur l'écran du téléviseur Rosa Gulingen versait des larmes d'époque.

« Elle est vraiment naturelle dans le chagrin », murmura-t-il en se penchant pour happer sa chope de bière.

Épilogue

Jack Lauwerijk obtint le prix Émile Vidas et vingt ans de prison. Au procès, il ne put rien prouver pour entraîner Élisabeth avec lui. Le témoignage de cette dernière était accablant et trop superbement circonstancié par Vertigo Kulbertus pour souffrir la moindre controverse.

Après le prix Émile Vidas, des poètes et des écrivains constituèrent un comité de soutien à Jack Lauwerijk. C'était une manière généreuse de faire parler un peu d'eux dans les journaux. Jack s'attela à la rédaction d'un deuxième recueil de poèmes. Il visait le prix Arthème Krinquemart. Il lut Villon et Verlaine. Puis il se convertit au catholicisme, parce qu'il faut bien faire quelque chose de son âme. Il trouva naturellement à employer ses dons à la bibliothèque de la prison.

À Reugny, Thérèse Londroit attend la mort de sa mère pour pouvoir vendre l'hôtel du Grand Cerf à Élisabeth Grandjean, veuve Lépine. Mais Léontine se porte comme un charme. Des hauteurs de sa mezzanine, elle continue à comptabiliser les bocks que consomme la clientèle. De temps en temps, elle sourit, comme si sa mémoire était traversée par un souvenir du bon vieux temps.

Le Centre de Motivation a changé d'enseigne. Il s'appelle maintenant Centre Richard Lépine. Et prospère. C'est dans l'ordre des choses. Poussés par Élisabeth, propriétaire de leur exploitation agricole, Albrecht et Marieke Lauwerijk ont pris leur retraite et vivent désormais dans un minuscule appartement non loin de la prison où Jack purge sa peine. Ils n'ont pas pu refuser de faire partie du comité de soutien, mais ils se méfient de tous ces intellectuels qui tiennent des propos sur la liberté et sur la poésie. Ils pensent, non sans raison, que Jack n'en serait pas où il en est s'il avait suivi la voie qu'un fils de fermier doit normalement suivre, c'est-à-dire prendre la succession de son père à la tête de la ferme.

Armand Grétry se brisa un os encore au cours d'une manœuvre hardie d'encerclement à bras ouverts d'une aide-soignante de vingt-quatre ans. Emma le soigne avec un dévouement admirable.

Charles Raviotini a provisoirement renoncé à son film documentaire. Il a toutefois envoyé des équipes enregistrer les témoignages des différents protagonistes de cette histoire. Il espère en tirer le scénario d'un film de fiction qu'il a demandé à Nicolas Tèque de préparer. Ce dernier partage avec Sylvie un bonheur de tous les instants. Ils se promènent beaucoup dans Paris et ailleurs, selon leur fantaisie et ne sont pas sûrs que leur vie actuelle ait été précédée de quelque passé que ce soit. Ils ont le sentiment d'être nés le jour où ils se sont rencontrés. Une fois, ils ont eu des nouvelles de Freddy, par le journal. Fidèle à ses habitudes, Freddy, condamné à dix ans de détention, a voulu montrer sa force en cassant tout ce qui se présentait à portée de sa rage. Malheureusement, dans sa colère il a arraché à moitié la tête de son compagnon de cellule. Ce sont des privautés qui déplaisent à l'administration pénitentiaire. Freddy s'est défendu en jurant qu'il n'avait fait qu'obéir à des voix. Les psychologues pensent qu'il dit la vérité. Mais les juges, ne l'entendant pas de cette oreille, ont augmenté la peine initiale d'une demi-douzaine d'années.

À Verviers, sœur Marie-Céleste, qui estime que Dieu n'a rien de mieux à attendre d'elle maintenant, continue à faire les poussières dans l'escalier. C'est une manie qui la rassure, car elle pense de plus en plus souvent que les escaliers montent vers le paradis. Et, justement, c'est là qu'elle va.

C'est dans une indignité réjouissante que Vertigo Kulbertus profite de sa retraite. Tous les premiers samedis du mois, il reçoit la visite d'Élisabeth. Elle s'acquitte ainsi de la dette qu'elle a contractée envers lui, au terme d'un marché où le policier ne lui a pas caché à quel point il aimait les femmes et à quel point son physique ingrat avait contrarié cette propension noble.

« Si vous le voulez, lui avait-il dit avant de la confronter à Jack Lauwerijk, je peux vous aider à vous sortir du mauvais pas où vous met cette affaire. Mais comme il faut que justice se fasse, nous pourrions convenir d'un châtiment qui nous agréerait à tous les deux. »

La proposition ne l'avait pas choquée. Elle risquait cinq années de prison pour complicité dans une série de meurtres. Elle avait tout à y perdre. Comme le sens pratique était la qualité dont elle manquait le moins, elle accepta donc de consacrer, le premier samedi de chaque mois, quelques heures à Vertigo Kulbertus. Elle y mit plus que du cœur, espérant ruiner la santé de son créancier par des pratiques exténuantes. Mais elle ne parvint qu'à faire maigrir le gros homme, améliorant de la sorte, sans le vouloir vraiment, à la fois l'état général de ce Sardanapale en caleçon, et par voie de conséquence les performances dont il était encore capable, ce dont, bonne joueuse, elle n'osa pas se plaindre.

Plus tard, Vertigo Kulbertus et Nicolas Tèque se rencontrèrent de nouveau. Ils tombèrent dans les bras l'un de l'autre, avec effusion, et s'invitèrent mutuellement au bar, pour s'informer de leur vie respective en buvant de la bière. C'était au festival du film romantique. Nicolas Tèque représentait Charles Raviotini dont plusieurs productions étaient à l'affiche. Vertigo Kulbertus s'était fait la plaisante obligation d'assister à la rétrospective des films où avait joué Rosa Gulingen. Ils parlèrent cinéma et crimes, hôtel du Grand Cerf et vacances en Ardennes, guerre et paix, justice et injustice, jusqu'au moment où Nicolas, reposant le septième des bocks qu'il venait de vider, dodelina de la tête en direction du policier à la retraite et dit :

« Ce que je n'ai jamais compris, Vertigo, c'est par quel tour de passe-passe Élisabeth a été complètement mise hors de cause...

– Ah ça, mon bon Nicolas, mon frère et mon fils, ce sont les mystères de ce qu'il y a de plus humain en nous. Il y avait dans l'air qu'on respirait à Reugny quelque chose de secrètement illégal et qui était susceptible de donner des idées au plus honnête des honnêtes hommes.

– Quelles idées, Vertigo ?

– Des idées incompatibles avec le cinéma romantique. Des idées pratiques, Nicolas. Oui, bien pratiques.

– Je peux savoir ?

– Il n'y a que dans les romans qu'on connaît le fin mot de l'histoire, Nicolas. Dans la vie, on n'arrive jamais à tout savoir. Ce n'est d'ailleurs pas très utile. Mais, à propos de toutes ces histoires, s'il fallait savoir une chose, Nicolas, une seule, ce serait que nous ne sommes pas dans un roman. »

Les Fiancés du paradis
Gallimard, 1995

La Chasse au grand singe
Gallimard, 1996

D'une Ardenne et de l'autre
Quorum, 1997

Les Ardennes
(photographies de Jean-Marie Lecomte et Pascal Stritt)
Siloë, 1997
Fenixx, 2015

Le Costume
Gallimard, 1998

Simple
Mercure de France, 1999

Le Cheval ardennais
(photographies de Jean-Marie Lecomte)
Castor & Pollux, 1999

Massacre en Ardennes
(avec Alain Bertrand)
Quorum, 2000
Labor, 2006

Les Bottes rouges
Gallimard, 2000

Le Grand Bercail
Gallimard, 2002

Nulle part, mais en Irlande
Le Temps qu'il fait, 2002

Charges comprises
Gallimard, 2004

Plutôt le dimanche
Labor, 2004

Le Jardin du bossu
Gallimard, 2004
et « Folio policier », n° 434

Terrine Rimbaud
(illustrations de Johan De Moor)
Estuaire, 2004

La Beauté maximale
Galopin, 2005

Liaison à la sauce
Galopin, 2005

Le Bar des habitudes
Gallimard, 2005
et « Folio » n° 4626

Teddy
(illustrations de Blutch)
6 pieds sous terre, 2005

Charleville-Mézières : absolument moderne…
(photographies de Thierry Chantegret
et Jean-Marie Lecomte)
Éditions Noires Terres, 2006

Chaos de famille
Gallimard, 2006
et « Folio policier », n° 767

Pleut-il ?
Gallimard, 2007

Les Biscuits roses
La Fontaine, 2007

La Belle Maison
Le Dilettante, 2008

Les Nœuds
Le Dilettante, 2008

Nadada
La Branche, 2008

Petit Éloge de la vie de tous les jours
Gallimard, 2009

La Mort d'Edgar
Gallimard, 2010

Je ne sais pas parler
Finitude, 2010

Parures
Éditions In8, 2010

Argonne
(photographies de Jean-Marie Lecomte)
Éditions Noires Terres, 2010

La Fée Benninkova
Le Dilettante, 2011

Des parents ? Pour quoi faire ?
(illustrations d'Aurélie Blard-Quintard)
Bayard Jeunesse, 2011

Pol Paquet
L'art c'est la vie, rétrospective
(avec Gilbert Lascault)
Silvana Editoriale (Milan), 2012

Le Testament américain
Gallimard, 2012

Une sainte fille
Gallimard, « Folio », n° 5415, 2012

Facultatif bar
D'un noir si bleu, 2012

Hopper, l'horizon intra muros
Invenit, 2012

La bonne a tout fait
Baleine, 2013

Le Fémur de Rimbaud
Gallimard, 2013
et « Folio », n° 5906

Depuis qu'elle est morte elle va beaucoup mieux
Les Éditions du Sonneur, 2015

Comment vivre sans lui ?
Gallimard, 2016

RÉALISATION : NORD COMPO À VILLENEUVE-D'ASCQ
IMPRESSION : CPI FRANCE
DÉPÔT LÉGAL : SEPTEMBRE 2018. N° 138719 (3029247)
IMPRIMÉ EN FRANCE